W9-COX-642

ОБОЖЖЕННЫЕ ЗОНОЙ

МИХАИЛ БАРСОВ

ВОРОВСКОЙ РИМ

РЭКЕТИРСКАЯ БАЛЛАДА

Москва
2000

УДК 882
ББК 84(2Рос-Рус)6
Б 26

Серия основана в 1997 году

Серийное оформление А.А. Кудрявцева

Барсов М.

Б26 Воровской Рим: Роман. — М.: ООО «Фирма «Издательство АСТ», 2000. — 416 с. — (Обожженные зоной).

ISBN 5-237-05025-5

Их обожгло зоной — раз и навсегда.

Потому что тот, кто хоть однажды побывал в мире за колючей проволокой, помечен клеймом зоны до конца своих дней...

Новые времена настали в Москве. И вчерашние уголовники сегодня стали «крутыми бизнесменами». Но ведь не зря же столицу издавна называли «воровским Римом»! И нынешние короли организованной преступности по-прежнему живут по старым блатным понятиям и, как и раньше, свято почитают лишь один в мире закон — «закон» воровской...

УДК 882
ББК 84(2Рос-Рус)6

ВОРОВСКОЙ РИМ

ПРОЛОГ

Внезапное чувство тревоги, охватившее его еще в дороге, усиливалось с каждой минутой.

Его пригласили на эту подмосковную дачу в качестве консультанта. Он был известным искусствоведом и прекрасным специалистом в области ювелирного антиквариата.

И теперь он сидел в кресле в просторной комнате с высокими окнами. Жалюзи были опущены. Перед ним на низеньком журнальном столике лежало седло, выкованное из чистого золота, и упряжь. Свастика на ремнях уздечки, инкрустированная бриллиантами, приводила искусствоведа в недоумение. Он старался скрыть свое замешательство, но это ему плохо удавалось. Интуитивно он чувствовал, что вляпался в дело, не терпящее свидетелей.

Рядом с ним сидели трое и внимательно слушали каждое его слово: что представляет собой такая вещь как произведение искусства, сколько она может стоить на западных аукционах и по каким особенностям эксперты определяют время ее изготовления.

Русоволосый человек с огромной головой и голубыми холодными, как льдинки, глазами неожиданно спросил:

— Кто из ваших знакомых реставраторов может «состарить» это седло?

Кожаное кресло под массивным телом заскрипело: голубоглазый гигант — а это был вор в законе по прозвищу Акула Боцман — поднялся в ожидании ответа.

Искусствовед, запинаясь, назвал несколько имен и адресов реставраторов, не брезгующих за хорошую плату выполнять подобного рода работу.

Высокий и тощий как жердь Беска и плюгавый, с колючими глазами Резо Шилик записали под диктовку координаты. Это тоже были воры в законе. Они выслушали лекцию с завидным вниманием. И лишь когда искусствовед исчерпал запас слов и стал повторяться, Акула Боцман нажал кнопку небольшого аппарата сигнализации на стене, и в дверях комнаты появился охранник дачи — боевик с хищной физиономией.

— Проводи профессора, — пробасил гигант.

На бледном как полотно лице искусствоведа мелькнула слабая надежда.

— До свидания. Желаю успеха. Всегда к вашим услугам...

Но охранник бесцеремонно прервал его и, схватив за воротник, потащил вниз по лестнице в подвал. Консультанта парализовал страх, но он все еще не верил, что это конец.

Тяжелая дверь, обитая железом, захлопнулась. Лязгнули замки. Он очутился в комнате без окон. «Вот оно, наказание, жестокое и неотвратимое», — подумал он, и вся его жизнь пронеслась у него перед глазами в одно мгновение.

В тусклом свете электрической лампы он увидел заросшего густой бородой человека, стоявшего в углу на коленях. Человек, не переставая шептать молитвы, повернулся к незнакомцу и, всматриваясь в его перекошенное от страха лицо, печально улыбнулся.

Это был дагестанский златокузнец, которого с сентября девяносто четвертого года многочисленные родственники безуспешно разыскивали по всей России. Надеясь сохранить себе жизнь, в этом подвале он изготовил золотое седло, не имея ни малейшего представления о том, кому и для чего понадобилось тратить столько драгоценностей на столь архаичный предмет.

Еще через несколько дней очередной жертвой бандитов стал французский реставратор, работавший по контракту в одном из московских музеев. Надеясь, что злодеи отпустят его, реставратор блестяще выполнил заказ: золотое седло было состарено приблизительно на пятьдесят лет. После чего несчастных уничтожили как опасных свидетелей секретного проекта.

ЧАСТЬ ПЕРВАЯ

Его ждали на площадке, где он обычно оставлял машину, а потом один, без охраны, поднимался к дверям ночного ресторана «Филадельфия». Было что-то таинственное в его походке, жестах, взгляде. Казалось, он не боится смерти и потому презирает врагов. В РУОПе о нем почти ничего не знали. Он ухитрялся совершать свои кровавые преступления — разборки с конкурентами, выбивание денег у задолжавших бизнесменов — и при этом не попадать в милицейские сводки. Лишь с недавнего времени «аналитические записки» с его подноготной и фотографиями стали изучать сотрудники спецслужб Израиля, Германии, США. Но Шах не имел никакого отношения к политике ни этих, ни других стран: он просто был незаурядным уголовником, рэкетиром, поднявшим свой авторитет в воровском общаке Монаха.

Первый от сцены столик у глухой стены, обитой пурпурным бархатом, уже более месяца сохранялся за ним. Он пировал здесь в компании ослепительно красивых девиц и зловеще дерзких друзей, которых умел подчинять себе. Шах стал наведываться в этот ресторан после того, как четверых его земляков, среди которых был и его родственник, застрелили в гостинице «Россия». Впрочем, Шах не собирался мстить за них — они, по его мнению, не заслуживали такой чести. А вокруг этого ресторана разыгрывалась очень серьезная воровская карта. Старый вор Монах и его небезызвестный собрат Профессор Самарский, а с ними и их заклятые враги внимательно следили за развитием событий.

Двое коренастых парней прохаживались вдоль автомобильной площадки, еще двое стояли под аркой дома, расположенного напротив ресторана. Они стерегли Шаха.

По мнению советников главаря «филадельфийских» рэкетиров, только убийство этого авторитета могло в сложившейся ситуации спасти перед блатными репутацию их группировки. И главное, как уверяли Саву приближенные, эта карательная акция подтвердит его право на воровскую «коронацию».

При свете уличных фонарей, ярко освещавших квартал, теплый августовский вечер медленно растворялся в прохладной московской ночи. Стихало движение на улицах, и все реже пересекали тротуар торопливые тени последних прохожих. Двое под аркой, дав знак своим товарищам, ушли в глубь двора.

— Правильно, — сказал Рыжий. — Нечего глаза мозолить...

Напарник только молча кивнул. Они сели в «БМВ», откуда открывался обзор в обе стороны улицы. Рыжий вытащил из-за пазухи «кольт» с глушителем.

— Не кипятись, Рыжий, нервные клетки не восстанавливаются. — Фиксатый, известный в прошлом мастер в области восточных единоборств, а ныне один из лучших таранных бойцов группировки, закурил сигарету. — Я опознаю его машину издалека. Выйдем — только очень спокойно, сделаем дело и укатим на время за город. Остальное, как сказал Сава, не наша печаль.

— Ты плохо знаешь Шаха. Он может причалить на чужой тачке.

— Да хоть на танке! У нас достаточно времени, чтобы встретить его и опередить, — уверенно заявил Фиксатый.

— А если он, зверь подлючий, не один заявится? Его ведь не угадаешь. Говорил же я, когда он, гад дагестанский, только повадился здесь быковать... Десять раз уже можно было его грохнуть, сколько моментов было — а Сава все тянул кота за хвост...

Фиксатый понял, куда клонит Рыжий. Хотя ему было в общем-то наплевать, за что и почему Сава хочет разделаться с Шахом, но столь опрометчивое обвинение в быковстве его насторожило. Фиксатый, прозванный так после того, как взамен выбитых сотрудниками МУРа передних зубов вставил золотые, никогда не занимался в отличие от Рыжего заказными убийствами. Но дела группировки были и его хлебом, и авторитет главаря он признавал безоговорочно, хотя некоторые из приближенных Савы не вызывали у него доверия. Особенно Викинг Паша — один из самых близких людей Савы, руководивший боевиками группировки.

— С кем бы он ни приехал, отпускать его нельзя. Если не хочешь, чтобы нас самих завалили. А насчет того, как Сава банкует делами группировки, возмущаться не советую. На то он и держит нас с тобой, чтобы мы...

— Лады, лады! Можешь не продолжать! — перебил его Рыжий. — Я к тому, что этот волк позорный мог пронюхать, какую встречу мы ему здесь готовим...

«Филадельфийские» рэкетиры понимали, насколько опасен Шах даже в одиночку. Но знать о засаде он не мог: разве что кто-то настучал. Только кто и зачем?

В замыслы Савы были посвящены лишь его приближенные. И Фиксатому, и остальным ребятам, задействованным в засаде, о плане рассказали лишь несколько часов назад...

«И все же, — после некоторого размышления пришел к выводу Фиксатый, — Рыжий — человек Плистовского, и если он покатил бочку на Саву — дело дрянь. Кто-то хочет использовать меня как торпеду. Рыжий явно намекает, что Сава не достоин руководить группировкой». Эта мысль окончательно испортила ему настроение, и он злобно оборвал напарника:

— Кончай базар, смотри по сторонам! И не доставай пушку, пока не дадим сигнал в кабак и под арку. — Фиксатый уставился в зеркало заднего обзора.

А в ночном ресторане жизнь только начиналась. Еще пустовали многие обильно сервированные столы, поджидавшие гостей. Артисты варьете из числа московской эстрадной элиты и околоконцертной богемы исполняли зарубежные и блатные шлягеры. Танцовщицы, лишь в самых интимных местах прикрытые блестящими лоскуточками, выпархивали со сцены в зал. Светомузыка усиливала различные элементы эротического шоу. Обнаженные бюсты танцовщиц, разрисованные помадой, дразнили публику. Девчонки-скороспелки и девицы постарше в изысканных вечерних туалетах кокетничали со своими крутыми кавалерами, швыряющими на ветер миллионы рублей.

В этот вечер Сава предпочел уединенному кабинету ликующий и полный жизни зал ресторана. Он сидел за шестиместным столиком в компании шикарных девиц в бриллиантах и толстяков в элегантных костюмах и с золотыми перстнями, унизывающими жирные пальцы.

Главарь группировки, получившей свое название от переименованного в девяносто восьмом году ресторана, Сава заправлял сетью магазинов и вещевых складов. Но все документы были оформлены на подставных лиц. Естественно, что ни одному из своих многочисленных коммерсантов Сава не давал денег для развития бизнеса на подконтрольных ему территориях столицы. В соответствии с неписаными законами российских уголовников это делали за него другие, что и обеспечивало Саве так называемый авторитет — старые воровские принципы и традиции имеют в России огромную силу и по сей день.

С тех пор как Шах стал появляться в Хрустальном зале «Филадельфии», ближайшее окружение Савы почувствовало себя неуютно. Но Сава не уловил этой перемены. В последнее время он пользовался информацией, которой его снабжал Плистовский, один из его приближенных. Через Плистовского Беска и Резо Шилик обещали Саве воровскую коронацию. Саву не остановили слухи о том, что Беска и Резо Шилик сами избегают появляться на авторитетных воровских сходках. Ему импонировали связи с американскими преступными кланами и огромные суммы денег, которыми они ворочали. Попытки нескольких авторитетов обвинить эту парочку в том, что они беспредельничают на толковищах, используют на разборках милицейские силы, кончались для смельчаков трагически. Акула Боцман, под чьим влиянием находились эти воры, оставался в тени и для большинства московских уголовников сохранял репутацию честного вора в законе.

Для расправы с Шахом Сава расставил своих бойцов в холле, в казино, в двух барах на втором этаже и в непосредственной близости от себя в зале, хотя был уверен, что четверо на улице не дадут Шаху подняться выше последней ступеньки у парадной двери ресторана.

Шах появился неожиданно, как привидение. Его дерзкие парни выскочили в зал из кухни, из-за кулис сверкающей огнями сцены, расталкивая обнаженных танцовщиц, и через несколько секунд, рассредоточившись среди обалдевшей публики, заняли боевые позиции. В руках у каждого было оружие: пистолет или короткоствольный автомат типа «узи» или «АКСУ» израильского или советского производства. Каждый держал оружие над головами присутствующих и готов был палить при малейшем сопротивлении со стороны противника.

Сава онемел. В последнее время он редко носил пистолет при себе, предпочитая пускать его в ход чужими руками. Теперь, застигнутый врасплох, он почувствовал, как все похолодело внутри. Он замер, и вдруг ему показалось, что он слышит голоса, кричащие: «Это конец!» И хотя он никогда не обременял себя мыслями о загробной жизни, а тем более о неминуемом возмездии, эти «голоса», решил он, звучали из потустороннего мира.

Кто-то из шаховских головорезов резко оборвал игру музыкантов, и танцовщицы, сверкая ягодицами, поспешили через сцену в гримерную. Их никто не тронул.

В следующую минуту Сава пришел в себя. На миг у него мелькнула надежда, что кто-нибудь из его парней откроет огонь. Но Викинг и пять его головорезов неподвижно сидели под дулами «наганов», которые наставили на них кутившие рядом весь вечер блатные из команды Профессора Самарского.

Крепыш Викинг — командир савиных боевиков, руководивший операцией по устранению Шаха, смекнул, в чем дело, но было поздно.

— Волчок, братан, — удивился Викинг, — вы чё, за черных?

— Черные в Африке, Викинг, — процедил Волчок, молодой уркаган, не сводя с него недоброго взгляда. — Шевельнешься, падла, — завалю! — предупредил он.

Теперь Викинг вспомнил, как полгода назад он со своими боевиками поймал двух самарских крадунов, взломавших вещевой склад, находившийся под их «крышей». Крадуны вернули похищенное, но штраф платить отказались, мотивируя это тем, что они не фуцаны и не барыги, а честные воры: «Воровать для нас — хлеб добывать». Викинг не учел тогда этой поправки и жестоко избил пойманных, ломая ребра и челюсти. Воспоминание было столь ощутимым, что он в течение нескольких секунд словно заново пережил случившееся и запоздало пожалел, что нажил лишних врагов.

Команда Шаха сработала чисто. Никто в зале не бряцал оружием — не было нужды. Только Волчок с двумя самарскими крадунами из-под накинутых на руки салфеток дулами «наганов» удерживали шестерых, готовых при малейшей оплошности со стороны противника открыть огонь навскидку. Но такого шанса им не представилось.

— Ш-шах, — только и мог выговорить Сава, медленно поднимаясь из-за стола.

— Мат, Сава! — зловеще ухмыльнулся дагестанец, вполглаза наблюдая за притихшей публикой. — Скажи, чтоб стул принесли, если не в падлу!..

Официант, не дожидаясь приказа хозяина, проявил инициативу: взял стул и широко, халдейски улыбаясь, пошел к столу.

Дамы завороженно смотрели на бандита. На нем был черный дорогой костюм — в тон коротко стриженным волосам. Воротник темно-синей рубашки расстегнут, как и у Савы, но в отличие от него и многих других рэкетиров цепочка на шее не поблескивала.

Толстяки из компании Савы опешили не меньше хозяина. Их лоснящиеся щеки покрылись красными пятнами.

— Ну что, наливай! — Шах громко засмеялся, и в этом смехе было столько дикого, варварского и не предвещавшего ничего хорошего, что все вздрогнули.

Сава взял со стола бутылку «Смирновской» и стал разливать по рюмкам, стараясь не выдать дрожи в руке.

— Достаточно! — рявкнул Шах, когда рука с бутылкой угодившего в ловушку главаря двинулась к третьей рюмке. — Этот тост касается только нас двоих, не возражаешь?

— Ссог-лласен... — выдавил Сава. Он попытался оглянуться, чтобы узнать, что с телохранителями и где Викинг, который всего пять минут назад подал ему знак, что все идет по плану... Но Шах был хищником, парализующим волю противника, и Сава сник, опустив голову.

Пятеро шаховских головорезов оставались в зале, остальные же сквозняком пронеслись мимо столиков изумленной публики в холл, на второй этаж и на улицу.

К Шаху подошел крепыш с жестким лицом, по которому в былые времена, видимо, не раз прошлись бритвой или лезвием ножа. О блатаре по прозвищу Абрек среди уголовников ходили самые невероятные легенды, смысл которых сводился к тому, что Абрек научился убивать раньше, чем читать и писать. И основания к этому были, особенно с тех пор, как Абрек появился в Москве.

Абрек говорил с Шахом по-аварски, резкими, короткими фразами. По-видимому, докладывал, как развиваются события.

— Расслабься, Филадельфия! — бросил Шах хозяину ресторана и кивнул Абреку. Тот молча пошел к столу, за которым замерли рэкетиры.

— Что за дела, Шах, что происходит? — опомнился наконец Сава и оглянулся.

— Викинги скурвились окончательно — у них и гомики не в падлу!.. Чтоб ты знал на будущее, Сава... А твоего Викинга сегодня придется опустить капитально, если ты, конечно, не возражаешь. Где твои советники?

— Понятия не имею, о ком ты. — Сава заерзал на стуле.

— Что ж ты тогда под козырного косишь? Не имеешь понятия — знай свое стойло!

— Шах, дело прошлое, за слова ты умеешь цепляться... Только я не из тех, кого загоняют в стойло! — Зрачки Савы сузились, кровь прилила к голове. Он почти задохнулся от ненависти, но больше от страха.

Шах опять рассмеялся, обнажая белозубую, как у хищника, пасть.

— Про стойло ты правильно заметил, но за метлой надо следить, Сава! — Он перевел взгляд на двух притихших типов, наводчиков, работавших на Беску и Резо Шилика, и указал на них серебряной вилкой: — Где ты нашел этих мухоморов?!

Сава вздохнул и поморщился, словно он только что вместо водки глотнул крепчайшего уксуса:

— Если у тебя есть конкретное дело, мы бы могли обсудить его наедине. Или тебе нужны публичные эффекты?

— Ты поговори у меня терминами, грамотей! — сквозь зубы прошипел Шах и рукой подал знак Абреку.

Толстяки-наводчики, выступавшие в роли добропорядочных бизнесменов, из последних сил пытались сохранить самообладание. Их уже не интересовали шикарные девки, а на Шаха они и вовсе старались не поднимать глаз: такой страшной силой веяло от этого человека. Они лишь украдкой вопросительно переглядывались, словно пытаясь оценить свои шансы на мирное разрешение возникшего конфликта. Барыги не теряли надежды, что с минуты на минуту в эту опасную игру вступят боевики Бески и Резо Шилика, и тогда с Шаха и его головорезов полетят перья. Сава, думали они, — недоумок, не способный на что-либо серьезное. Нельзя было сегодня соваться сюда...

Сава посмотрел по сторонам. Публика, поняв, что разборка притихла, стала лениво дожевывать фирменные блюда, с затаенным любопытством следя за их столиком. Он представил себе тех, кто уже злорадствует по поводу его краха. «Но рано, рано меня хоронить», — думал Сава. За несколько кварталов от ресторана еще с вечера были расставлены его люди. Однако связаться с ними можно только по телефону. Но как прорвался сюда этот зверь?! Кто за ним стоит, откуда у него информация? Сава знал, что у Шаха нет постоянной территории, что в его команде немногим более двадцати бойцов — это против его-то двухсот! Правда, еще пятнадцать братанов Черняги из Люберец, но они вряд ли огорчатся, если изрешетить пулями этого супермена из Дагестана. Но Сава ошибался. Еще как ошибался.

Абрек, озираясь по сторонам, как тигр, провел Викинга к столу, за которым разговаривали два авторитета. Последним шансом Викинга оставался ствол, который у него еще не отняли.

— Здорово, варвар! — В металлическом голосе Шаха прозвучали презрительно-насмешливые нотки.

Викинг чувствовал, как смотрит на него Сава, и старался не встречаться с ним взглядом, а вот на реплику противника рискнул ответить:

— Классный спектакль ты разыграл, Шах! Но вряд ли это понравится людям — ты тоже на мушке, имей в виду... И потом, запиши себе на память: я не варвар!..

— Да ну? — Шах вскинул брови, но и со стороны было ясно, что он играет с жертвой, как кошка с мышкой. — Так, по-твоему, викинги не варвары? Молчишь, сука? Ну-ка сделай рожу попроще... Перед фирмачами из Скандинавии будешь выпендриваться, Гамлет замороженный! Это у них пинчи в почете... — Шаха не особенно волновало истинное происхождение Гамлета, сейчас ему было не до литературных изысков. — А теперь посмотри на Саву и скажи, сколько тебе отстегнул Плистовский за то, чтобы ты вместе с Рыжим грохнул в гостинице четверых пацанов? Шесть секунд на размышление! Время пошло...

Честно ответив на этот вопрос, Викинг автоматически попадал под двойной приговор. Главарь «филадельфийских» рэкетиров, хотя и был плохим психологом и никудышным стратегом, бойцов своей группировки держал строго. За такую провинность, как сокрытие доходов, тем более полученных за мокруху, Сава не пощадил бы даже самого доверенного человека.

— Понятия не имею, о чем базар. Какая еще гостиница? — сорвался на фальцет Викинг и неожиданно сунул руку под левую полу своего бордового пиджака. Но это не осталось незамеченным. Абрек только слегка коснулся плеча Викинга и вдруг мощнейшим ударом кулака в челюсть опрокинул его на пол. Тело в сто килограммов весом рухнуло между столами.

Публика отреагировала довольно сдержанно: послышался женский визг и гомон мужчин, в котором недоумения и одобрения было поровну. Похоже, большинство восприняло происходящее как продолжение внезапно прерванного шоу. Девицы за столом притихли, как мыши, зная свою роль. Все, что от них требовалось, — это украшать компанию, а уж мужчины найдут себе повод повеселиться.

Абрек неожиданно удивил «добротой». Потоптавшись возле нокаутированного Викинга, он обратился к незнакомой компании за ближайшим столиком:

— Братаны, не в обиду, дайте воды для этого быка. — Голос головореза звучал трогательно-просительно, но тюремный жаргон и шальной блеск в глазах могли подсказать кому угодно, что это не простая доброта.

Охотно откликнулось несколько человек. Абреку протянули бутылки с нарзаном.

И тут сложилась ситуация, из которой не каждый нашел бы правильный выход. Первой предложила воду бандиту богатенькая дама, унизанная золотом. Но Абрек проигнорировал ее порыв и взял бутылку у мужчины — на вид коммерсанта средней руки. Газировка, шипя, полилась на лицо потерявшего сознание Викинга. И когда бандит, очнувшись, встал и, покачиваясь, пошел к выходу в сопровождении мордоворота, обиженная таким невниманием дама дернула пухлыми плечиками.

— Смотри, какая солидарность... — Ей было невдомек, что общаться с женщиной при ее кавалере, по понятиям этого бандита, — паскудное дело.

Через пятнадцать минут вернувшийся Абрек сообщил Шаху, что кабак находится полностью в их руках.

— Ну что ж, Сава, кажется, ты хотел поговорить наедине... — Шах бесцеремонно конфисковал радиотелефон, лежавший на столе между наводчиками, и, поручив своим парням позаботиться о них и девицах, вместе с Савой удалился из зала.

Просторный «чулан» Савы был прекрасно обставлен: резная мебель орехового дерева, несколько картин, написанных маслом, изображавших обнаженную натуру. За стеклами бара в несколько рядов сверкала коллекция дорогих изысканных напитков. На полу толстый, как медвежья шкура, огромный ворсистый ковер.

— Барыжничаешь?! — ухмыльнулся Шах, колючим взглядом окинув интерьер кабинета. — Но речь не об этом...

Он приблизился к нему почти вплотную, так что Сава даже несколько отстранился от гостя.

— Что ж ты, Сава, братан... — Внезапно главарь «филадельфийских» рэкетиров почувствовал, что отрывается от пола. — Хотел меня грохнуть, падла?!

— Да с чего ты взял? — заверещал Сава. — Пусть нас рассудят люди!.. — «Филадельфийский» главарь имел в виду воров в законе, которым нужен Сава живым и процветающим.

— Тебе, мудила, легче подыхать от этого будет? За что ты хотел меня грохнуть?!

— Шах, — пробовал вырваться Сава, — за беспредел твой...

— Что-о? Беспредел против кого?

— Ты же на наш хлеб позарился! Начал доить наших коммерсантов...

— Конкретно, имена?! — Шах сильно встряхнул его. Оторвавшаяся от пиджака пуговица щелкнула по буфету.

— Кончай быковать! — Сава освободился наконец из тисков и отряхнул пиджак, приводя его в порядок. — Тебе все равно отсюда не выйти... У меня кругом люди.

— Ничего! — Шах толкнул Саву, и тот упал в массивное плюшевое кресло. — Твоих людей я перестреляю как куропаток! Остальные разбегутся — твои быки привыкли мочить втихаря... Короче, кто грохнул четверых пацанов в «России»?

— В первый раз слышу...

— Тебе повезло, что я и сам так думаю. А насчет коммерсантов ты, Сава, промахнулся — где это видано, чтобы на братву без всяких разборов засаду устраивали?

— Шах, дело прошлое... — Сава и сам стал вдруг осознавать, что его подставили и репутация его может пострадать. — Ну, в натуре, непонятка вышла...

Шах усмехнулся и достал из-за пояса пистолет системы Стечкина с длинным стволом и ребристой рукоятью. Эта модель отличалась не размером калибра, а эффективностью стрельбы, особенно в ближнем бою. Поэтому его часто применяли на разборках и толковищах, а также в оперативных действиях особой важности сотрудники КГБ, а ныне ФСБ.

Затем, следуя одному ему понятному плану, Шах вытащил из кармана металлическую трубку и накрутил на ствол «стечкина».

Сава, выдержав невольную паузу, осторожно продолжал:

— В натуре, Шах, я ведь отстегну сколько надо за непонятку... Пол-лимона баксами тебя устроит?

— Да ну? — откликнулся Шах так, что нельзя было понять, согласен он или глумится напоследок.

Сава проглотил сухой ком в горле. А если Шах пошел на принцип? Но в любом случае по воровским понятиям он не имеет права на самосуд. Кто он в самом деле, вор-корона, что ли? Кем он себя возомнил, этот дагестанец? Кто дал ему «добро» на расправу? Мысли Савы метались в панике, словно крысы в подвале. Вполне могло быть и так, что законники и поручили Шаху убрать его: за Савой водились грешки...

— У тебя здесь касса? — разглядывая трубку глушителя, спросил Шах.

— Только мелочь. Тысяч сто наберу, за остальными отправлю гонцов...

— Нет... — оборвал Шах и присел в кресло напротив. Ствол теперь смотрел прямо Саве в лоб. — Не будем разводить базар. Ты прокололся, Сава, ты проколотый, как бублик, и я тебя вижу насквозь... Эти мухоморы за столом — чьи они люди?

— Шах, это люди Бески, я знаю, — быстро ответил Сава, но почему-то при этом не упомянул Резо Шилика.

— А на кого работает Беска? Вместе с Князем, в общак которого ты платишь. Ну? Ты понял, откуда ветер дует? Думаешь, никто не слышит, как эти мухоморы обещают тебе воровскую корону и жирный кусок в Америке?..

— Та-а-к, — пораженный знанием деталей, прохрипел Сава. — И что тебе еще известно об этом?

— Многое, — скривился Шах. — Вопросы задавать буду я. Откуда Викинг и Рыжий получили по сорок тысяч долларов за мочиловку в «России»? Это как раз по десять «прессов» за душу — их было четверо...

Сава только развел руками: что он мог на это ответить? С такими людьми, как Шах, лучше всего быть предельно искренним. Сказал — убьет, значит, убьет.

— Я не буду мстить, — продолжал Шах. — Не буду, хотя один из них был моим родственником... Они получили то, что заслужили — сыр в мышеловке.

— Так ты хочешь сказать — Викинг и Рыжий работают еще на кого-то? — косясь на дуло, недоверчиво спросил Сава.

— Викингу было обещано многое. За мою голову, например, он с Плистовским собирался разделить твою команду. Понял? Тебе не интересно узнать, сколько стоит дырка в твоем черепе?

— А-а! — Сава вскочил и, судорожно сжав виски, стал расхаживать по ковру. У него был вид человека, одолеваемого приступами менингита. Наконец он остановился у бара и налил себе в стакан коньяка «Наполеон», расплескав благовонную жидкость по деревянной стойке. Махом осушив его, он обернулся к Шаху. — Теперь-то я понял, братан! — Он растерянно покачал головой. — Но почему, почему ты не сказал об этом раньше? Я ведь мог... — тут Сава осекся.

— Грохнуть меня еще раньше?.. Смелее, Сава, между братвой какие могут быть недомолвки! Как видишь, не дал я тебе взять греха на душу. Так что ты у меня два раза в долгу: за свою и за мою шкуру. Ведь тебе бы потом не отмыться, согласен?

Сава кивнул:

— Ладно, дело прошлое... Чего ты хочешь? Власть делить в группировке? Денег? Процент со станков?

— Узнаешь после. Теперь у нас один выход. Ты должен работать на меня!

Сава покачал головой:

— Замашки у тебя, Шах, наполеоновские... Что ты выставишь против Князя, не говоря уже про других?..

— Это последний твой шанс! — решительно перебил его Шах. — Ну?.. У тебя шесть секунд на размышление и выставлять даже ничего не придется — прямиком отправишься на тот свет!

Не прошло и двадцати минут, как парни из шаховской бригады закрыли казино и два бара, располагавшиеся на втором этаже «Филадельфии». Они вежливо выпроводили посетителей и объявили выходной персоналу.

Все, кто охранял ночной ресторан, были разоружены; часть бойцов осталась в опустевшем помещении казино, остальные же, вместе с одержавшими верх рэкетирами, дежурили на своих местах в холле и у черного входа на кухне. Это позволяло скрыть истинное положение дел от любопытных глаз.

Рыжий рассеянно гладил ладонью зеленое сукно стола, исподлобья оглядывая парней, на которых они с

Фиксатым не обратили поначалу внимания: просто два поддатых посетителя, покачиваясь, вышли из ресторана. Интуиция сработала секундой позже, но уже два автомата «узи» уперлись им в головы из окон автомобиля. Ничего не оставалось делать, как отдать свои «кольты» с глушителями и проследовать через арку во двор, где в ожидании сигнала Леший и Ромбик покуривали «Кэмел».

Леший, прозванный так за природное коварство и умение выкручиваться из любых ситуаций, готов был палить из десантного автомата и по чужим, и по своим, невзирая на крики Рыжего. Фиксатый то ли от страха, то ли от сознания собственной обреченности молчал как рыба и, несмотря на то что перехитривший их рэкетир тыкал в хребет холодной сталью автомата, требуя приказать своим бросить оружие, не проронил ни слова.

Из квадратного дворика со слабо мерцающими фонарями был только один выход. Шах еще днем поручил своим бойцам присмотреть подходящую квартиру с окнами на ресторан и во двор. Хозяева квартиры, на которую пал выбор, не успели даже возмутиться: солидный вид десятитысячных купюр их успокоил. Все это время парни следили за перемещениями «филадельфийских», поддерживая с Шахом связь по радиотелефону.

Ромбик, получивший прозвище из-за своей страсти к вузовским значкам, пытался затеять с шаховскими парнями игру:

— Давайте одновременно опустим стволы и отойдем... — Он не мог себе представить, что выстрелит в Фиксатого, которого искренне уважал; судьба Рыжего

его мало беспокоила. Ромбик недолюбливал его за заносчивость и за страсть к заказным убийствам.

В тот самый момент, когда Леший уже готов был открыть огонь, рэкетир Бац (что в переводе с аварского означает «волк»), тенью скользнув из подъезда, очутился за его спиной и точным ударом приклада автомата по голове отключил противника. Напарник Баца оказался менее расторопным — он замешкался, и Ромбик увидел надвигающегося на него врага. И все же Ромбик не нажал на спуск — отскочив в сторону, он в отчаянии стал водить дулом автомата по дуге.

— Спокойно, Ромбик! Беспредела не будет! — крикнул ему Бац. Он был прикрыт телом Лешего и мог открыть огонь, не очень беспокоясь получить ответную пулю. Но у шаховских парней была строгая инструкция — разоружать «филадельфийцев» по возможности без крови и шума. Хотя Ромбику случалось встречаться с Бацем и пропускать с ним по сто граммов за стойкой бара, он не знал, для чего этот даг спас его друга, и не решался стрелять, хотя был на грани срыва.

— Отпустите ребят — или всем хана!!! — крикнул он, пытаясь найти выход.

— Расслабься, Ромбик, повторяю — беспредела не будет, ты нас знаешь. — Бац выпустил Лешего, который тут же рухнул на асфальт. Затем он медленно подошел к Ромбику и, опустив оружие, протянул ему руку. Эта минута показалась рэкетирам целой вечностью. Пальцы шаховских головорезов замерли на спусковых крючках... И Ромбик капитулировал — отдал свой автомат дагу.

Приведя Лешего в чувство, рэкетиры двинулись в ресторан.

Пока главари выясняли отношения, Абрек взял в оборот Викинга.

— Ты кто такой есть по жизни, чтобы указывать, каких коммерсантов напрягать, а каких — нет?! Я что, тупее тебя?!

Белобрысый здоровяк с лысеющей макушкой затравленно оглядывался на бойцов своей группировки, которых зажали между столами и держали под дулами автоматов. И хотя он знал, что вляпался основательно, жажда жизни заставляла его выкручиваться до последнего.

— Не надо передергивать. Я говорил: «Тех, кто платит нам, никто не имеет права напрягать...»

— Это чё, получается, они под твоей «крышей» и за базар свой не должны отвечать?!

— Почему, должны...

— Так за базар с них и спросили. — Абрек развернулся к захваченным рэкетирам, которым ничего не оставалось делать, как молча взирать на своего командира. — Кто из вас подходил к нашим, чтобы разобраться по-хорошему: так, мол, и так, вы зря наехали на наших коммерсантов? — Выждав минуту, он сам и ответил: — Никто! А чё ты, падла, капканы ставишь, мы тебе волки, что ли, чтобы нас отстреливать?!

Абрек большую часть жизни гастролировал по крупным городам, два срока отсидел в сибирских лагерях, и определить теперь его национальность было практически невозможно: он говорил на лагерном жаргоне и без акцента. Был на полголовы ниже Викинга и более чем на пуд легче, но его пружинистое тело источало хищную энергию на порядок больше. Серые, со стальным блеском глаза буквально пожирали голубоглазого рэкетира.

— Отвечай, кто ты есть по жизни?!

— Человек...

— Ментяра, сука, тоже человек, ну так что из этого?!

— ...Я говорю — порядочный человек...

— Интеллигент, что ли?! — зарычал Абрек. — Педераст тоже может быть интеллигентом! Но он гнида! Официант тоже человек, но он халдей! То, что ты человек, мне мало о чем говорит.

— Я не мент и не пидор, люди меня знают, — выкручивался Викинг.

— Я тебя тоже знаю — как хитрожопого беспредельщика, — наседал Абрек, не давая ему опомниться.

— За мной нет беспредела...

— А кто капкан устроил, кто людей с пушками на Шаха направил, не ты?!

— Я не знаю расклада. Как сказали — так и сделал, но теперь понимаю, тут непонятка вышла... Давай на мировую повернем, в натуре, нам не за что грызться...

— А в гостинице «Россия» тоже непонятка была?! Рыжий раскололся, давай и ты колись, пока не поздно!..

Викинг украдкой метнул на Рыжего полный ужаса взгляд. Всем «филадельфийцам» стало ясно, что Абрек многое знает и не шутит. Рыжий потупился под пытливыми взглядами товарищей по банде.

— Короче, давайте сюда воров в законе: Беску, Шилика, Князя и Акулу. Пусть они рассудят нас. — Викинг дрожал, обливаясь холодным потом, и надеялся только на чудо.

— Князя мы не знаем, Беска с Шиликом не воры, а ссученные фраера, набитые деньгами. А про какого Акулу ты говоришь?

— Акулу Боцмана...

— Мы достаточно уважаем Акулу Боцмана, чтобы не обращаться к нему из-за такого мухомора, как ты! Или ты считаешь, мы не в состоянии спросить с тебя сами? — Абрек ударил его коленом в пах. — Так ты будешь говорить или пора тебя мочить?! Сколько вам с Рыжим отстегнул Плистовский?

— Восемьдесят кусков, — прохрипел согнувшийся от боли Викинг.

Абрек подошел к парням и выдернул за рыжий чуб второго киллера.

— Я тут ни при чем, — взмолился Рыжий, — мне сказали — я сделал, от меня ничего не зависело.

Абрек саданул его кулаком по голове, от чего тот ударился всем телом о стену и сполз на пол. В это время в кармане пиджака Абрека затренькал радиотелефон. Это звонил Шах. Абрек коротко доложил авторитету, что главные фигуры группировки уже раскололись.

Шах отключил трубку мобильного телефона.

— Тебя не удивляет, что здесь нет твоих советников?

— Говори, не томи! — Сава затравленно смотрел на своего противника.

— Я замочил их, перед тем как двинуть сюда. В отличие от тебя они быстро раскололись... Короче, не тяни резину — менты могут нас пасти. Как банковал делами группировки, так и будешь продолжать... Сейчас поднимемся наверх, задашь несколько вопросов этим козлам и при всех прострелишь им головы. Договорились? Нормально... Теперь, — Шах протянул радиотрубку, — дай отбой своим ребятам, тем, что расставлены для страховки. Пусть завтра к трем часам бригадные соберутся в гостинице «Спорт», там у входа их встретят парни Черняги.

— Хорошо. — Сава взял телефон и несколько секунд молчал, наморщив лоб, что-то соображая. — Проблемы с Князем ты сам решишь, но к какому общаку мне теперь примкнуть? У меня ребята на зоне и в тюрьмах, да и мало ли еще кому придется туда падать...

«Потерявши голову по волосам плачут, — ухмыльнулся про себя Шах. — Или не верит мне на слово, думает, после разборов я его грохну...»

— Монах теперь будет твоим авторитетом, через его общак будешь решать все проблемы с зоной, — ответил ему Шах.

Когда они вошли в казино, по их виду всем стало ясно, что главари договорились.

— Здорово, братва! — дружелюбно крикнул Шах, и «филадельфийцы» с готовностью откликнулись на его приветствие.

Сава подошел к Викингу. Тот медленно поднялся с корточек и стал озираться по сторонам. Казалось, он обезумел от страха. Кожа на левой щеке была разодрана, и он зажимал ссадину носовым платком.

— Ну и сколько ты хапнул за моей спиной?! — с неподдельной яростью воскликнул Сава.

— Восемьдесят кусков, на пару с Рыжим... — Похоже, Викингу не хотелось умирать в одиночестве. — Но эти бабки мы собирались кинуть на общак...

— А дербанить территорию на чей общак ты собирался?!

Викинг упал на колени и стал просить пощады, обещая все рассказать в деталях, но Сава был неумолим. Он произнес короткую речь в назидание остальным и хладнокровно застрелил Викинга, а после и Рыжего. Потом их трупы бойцы Савы перетащили по потайной лестнице в подвал, чтобы утром на продуктовом автомобиле, оборудованном под страшные грузы, увезти подальше от ресторана. Уборщица Марья Тимофеевна привычно вытерла с паркета кровь и отправилась в комнату для техничек, где уже пили чай две ее сверстницы-посудомойки. Рэкетиры были спокойны на сей счет — от уборщицы и посудомоек не утечет информация.

* * *

— Сава, братан, ты поступил правильно, как и положено путевому авторитету. Хотя непутевых авторитетов не бывает у братвы, беспредела столько развелось, что ссученных стало не перечесть, — с пафосом заговорил Шах. — Ни за кем из вас за ту непонятку, в которую нас толкнули ссученные, я не вижу вины. Но суки получили, что им причиталось. Пусть все знают: кроме этих двух, свое получили Плистовский, Гоша и Ювелир. — Шах внимательно разглядывал лица «филадельфийцев», делая выводы. — Надеюсь, братва, среди вас больше нет предателей, а если кто и объявится, то и его ждет та же прави́ла, которую вы только что видели. Ведь теперь мы повязаны общим делом. Короче — непонятка исчерпана. А где стволы братвы?

Один из шаховских головорезов взял две сумки, набитые оружием, и поставил их у ног главаря.

«Дьявол! Сущий дьявол!» — думал Сава, глядя на неожиданный трюк Шаха.

Рэкетиры подходили и, опускаясь на корточки, рылись в сумках в поисках своего оружия. Шах каждому пожимал руку и задавал один и тот же вопрос:

— Ну что, братуха, без обиды?.. Среди путевых нечего делить, а ссученных мы с вами всегда будем мочить...

Отвечали одинаково:

— Нормально, Шах, я всегда тебя уважал... — и отходили в сторону.

Фиксатый выдержал драконий взгляд Шаха и тоже коротко бросил: «Нормально».

Начальник восьмого отдела московского РУОПа полковник Алексеев вернулся домой около полуночи. Шестнадцатилетняя дочь и два внука от старшей дочери, гостившие у него уже неделю, крепко спали. Жена Татьяна Владимировна за двадцать семь лет супружеской жизни так и не сумела привыкнуть к опасностям, которым он подвергался каждый день. Вот и сейчас она с беспокойством ждала мужа, который снова задерживался на работе. Увидев мужа на пороге, она радостно вскрикнула и прильнула к нему, спрятав голову на его груди.

— Ну-ну, Танюша, прямо как в медовый месяц!

— С той лишь разницей, — прошептала она, — что тогда опасность была для меня далекой абстракцией, а теперь стала ежедневной реальностью.

Карие глаза Татьяны Владимировны все еще были хороши. Она была подвижной, веселой женщиной, работала в Институте востоковедения на отделении арабской филологии, увлекалась философами средневековья: аль-Газали, Ибн Рушда, известного в Европе под именем Аверроэс. Георгий Иванович — фанатик правопорядка, известный в системе МВД волкодав, был далек от философских теорий. Но чтобы не обидеть любимую жену, в свободные минуты он слушал полные восточного очарования притчи и рассказы, мужественно борясь со сном. Уроки «домашнего философа», как он ласково называл жену, не пропали даром — он стал начитанным в области философии и интересным собеседником.

Горячий ужин Татьяна Владимировна подала в столовую: муж собирался посмотреть политические новости.

Зазвонил телефон, и, шаркая тапочками, Алексеев поспешил в прихожую.

— Слушаю...

— Товарищ полковник, докладывает капитан Васильев. В семьдесят четвертом квадрате замечено скопление преступных группировок. В ресторане «Эф» происходит разборка между группами «Даг-Ша» и «Эф-Эс». Оружие на момент 23 часов 25 минут не применялось. Какие будут указания?

— Значит, так, Володя, — быстро сориентировался полковник, — передам объект Архипову; свяжись с ним и через час перезвони мне.

Через минуту он уже говорил со своим заместителем подполковником Архиповым, который, как всегда, с энтузиазмом принял команду обеспечить правопорядок в семьдесят четвертом квадрате города Москвы.

Люберецкие качки-рэкетиры из бригады Черняги уже несколько дней следили за бойцами Бески, Резо Шилика и Князя. В тот же вечер, когда Шах настиг советников «филадельфийского» главаря — Плистовского, Гошу и Ювелира — и, ломая им кости, выбил нужную информацию, бросив затем их трупы на строительной площадке в центре столицы, он вызвал Черoccupied нягу для встречи. Тот был отчаянным головорезом с традиционными для русского человека понятиями о справедливости и чести.

В начале восемьдесят восьмого старший лейтенант Черняга, совершив несколько убийств, дезертировал из армии. Его жертвами были командир разведроты, в которой он служил командиром взвода, и заместитель командира батальона по тылу. Третий офицер — замполит батальона — спасся чудом. Эти трое изнасиловали афганскую девушку, которую Черняга доставил в гарнизон после боевой операции вместе с несколькими «языками». Никакими секретами она, разумеется, не владела, и в соответствии с действующими тогда законами СССР при желании могла получить советское гражданство.

Черняга был поражен ее красотой, а офицеры только посмеивались, слушая его рассказы о пленнице: его решение жениться на представительнице враждебного народа они считали неразумным.

И однажды, когда Черняга вернулся с очередного задания, он нашел афганку в страшном состоянии: одежда была изорвана, на руках и лице чудовищные синяки... Раздумывал он недолго...

Девушку он не бросил. Им удалось нелегально переправиться через границу, спрятавшись на борту «гробовика», пилотом которого был лучший друг Черняги.

Теперь у нее было новое имя, и жила она в глухой деревушке с его родителями. Родила ему двух сыновей и дочь. А сам отец интернационального семейства промышлял в столице рэкетом, строго соблюдая традиции преступного мира.

Встретившись, они поняли друг друга с полуслова: Шах двинул на «Филадельфию», а бывший армейский разведчик со своими ребятами взял в клещи территорию вокруг ресторана. Обещание Шаха перестрелять людей Савы, как куропаток, было далеко не пустой угрозой.

К ресторану «Филадельфия» прибыли четверо боевиков, которых послал Резо Шилик разузнать, почему наводчики не выходят на связь через каждые пятнадцать — двадцать минут, как было условлено.

Черняга взял их без малейших осложнений, как только открылись дверцы «мерседеса», и, пересадив в микроавтобус «тойота», отправил братанов в условленное место, где из них предстояло вытряхнуть необходимые сведения.

Пока рэкетиры выясняли отношения, наводчики на богатые московские и питерские квартиры сидели за столом, покуривая ароматные сигары: они старались выглядеть как можно непринужденнее. В Бога они не верили и надеялись только на свои артистические способности. Встать из-за стола, даже если бы им приспичило, они не могли — рядом сидели парни с глазами убийц и кулаками профессиональных рукопашников. Они мгновенно отреагировали бы на любую попытку освободить барыг.

Когда оба главаря в сопровождении Абрека и Фиксатого снова появились в зале и не спеша, улыбаясь, прошествовали к столику, присутствующие встретили их любопытными взглядами.

— Привет, девушки, не соскучились? — Шах жестом отпустил парней, и они с Савой уселись на свои прежние места. По правую руку от Шаха сидели Сава и два его бывших союзника, по левую — девицы. Одной из них Шах невольно залюбовался.

— Привет, мой падишах, — пролепетала она.

«Обалденная красотка... — мелькнуло у него. — Жаль, нельзя расслабляться, а то бы побаловались...»

Это была Ольга по прозвищу Блондинка. Ее губы напоминали майскую черешню, светлые шелковистые волосы с золотистым отливом волнами ниспадали на красивые обнаженные плечи... На длинной шее сверкало бриллиантовое колье. Ослепительно белая кожа и кроткий томный взгляд... Заглядывались на нее многие.

Шах, мгновенно оценив все ее внешние достоинства, уловил и скрытую, глубинную, лирическую сентиментальность. Он вдруг неожиданно для себя почувствовал нежность к этой девушке, но тут же усилием воли снова опустился на грешную землю — надо было во что бы то ни стало довести дело до конца.

Наводчики не задавали лишних вопросов. Они молча ожидали своей участи, надеясь, что Шах знает о них не все и скоро отпустит на все четыре стороны.

Сава как ни в чем не бывало стал развлекать дам. Он понимал, как важно сейчас просчитать наиболее вероятные варианты развития событий и не ошибиться. «Если Шах на чем-нибудь споткнется, — думал он, — ему конец... А мне? Вряд ли авторитет Монаха спасет от мести Князя...»

Сава не был трусом. В золотые для бывшего Советского Союза времена он сделал уголовную карьеру на квартирных кражах. Нажив таким образом немалое состояние, в девяносто первом он собрал вокруг себя десятка два уголовников. Теперь у него не было нужды самому орудовать отмычками, рисковать свободой и собственной жизнью. Он отбывал срок еще при Брежневе. Участвовал и в кровавых бандитских разборках. Теперь его жилистое тридцатипятилетнее тело было обременено начальственным жирком и привычкой к комфорту. Впрочем, это беда многих уголовных главарей. Тайной мечтой его было стать вором в законе, получить признание среди авторитетов. Но Сава, как подтвердили текущие события, был все же излишне доверчив и не способен мыслить дальше, чем на три хода вперед, что для настоящего успеха в мире «хищников» очень и очень мало.

За соседним столиком сидели два пожилых еврея с молоденькими проститутками, которые частенько поставляли Рыжему богатых лохов и пижонов. Но старые жуки их сразу раскусили и, рассказав анекдот про бандершу Соню из Одессы, которая нарвалась на неприятности, подставляя клиента своим дружкам для гоп-стопа, отбили у них охоту приглашать почтенных

Мельхиседеков к себе на ночь. Это были агенты израильской разведки, которые искали золотое седло. Операция носила название «Чеченский след».

Едва Шах остановил на них взгляд, как жуки перестали любезничать с приунывшими красотками и, привстав, почтительно поклонились. Грозный рэкетир кивнул, выражая ответное почтение.

— Ювелиры из Израиля, — пояснил Сава. — Видать, в Тель-Авиве не шибко разгонишься на мошенничестве, а здесь — разгуляево... — Сава заметил на лице своего нового патрона раздражение и тут же перешел к делу: — У них ювелирная мастерская, наверное, хотят попроситься под твою «крышу».

Шах подал знак, и один из его парней подошел к евреям. «Ювелиры» и в самом деле имели такое желание и сразу дали адрес и телефон своей «мастерской».

Десяти минут хватило Шаху, чтобы изучить реакцию публики на его внезапное вторжение. Он решил, что сработал чисто, хотя и не исключал, что враги в скором времени узнают об истинной расстановке сил. Теперь ему нужно было без лишних эксцессов увести всю компанию, главным образом толстозадых наводчиков, в безопасное место.

— Есть идея, — сказал Шах, благожелательно улыбаясь, — продолжить наше застолье в апартаментах «Метрополя»...

Оля Блондинка была в восторге, предвкушая свой звездный час. Она влюбилась в Шаха с первого взгляда. Это случилось месяц назад в этом же ресторане. Он как-то прошел мимо столика, за которым, как всегда, сидели дамы, постоянно посещающие это заведение, презирающие проституток и уважающие романтику блатной жизни. Его надменное лицо невольно обращало на себя внимание женщин. Шах проследовал к своему столику, лишь на несколько секунд задержав на них взгляд. И пока Блондинка осмысливала внезапно охватившее ее сладкое, щемящее волнение, Ира Брюнетка, бросив подругам: «Сейчас я обкатаю этого вороного жеребца», грациозной походкой направилась к его столу, огороженному декоративным барьером. И, к большому огорчению Ольги, Ирине это удалось. Этим тут же и воспользовался Плистовский, натравив Викинга против Савы, который тогда еще предупредил своих бойцов не конфликтовать с дагами.

Викинг был влюблен в неприступную красавицу Иру, но, как ни старался, не смог добиться ее расположения. А когда увидел ее с Шахом, воспылал ненавистью. Жажда мести буквально душила Викинга, а Сава все не давал добро разделаться с нарушителем его спокойствия.

Плистовский принадлежал к окружению Beски и был внедрен в группу Савы полтора года назад. Он плел многосложные интриги и даже не подозревал тогда, какой конец его ожидает...

Шах встал, и вся компания двинулась к выходу без каких-либо внешних признаков принуждения...

Получив указания от начальства, подполковник Архипов немедленно отправил на объект трех опытных оперативников, а сам выехал с ударной группой СОБРа на двух стареньких автобусах. Остановившись в трех кварталах от «Филадельфии», он анализировал получаемую через каждые пять минут информацию.

Из оперативников в этот вечер в ресторане «отдыхали» сотрудники РУОПа — капитаны Красин и Васильев. Они видели молниеносный натиск людей Шаха, и Васильев решил доложить об обстановке. Вернуться в ресторан, не вызывая подозрения рэкетиров, неусыпно наблюдающих за выходом, он уже не мог, поэтому присоединился к группе Архипова.

Осведомители ФСБ, известные постоянной публике ресторана как барыги, кидалы, коммерсанты и крутые, отправляли сообщения по радиотелефонам прямо из-за столов. Разговаривали они громко: «Ну чё, доча, не пришла еще баба Маня? Ты давай, долго не зачитывайся... Сколько? Восемнадцать — двадцать?.. Ну вот и хорошо...» Или: «Я бы взяла пар десять местного производства, у американцев похуже качество...» Уличить их в шпионаже рэкетирам было сложно: для этого нужно было знать «абонентов». Хотя проколы бывали...

Через два часа о разборках в «Филадельфии» знали уже многие правоохранительные службы. Знали об этом и главари банд «стервятников», более бдительно следящих за лакомыми кусками российской экономики.

Подполковник Архипов уже загорелся охотничьим азартом, но для возбуждения уголовного дела фактов явно недоставало. И поэтому он вынужден был ждать, чтобы потом спустить с цепи своих костоломов в черных масках. Тут же находились и омоновцы в таких же масках с разрезами для глаз и рта.

Сообщение о том, что «субъекты» на иномарках испарились неизвестно куда, привело подполковника в бешенство. Он имел слабость к расследованию преступлений, в которых замешаны «лица кавказской национальности». Архипов не знал, что у преступлений нет национальности, преступления — это следствие человеческой порочности, и в первую очередь власть предержащих. На это не раз деликатно указывал ему полковник Алексеев.

Архипову было пятьдесят лет, и его перевели в новую структуру МВД из идеологического отдела КГБ, где он занимался оперативным обеспечением контроля над диссидентами, которые прозвали его «мясником» за фантастическую жестокость. Его любимое оружие — пистолет-пулемет Стечкина, но стрелком он был слабым в сравнении с теми, кто палил из боевого оружия средь бела дня на улицах Москвы.

Две недели назад он упустил киллера, который расстрелял из автомата сверкающий лаком новенький «мерседес». Жертва скончалась прямо в салоне, а компаньон и шофер не получили ни единой царапины.

Перед сослуживцами Архипов оправдывался: «Не мог подвергать риску прохожих». В действительности прохожие беспокоили его мало: во время проводимых подполковником облав в руках спецгрупп МВД не раз трещали кости и совершенно случайных сограждан — просто киллер растворился в толпе раньше, чем Архипов сообразил достать свою табельную «пушку»...

Сейчас Архипову поступило очередное сообщение по рации. Отправленные им полчаса назад оперативники докладывали, что никого нет вокруг ресторана, даги и «филадельфийские» испарились на своих иномарках...

— Как испарились?! Куда?! — орал Архипов в рацию. Он зло надавил кнопку на походно-штабном пульте, чтобы передать капитану Красину, находившемуся в ресторане еще с вечера, сигнал-зуммер, означающий выход на связь при первой же возможности.

Микропередатчик был встроен в электронные часы оперативника, который в это самое время охмурял красотку, подслушивая разговор между Ромбиком и Фиксатым.

— ...откуда я мог знать, что все так обернется!.. В тот момент я думал: все, кранты... дергаться нет смысла. А ты тоже мог отправить пару бойцов на тот свет... Но я рад, Витек, что все кончилось. Век буду помнить... — Фиксатый и не подозревал, что его пасут.

Девушка клюнула на Красина, при знакомстве он представился ей крадуном из Ростова; легенда о коммерсанте или состоятельном служащем банка в данном случае не годилась, поскольку девушка придерживалась воровских понятий и считала ниже своего достоинства связываться с «чернью», к каковой по этим понятиям относятся труженики общественно полезной сферы, вплоть до президента страны. Правда, по тем же понятиям не все люди заслуживают презрения: только те, кто работает на государство, соответствуя при этом целому ряду условностей... Знакомая Красина принадлежала к тому типу женщин, которые принципиально отдаются лишь по любви и презирают проституток. Обработка таких девушек — весьма опасное занятие даже для сотрудника столь грозного подразделения системы МВД, как РУОП. Эти «пацанки», как обычно они себя называют, весьма проницательны и необычайно мстительны.

Средств на то, чтобы снять проститутку, оперативнику на службе не выдавали, и поэтому капитан Красин пускал в ход свое мужское обаяние и немалые, должно быть, знания о преступном мире. И это ему удавалось блестяще.

Стройный, мускулистый, с правильными славянскими чертами лица и незаурядными актерскими способностями, тридцатилетний оперативник очень умело расставлял амурные сети. И Римма не устояла. Она целовала Красина, когда раздались три зуммера — два коротких и один длинный.

— Что это пищит у тебя? — Римма отодвинулась от оперативника.

— Часы...

— А какие у тебя часы? — беспечно пролепетала она.

— Да ничего особенного. — Он попытался снова обнять любопытную девицу, но она легко отпрянула и по-женски проворно схватила его левую руку.

— Что, барахлят?

— Не знаю. — Красин равнодушно отмахнулся, кроя про себя всеми известными ругательствами кретина, орудующего за штабным пультом. «Ну не глухой же я, хватит одного тихого зуммера!»

На пластиковом табло часов светились цифры 01.47. Девушка посмотрела на свои и машинально отметила, что часы «крадуна» показывают время правильно. И тут ее красивые глазки сузились. Она отошла на пару шагов и повернулась к рэкетирам.

— Слышь, Фиксатый, подойди-ка сюда. Надо проверить, что за часики у этого фраера, а то он что-то больно быстро мне понравился...

Рэкетиры, беседовавшие, сидя в креслах невдалеке от них, среагировали моментально.

— Ну-ка покажи! — рявкнул Фиксатый.

— Спокойно, братва, что за шухер?! — Оперативник округлил глаза и улыбнулся девушке. — Чё их проверять: часы как часы.

— Заткнись и снимай! — Ромбик протянул руку.

Деваться было некуда, а раскрывать себя очень не хотелось.

— Да пожалуйста! — Он протянул им снятый с запястья браслет. — Никакой бомбы — можете быть уверены...

Рэкетиры повертели часы в руках.

— Ну и чё, Римуль, тебе в них не понравилось? — Фиксатый обнажил в улыбке два ряда золотых зубов.

— А то, что они сигналят раньше времени... — надула она красивые губки.

— Таскаешься с кем попало... — прошипел Ромбик, не раз пытавшийся добиться от Риммы взаимности, но из-за своей невзрачной внешности получавший от ворот поворот.

Теперь он радовался, предвкушая возможность какой-нибудь вины с ее стороны: в этом случае он не преминул бы наказать Римму, взяв ее насильно. В другой ситуации такая попытка могла бы для него плохо кончиться: у Риммы были свои заслуги перед братвой, и она могла рассчитывать на их поддержку.

— Пойдем погутарим! — Фиксатый толкнул Красина к мраморной лестнице, ведущей из холла в бары и казино.

На площадке Фиксатый оставил оперативника в окружении двух шаховских парней, Ромбика и Риммы, чья симпатия к «ростовскому крадуну» уже исчезла, а сам отправился в подсобку бара, где находился хитро оборудованный кабинет электронщика.

Открыв крышку часов, электронщик не сразу нашел пуговку размером с маленькую таблетку с тремя крохотными дырочками.

— Эта штучка стоит бешеные деньги, — сказал мастер, — это японский микропередатчик. Может принимать и отправлять сигналы в виде зуммеров на расстояние до двух тысяч метров. Какие службы пользуются такой аппаратурой — даже не знаю, — заключил он, откладывая лупу.

Фиксатый выскочил из подсобки, поблагодарил Римму, пообещав замолвить за нее словечко кому надо, и, посоветовав больше ни с кем не связываться, отправил в зал. После этого обернулся к подозрительному незнакомцу.

— На кого работаешь?! — В лоб оперативника уперся пистолет с глушителем. Это уже среагировал Ромбик.

Остальные рэкетиры тоже встрепенулись и схватили оперативника за горло. Расчеты Красина сохранить легенду не оправдались.

— Спокойно, орлы! Иначе пожалеете, — заговорил он уже в другом тоне.

В это время к ним подошел еще один рэкетир по прозвищу Ромбик и, чтобы не путать, братва добавляла: «Даргинец». Он занимал особое положение в бригаде Шаха, отличался изворотливым умом и обезоруживающей противников дипломатичностью.

Шаха и Савы в это время уже не было в «Филадельфии». За старших оставались Фиксатый и Ромбик Даргинец. И пока первый допытывался, на кого работает Красин, Даргинец вывернул его карманы: пистолет Макарова, бумажник с небольшой суммой денег — двумя пятидесятитысячными и двенадцатью десятитысячными купюрами, прекрасный складной нож с отмычками фабричного производства и удостоверение капитана милиции. На гербовой печати с двуглавым орлом красовалась аббревиатура: РУОП.

— Мент... — коротко констатировал Ромбик Даргинец, и рэкетиры медленно разжали пальцы на горле оперативника. — Ладно, командир, все нормально... У тебя своя работа, у нас — своя... Показал бы сразу удостоверение, никто бы трогать тебя не стал, мы чё, бандиты, что ли?.. — Он обернулся к братве. — Чё уставились? Идите отдыхайте...

Рэкетиры, уловив его тактику, разбрелись по сторонам, присоединившись к отдыхающим, которые прогуливались по просторному холлу. Внизу у лестницы стояли двое парней в темно-синих костюмах, сообщавшие публике, что второй этаж закрыт на «санитарный день».

— Красин Юрий Павлович, — прочел Ромбик и, с любопытством повертев в руках удостоверение, вернул владельцу вместе с другими его вещами — табельным оружием и ножом, а в портмоне, прежде чем вернуть его, вложил пять стодолларовых купюр. — У моего друга, он сейчас тащит срок у «хозяина», был точно такой же перочинный ножик. Классная штука! Меня Ромбиком погоняют, если что... Ручаюсь, криминалом мы не занимаемся. Я скажу метрдотелю, на две персоны можешь заказывать что пожелаешь — платить не надо. Надеюсь, инцидент исчерпан?

— Ну, раз такой жест, — развел руками удивленный оперативник. В душе он был настоящим волкодавом, но что поделать, когда волков много и сила на их стороне?.. Придется отступить на шаг, чтобы затем сделать два вперед. — Думаю, что да... — Он улыбнулся то ли комичности своего положения, то ли наивности рэкетира и пошел по лестнице вниз, в зал, к столику, за которым томился его друг, оперативник РУОПа, направленный Архиповым в ресторан вместо Васильева.

— Что ты ей брякнул? — спросил тот, когда Красин сел за стол. — Твоя краля посмотрела на меня, как на идиота, и увела свою подружку...

— Кто там за пультом орудует? — вопросом на вопрос ответил Красин, с трудом скрывая раздражение. — Вот кого не мешало бы обследовать на предмет идиотизма...

— Архипов руководит операцией. Должно быть, он и за пультом.

Подошел официант и, обращаясь к Красину по имени-отчеству, поинтересовался, не желает ли гость еще чего-нибудь. За стол, мол, платить не нужно, и вообще его всегда будут рады обслужить в этом ресторане. Красин терпеливо выслушал халдея и, поблагодарив, сказал, что они уже сыты.

— М-да, не только наш брат умеет подставлять. — Опытный оперативник сразу сообразил, что произошло с коллегой. — Но ты не вешай нос, у меня еще и не такое бывало...

Красин поднял усталые глаза на Карпенко, отношения с которым до сих пор, несмотря на дружбу, не выходили за пределы «Закона о милиции».

— К черту все! Раз он так хочет на связь — идем, тут все равно больше делать нечего, за ношение оружия они отмажутся легко...

Беска и Резо Шилик, некогда коронованные в советских исправительных лагерях, находились в это время в разных районах Москвы в окружении многочисленных телохранителей. По обоюдному уговору безопасность двух наводчиков, орудующих под личинами бизнесменов, обеспечивал Резо. Сейчас он нервничал: вот уже и от второй группы боевиков поступило только краткое сообщение, что те прибыли к ресторану. И больше ничего. Резо терзали подозрения, и он начал метаться по своей двухуровневой квартире на двадцатом этаже московского небоскреба. Американцы презрительно и высокомерно называют наши многоэтажные дома «карликовыми небоскребами», поскольку там, у них, они в два-три раза выше.

Беска — легендарный лагерный шахматист и не менее известный вор, узнав о провале операции, пытался связаться по телефону с Акулой Боцманом. Он боялся Акулу как огня и поэтому сам был жесток со своим окружением, добиваясь безоговорочного повиновения.

У Акулы не было ни постоянной квартиры, ни постоянного телефона. Автомобили он тоже менял как перчатки. Найти его было нелегко даже его ближайшим соратникам. Все пять телефонных номеров, которые по очереди набирал Беска, оказались на автоответчиках. Беска знал, что у Акулы есть телефон прямой связи, но хитрый и подозрительный бандит хранил его номер в секрете. А обстоятельства требовали незамедлительных действий: в случае провала Акула бывал беспощаден. Ничто не остановило бы его. Акула не оставлял за собой следов, и кому-кому, а ближайшим его соратникам это было хорошо известно. Не раз приходилось им заметать эти самые следы, сбрасывая тела убитых под лед или под колеса поездов, закапывая на лесных делянках и засыпая негашеной известью в «этажах» городской свалки.

В конце концов отчаявшийся Беска позвонил вору в законе Леснику, самому доверенному лицу Акулы, чьи связи с беспредельщиками в последнее время стали еще заметнее. Лесник посоветовал ему лично заняться выяснением причин провала операции. Беска не знал, что в его окружение был внедрен человек Лесника, сумевший разнюхать, где Беска хранит свое золото, которое скупали для него по всей Москве десятки фармазонов.

Лесник после разговора с Беской тут же набрал номер.

— Да... — коротко отозвался главный телохранитель Бески. Находившийся в двух шагах шеф даже не повернул головы: по этому телефону часто звонили бойцы с точек.

— Змей?

— Он самый. — Телохранитель узнал голос своего настоящего босса.

— Если он не передумает, а поедет выяснять, смотри, чтоб его там ненароком... потому что на них можно спихнуть...

— Верняк, что ли?..

— Желательно... — Лесник отключил связь, не сомневаясь, что его человек понял сигнал правильно: если Беска не передумает и поедет в «Филадельфию», то, выбрав момент, телохранитель может всадить Беске пулю в затылок и свалить убийство на людей Шаха.

Тогда Лесник получает себе все золото Бески, а Змей — бригаду и его территорию. «Но хозяином он никогда не станет, Змей всегда будет мне служить, иначе я и его раздавлю...» — злорадно думал Лесник.

Акула Боцман и без сообщения Бески знал о провале, в результате которого наводчики попали в руки его врагов: Шаха, а следовательно, и Монаха. Хотя Монах был его воровским крестным, Акула ненавидел его лютой ненавистью за ревностное отношение к понятиям уркаганской чести и справедливости.

Акула не любил ограничивать себя какими бы то ни было рамками морали. В его понимании деньги и власть оправдывали любую жестокость, вероломство и разврат.

Не слишком переживая о провале операции, он продолжал развлекаться на одной из своих многочисленных загородных вилл: группа популярных московских певцов и певиц была доставлена сюда его отпетыми бандитами.

Беспокоило Акулу лишь то обстоятельство, что наводчики Бески и Резо Шилика могут знать о золотом седле, на которое они по всей Москве собирали металл и камни. «Черт возьми! Этих мешков давно пора было убрать. Слишком затянулась комедия с «Филадельфией», где-то я дал промашку...» — думал Акула, потирая золотой печаткой небритую щеку и с усмешкой глядя на копошащихся, как черти в аду, голых мужчин и женщин...

Беска поднял на ноги человек тридцать и на нескольких легковушках и микроавтобусах двинул в «Филадельфию». Машины держали между собой дистанцию в сто — двести метров. Впереди мчалась разведка в темно-коричневом «шевроле». Заприметив омоновцев в ближайшем от ресторана квартале, они тут же сообщили об этом по телефону шефу и повернули обратно.

Змей сориентировался быстро. Он предложил Беске поехать в ночное кафе, находившееся под «крышей» Шаха, предположив, что наводчиков отвезут именно туда.

В полуподвальное помещение Беска вошел с тремя телохранителями — остальные ждали сигнала.

Оглядев публику, Змей и Беска прошли в служебное помещение. Владелец кафе, оказавшийся в этот поздний час в кабинете с одним из рэкетиров из бригады Черняги, не успел даже достать оружие из-под ящиков с вином, где обычно прятал его от милиции на случай внезапной проверки.

Первую пулю Змей всадил в голову своему боссу из «нагана», рэкетира и несчастного владельца кафе он застрелил из «макарова». Затем аккуратно вложил в ладонь мертвого рэкетира «наган», из которого застрелил Беску, и выскочил из кабинета.

Двое дежуривших возле стойки бара телохранителей, услышав привычные хлопки глушителей, кинулись было в кабинет, но Змей уже шел навстречу. Легенду о гибели Бески они приняли за чистую монету. Опровергнуть наглую ложь было некому.

Змей приказал прихватить с собой бармена — так, для острастки, для придания веса службе главного телохранителя.

Так Беску, коварнейшего преступника, умевшего рассчитывать партию на несколько ходов вперед, лишили жизни способом, который он сам не раз использовал против других.

Ненасытная жажда обогащения, как правило, завершается самым неожиданным крахом.

Сава поручил Фиксатому и парням Шаха следить за обстановкой в ресторане. Полный расклад сил должен был проясниться днем, после обеда, или, самое позднее, к вечеру следующего дня. Хотя не исключено было, что этой же ночью начнется беспощадная война между группировками — война на истребление, где будут задействованы огромные силы, о которых Шах знал только со слов Монаха — шестидесятилетнего вора в законе.

Сава на темно-красном «форде» с тремя девушками и Абреком следовал за джипом Шаха. Всю дорогу Шах оглядывался, заигрывая, как кот с мышками, с грузнотелыми бизнесменами.

И не успели приглашенные опомниться, как вместо богатейшего в Европе отеля «Метрополь» перед их глазами предстали совсем другие объекты: автомобили въехали во внутренний дворик спортивно-оздоровительного комплекса «Аполлон». Парни-геркулесы из бригады Черняги закрыли за ними ворота.

Они прошли в подвал и, минуя множество комнат, склады со спортивным инвентарем и прочие подсобки, оказались в просторном помещении с бассейном.

Толстяки еле волокли ноги. Они уже не сомневались, что основательно влипли и спасти их может только чудо. Но и в чудеса они давно не верили. Вдоль двадцатиметровой дорожки бассейна, отделанного синей плиткой, стояли низенький столик, пляжные кресла, обитые дерматином, и несколько деревянных топчанов.

Один из геркулесов подкатил тележку на бесшумных резиновых колесиках, заставленную в два яруса банками американского пива, шотландским виски, икрой, крабами и прочими деликатесами. Но бизнесменов приглашать к столу никто не торопился. Шах произнес несколько слов по-аварски, и Абрек, стремительно повернувшись к барыгам, повел их, подталкивая, к дверям, находившимся на противоположной стороне за бассейном. Следом двинулся один из охранников с коротко стриженными светлыми волосами и приятным лицом.

Шедший впереди Леонид Аркадьевич, еще издалека безошибочно определив, что это дверь парилки, инстинктивно шагнул вправо, к другой двери, ведущей в раздевалку, а оттуда в коридор.

— Куда! — рявкнул охранник. — Вот для вас выход!..

Второй, Эдуард Семенович, покорно потянул на себя ручку. Раскаленный воздух тут же ударил в лицо. Он в ужасе хотел закрыть дверь, но Абрек распахнул ее настежь, а геркулес небрежно, как мешки с картошкой, затолкнул бизнесменов внутрь.

Дубовую дверь закрыли на засов. Не обращая внимания на душераздирающие стоны и крики о помощи,

Абрек и парень ушли в другую комнату, откуда не было слышно причитаний, а главное, важных для Шаха признаний, хотя принципиальных секретов от членов банды у него не было.

Девушек поместили в уютно обставленную комнату с видеомагнитофоном и баром-холодильником. Перед тем как запереть за ними дверь, Шах предупредил, чтобы они не беспокоились: к ним скоро вернутся.

— Ты что, хочешь поджарить их, как кабанчиков? — спросил Сава, стараясь казаться равнодушным к судьбе наводчиков, что ему удавалось плохо.

— Поджарить, как ублюдков. — Шах плеснул себе виски и, расположившись в кресле, включил аппарат, стоявший рядом на столе. Обыкновенный музыкальный центр «Панасоник», но лишь на первый взгляд...

— Нет! Нет! Это немыслимо! — Из черных динамиков донеслись голоса запертых в парилке.

Сава не сразу понял, что на столе стоит подслушивающее устройство. Он присел в кресло напротив и дрожащей рукой открыл банку с пивом.

— Ты здорово придумал, Шах...

Тот жестом велел ему замолчать.

— Эдик, надо снять одежду... — Голос Леонида Аркадьевича дрожал и становился все неразборчивее. — Нет, кончать с нами им невыгодно... Скорее всего они хотят, чтобы мы приняли их условия... — Он забарабанил в дверь и заскулил: — Шах, выпусти нас, мы согласны... Давайте нормально обсудим...

— Кстати, Сава, зачем они пожаловали к тебе в кабак? — небрежно бросил Шах.

— Ты же знаешь, сманивали меня укатить в Америку вором в законе...

— И все?..

Саве стало неуютно.

— Нет, конечно, они должны были взять на себя проблемы с конторой, после того... — Неожиданно Сава понял, что не в силах говорить прямо.

— Договаривай! — На лице Шаха мелькнула ухмылка. — Если это то, что мне уже известно, можешь не бояться...

— ...после того как мои люди застрелят тебя... У этих барыг связи с МУРом и прокуратурой, почти на самых верхах.

— А как было решено поступить с моими людьми? Или ответный ход с нашей стороны вы исключали?

— Нет, этим собирались заняться Беска и Резо... — Сава понимал, что нужно как-то выразить радость по поводу того, что задуманное не исполнилось, но не находил подходящих слов, да и гордость или, скорее, честолюбие не позволяли.

— Нас будут искать! — донеслось из аппарата. — Мы же сидели в кабаке на проводе... Они должны это понимать, Шах ведь неглупый парень...

— Плевать мне на Шаха! Идиот! Разве можно было при таком раскладе соваться в этот кабак, мы могли подключить нужных людей в конторе... И это все из-за тебя, педераст!..

— Тише! Ради Бога, Эдик, тише! Нас могут подслушивать.

Дыхание жертв в парилке становилось с каждой минутой тяжелее, а страх смерти от раскаленного воздуха все больше развязывал им языки.

— Я же на Саву надеялся, у него мощная группировка...

— Сава — червяк, которого сажают на крючок. Как можно об этом забыть?! Какой же я дурак!..

— Что толку теперь говорить об этом, надо просить... умолять... предлагать то, что их интересует... И не забывай, Эдик, нас могут подслушивать...

— Ты, сволочь голубая! Из-за твоей дурости, Леня, мне теперь подыхать!.. Не хотел же я идти, как чувствовал...

— Ты, что ли, у нас не голубой?! Думаешь, я не знаю, как ты с Беской...

— Ах ты, пидор вонючий! Тебе, оказывается, все известно? Ну так что, легче тебе от этого? Мы ведь подохнем здесь!

— Успокойся, может, их выследили, может, за нами уже едут... Слышишь? А пока нам надо просить, умолять, если жить хочешь, а ты расклад даешь полный...

Диалог в парилке увлек рэкетиров. Сава курил одну сигарету за другой и скапливающуюся во рту горечь запивал пивом. Шах время от времени бросал на него драконий взгляд, в котором светилась насмешка и бесконечная, свойственная только хищникам, мудрость. Черная мудрость.

— Может, Плистовский их кинул и сейчас они ищут его, а на нас нарвались... Между прочим, Эдик, ни его, ни Ювелира с Гошей в кабаке не было, как по плану было задумано... Почему-то все пошло наперекосяк... Мы уже два часа без связи... Пора бы им щекотнуться, я долго не выдержу!..

Шах опрокинул целый стакан виски и аппетитно зажевал бутербродом с черной икрой. К крабам он почему-то питал отвращение. Сава лихорадочно связывал в одну цепочку информацию из сауны и все, что относилось к операции по устранению Шаха. Вырисовывалась вполне логичная картина. Неясным оставалось только одно: как Шах мог выйти на трио Плистовский—Ювелир—Гоша? Впрочем, зная, что сам Монах дает «добро» этому кавказцу, Сава не очень удивлялся его осведомленности.

«Может быть, — думал он, — в этом деле, о котором я не знал ровно ничего, замешан не только Монах... Иначе трудно объяснить бездействие Бески и Резо. А может, эти бизнесмены уже сыграли свою роль? И обещанная мне коронация потеряла для них смысл. Или с самого начала все было обманом, как теперь выясняется. Кому верить, на кого опереться?.. У Монаха одна былая слава. У Бески и Резо — миллионы долларов в России и на Западе, отряды киллеров и связи в конторе, среди депутатов...»

— Шах, могу я тебе задать один вопрос?

— Конечно, — с нарочитым безразличием ответил Шах, но Сава своим обострившимся внутренним чутьем уловил, что тот ждал вопроса.

— Чтобы понять, почему Беска и Резо бездействуют, я хотел бы узнать, как ты вышел на Плистовского?

— Ну, это тебе мало что прояснит об этих ссученных ворах. Ты лучше скажи, чья была идея меня грохнуть?

— Плистовского, — не раздумывая ответил Сава. — Остальные тоже все уши прожужжали... И я клянусь тебе самым дорогим, что у меня есть, — я искренне рад, что все так повернулось... Выходит, ты сорвал план, в котором я был лишь червяком, наживкой... Шах! Если только это не игра с твоей стороны, я буду работать на тебя всеми силами...

Шах снова усмехнулся, плеснул себе в хрустальный стакан еще немного виски и, не сказав ни слова, залпом проглотил дорогую жидкость. Это удивило Саву: он впервые увидел на лице Шаха столь откровенное выражение, отражавшее его внутреннее состояние. Но в следующую минуту оно вновь стало непроницаемым и зловещим.

— Сегодня после обеда на сходке все узнают, что ты работаешь на меня. Не возражаешь?..

— Нет. А как быть с гревами на тюрьмы и зоны?

— Все так же, но от имени Монаха. Какая сумма у тебя в кассе? — Шах легко разгадал его наивное стремление побыстрее внести пай в воровской общак Монаха и тем самым упрочить свое новое положение. Войти в семью и побрататься, так сказать...

— Чуть больше лимона долларов.

— А свои, в заначках?..

— Сто тысяч. Клянусь, больше — ни копья...

— Все, что было у Викинга, раздели между своими ребятами, которые присутствовали на правиле. Квартиру и машину пока не трогай. Он был таким же червяком в этом деле, как и ты... — Шах опустил хрустальный стакан на поднос. — Ответь мне честно, неужели ты не подозревал, что Плистовский с самого начала работал не на тебя?

— Что теперь скрывать: я иногда анализировал его поведение, но... — Сава развел руками. — Ведь у меня не было никакой информации... Не проследил за их связями.

— Что ты думаешь об этих кабанчиках?

— Наводчики. Самые клевые наколки за последние два года Беска и Резо получали от них. В первую очередь — ювелирные изделия и антиквариат. Одну наколку на коллекционера орденов и картин я тоже получил от них: живопись ты видел у меня в кабинете, а ордена петровских времен, с алмазами, я уже загнал через своих барыг в Америку. Двести десять тысяч зеленых... Двадцать процентов отвалил кабанчикам за наколку, остальное разделил со своими ребятами и на общак дал, как обычно. А холсты еще не успел сбагрить, но их менты не ищут: коллекционер-то и сам был нечист на руку.

Из парилки доносились теперь только шумное дыхание, взаимные обвинения и размышления о возможном для них смертельном исходе в этом импровизированном аду. Хоть и немало выболтали они важной информации, но Шах, похоже, желал еще чего-то. Сава же устал просчитывать варианты и ждал лишь развязки. Сейчас от него ничего не зависело. Судьба бизнесменов полностью находилась в руках Шаха.

— Теперь я понимаю, что значит «ссученные воры»... Раз они имеют дело с гомиками, воровская идея для них ничего не значит, а те, кто к ним примкнул из воров и авторитетов, — точно такие же курвы. А я еще полоскался с ними за одним столом! — Сава сплюнул на пол и с презрительной гримасой растер плевок ногой. — А сколько путевых авторитетов завалили! И Вовика — коронованного вора... Думаю, их рук дело...

— Правильно думаешь. Монах при мне поклялся на могиле Вовика отомстить за него. — Шах сделал паузу. — А как насчет Америки? Или уже расхотелось?

— Америка — моя розовая мечта... Но сначала я хочу расквитаться с ссученными... — решил проявить инициативу Сава.

— Хорошо, — кивнул Шах. — Вот об этом и скажешь на сходке, но только без «розовой мечты». И не забудь упомянуть о том, что эти двое представляют собой по жизни...

Между тем раскаленный пар делал свое страшное дело: в помутившемся сознании жертв всплывали картины Страшного суда. И хотя оба были материалистами и отрицали библейские заповеди, теперь потусторонний мир стал для них близкой реальностью.

— Эдик, это же сущий ад! Нас бросили... Шах, я не выдержу больше! Выпусти, умоляю! Я отдам тебе всю свою недвижимость — пять четырехкомнатных квартир, одна семикомнатная в двух уровнях... — Леонид Семенович ползал по полкам в поисках спасения от раскаленного пара один, моля рэкетира о пощаде.

— Леня... Леня, — из последних сил хрипел лежащий на спине у двери второй. — Предложи ему мои деньги в «Мостбанке», все отдам, три миллиарда...

— Шах, а что ты с ними будешь делать? — не удержался от вопроса Сава. — Они предлагают бешеные деньги. Но ведь взять их будет непросто...

— Возьмем. Ты лучше скажи, какую перспективу они предлагали тебе в Америке?

— Жидов трясти, контрабанду драгоценностей, антиквариата...

— Так ведь они сами евреи! — искренне удивился Шах.

— Какая им разница... Коллекционер, которого грабанули мои ребята по их наводке, тоже был евреем...

— Кто конкретно провернул эту делюгу?

— Викинг, Рыжий, Артем и Цыган. Последние тоже были в казино, ты их видел...

— Смотри, чтобы на сходке не было никого из тех, что в казино, кроме Фиксатого и Ромбика. Возле себя соберешь других.

— Как скажешь. Теперь от тебя все зависит. Стычка с ссученными неизбежна, хотя... понятия не имею, из-за чего разгорелся сыр-бор.

— Леня, с нами, видать, всерьез решили покончить... Акула, наверное, свое взял...

Шах сделал резкий предупреждающий жест и замер, вслушиваясь в едва различимые слова из парилки.

Второй бизнесмен молчал, хотя еще минуту назад его голос звучал более внятно, чем у сообщника.

— Леня, не стоит скрывать... Теперь нам все равно не жить... Этому зверю нужно седло. Может, он пожалеет нас...

Шах стремительно поднялся, окликая своих головорезов.

— Живо вытаскивайте их оттуда, — кивнул он головой в сторону парилки.

Абрек и здоровенный атлет выволокли в душевую чуть живых, покрасневших, как раки, наводчиков и старательно стали поливать их теплой водой из шлангов. Их шикарные костюмы превратились в тряпки и валялись на полках.

Через десять минут измученные наводчики уже сидели на «пресс-конференции», отхлебывая из литровых кружек теплый, слабо заваренный чай.

— Что значит «Акула свое взял»? — задал первый вопрос Шах.

— Точно не знаю, но это должны быть деньги за седло, — еле шевеля непослушным языком, отвечал Эдик.

— А ты как думаешь? — Шах перевел взгляд на второго наводчика, и тот кивнул, подтверждая.

Потом рэкетир решил допросить их по отдельности. Леню увели в другую комнату.

Сава впервые слышал про какое-то седло и внимательно прислушивался к допросу.

— У кого Акула должен был «взять свое»?

— У Лесника... Но в последнее время он напрямую общался с Плистовским...

— Чем ты докажешь?! Иначе опять пойдешь в парилку.

— Нет, только не это, умоляю...

— Ты лучше выкладывай доказательства. Ну!

— Они собирались обсуждать мои наколки у меня на даче; их видели мой шофер и два моих телохранителя, и еще мой повар, можете спросить у них, я не вру...

— А седло — тоже твоя наколка?

— Нет. По этому делу мы с Леней выполняли только то, что нам поручали Лесник, Резо... и еще Беска.

— Что конкретно?

— Мы встречались с двумя израильскими дипломатами и рассказали им эту легенду о золотом седле. Что четверо дагестанцев предложили нам купить его за миллион долларов, но у нас таких денег нет. И они, кажется, нам поверили, хотя мы честно сказали, что этого седла в глаза не видели. Шах, миленький...

— Заткнись! Отвечай только на вопросы. А дагестанцев этих вы видели?

— Нет. Мы говорили лишь то, что нам велели Лесник и Резо. Акула тоже присутствовал, но он все время молчал, как будто это его не интересовало, а я-то знаю, почему они Акулу боятся...

— Кто хозяин седла? — оборвал его Шах.

— Я думаю, Акула.

— Снова хочешь в парилку?

— Нет! — завопил наводчик. — Я правду говорю!..

Шах вдруг и сам устрашился своих подозрений. Наводчик мог и в самом деле не знать ответа на внезапно возникший вопрос: что общего может иметь коронованный вор, друг Монаха — одного из авторитетнейших воров, — с какими-то ссученными делягами, сколотившими миллионы долларов на крови друзей и врагов, бедных и богатых?.. А раз так, то какова в этом деле роль самого Монаха, на воровскую славу которого опирался авторитет Шаха? Неужели Монах не знает, что Акула — ссученный? Или сам ведет его, Шаха, вслепую, пока ему это выгодно?..

— Умоляю, поверь мне. Я не знаю, кто еще замешан в этом деле. Умоляю, поверь мне... Я не хочу в парилку!.. — Леонид Аркадьевич заплакал навзрыд и, выкатив безумные глаза, стал биться в истерике, но жесткий удар туфлей по лицу вернул его к реальности.

— Успокойся и расскажи подробней о седле. Откуда оно?

— Это золотое седло, которое чеченцы приготовили с белым конем, чтобы подарить Гитлеру...

— А ты уверен, что это именно то самое седло?

— Не знаю, — всхлипнул наводчик. — В глаза его не видел. От нас с Леней требовалось только передать информацию израильским дипломатам. Возможно, это была утка...

— Для чего это им нужно?

— Если в Израиле поверят в существование такого седла, то поверят и в Америке, и в Европе... И тогда появится много желающих приобрести такую антикварную ценность, и седло подскочит в цене. Не знаю, может, я ошибаюсь...

— Даю тебе ровно пятнадцать минут. Если не вспомнишь, кто еще замешан в этом деле, пойдешь в парилку, и уже навсегда...

Шах велел увести рыдающего Леонида Аркадьевича и привести второго наводчика.

Сава присутствовал и при этом допросе.

Второй наводчик повторил то же самое. Но замешан ли в этом деле Монах, оставалось для Шаха тайной. Когда и через пятнадцать минут из наводчиков не удалось выжать ничего нового, Шах предоставил их Саве.

Тот хотел выяснить, что имел в виду один из пленников, утверждая, что Сава — «червяк, которого сажают на крючок»...

К столику возле бассейна подошел один из охранников.

— Шах, девушки возмущаются...

— Да, кажется, мы про них забыли. — Он посмотрел на белобрысого атлета. Этот парень еще ни разу не прокололся, выполняя самые рискованные поручения Шаха. — Серый, вы там с Валериком развлеките их, но смотри, без напрягаловки... А этих пинчей, когда Сава закончит, пристегните наручниками в каком-нибудь чулане, и чтоб слышно их не было. Утром девушек красиво выпроводите. Если спросят об этих ублюдках, скажешь — уехали ночью.

— Хорошо, Шах. — Серый, сияя от радости, выскочил в коридор, где Абрек и другой геркулес от нечего делать упражнялись в рукопашном бою. Это была игра, придуманная Шахом: один стоит в стойке и ждет удара рукой или ногой, от которого надо успеть уклониться или защититься мягким блоком. Смысл игры заключался в отработке тактической хитрости и в быстроте реакции.

Стоять была очередь Абрека, непревзойденного мастера схватки на ножах. Валера, качок почти двухметрового роста, с удивительной легкостью поднимал в боковом ударе ногу, оттягивая от себя носок и целя в живот, и как только руки Абрека ладонями вперед закрыли живот, его поднятая нога мгновенно достигла лица Абрека.

— Семь—два! — радостно воскликнул геркулес, но Абрек, не желая проигрывать, настаивал на продолжении игры.

— Валер, есть дело поинтереснее. Шах сказал, чтобы мы заняли телок...

— О-о! Это дело! — обрадовался охранник, но не любивший проигрывать Абрек опять запротестовал: договаривались до десяти очков...

— Так ведь семь—два в твою пользу!.. — выкрикнул Валера, устремляясь по коридору к комнате, в которой находились возмущенные заточением девицы.

— В гробу я видала такие апартаменты! — крикнула обычно немногословная Лена, как только парень распахнул дверь. — Так и передайте вашему султану. Что мы ему — наложницы, гюльчатаи?! — Она нервно мяла модную сумочку и собиралась уходить. Менее агрессивно вела себя Наташа по прозвищу Лиса, хотя и она была возмущена самоуправством Шаха.

— Лена, успокойся! — Блондинка Оля казалась чем-то озабоченной. — Они закончат свои дела и придут, разве тут плохо?..

— Вот и оставайся! — вспылила Ленчик. — Раз тебе нравится, как чурке, сидеть затворницей!

— Эй, девчата! — весело крикнул Валера. — Что за шум, а драки нет?.. Мы уже закончили дела и пришли вас развлекать. Ух, какая крошка! — Валера театрально склонился и ущипнул Лену за пухлый подбородок.

Лена подняла разгневанные глаза и невольно улыбнулась. Гора мускулов и гармонично сложенная фигура бандита-атлета покорили ее. Белокурый гигант с правильными чертами лица и улыбкой ребенка ей определенно понравился. Он прикрыл дверь, бережно, словно боясь сломать, взял девушку за плечи и, не переставая шутить, увлек в глубь комнаты. Быстро поставил видеокассету с эротическим шоу и стал разливать коньяк. Девушки не протестовали. Через минуту вошел Серый.

— О-о! — восторженно завопили девушки.

— У вас тут что, одни гераклы живут?! — Наташа сразу повисла у него на шее, боясь, что Оля моментально заарканит красавчика.

— И Афродиты тоже, — в тон им ответил Серый и пояснил: — Я имею в виду вас, девушки... — Потом извинился, что заставили их так долго ждать, пообещал, что через несколько минут присоединится к ним надолго.

Сава быстро закончил допрос, и Шах, дав Серому последние инструкции, вместе с Савой и Абреком направился к машинам.

Личный шофер Шаха, его дальний родственник, сидя за рулем джипа, клевал носом. Шах осторожно вынул у него из-под мышки пистолет, приставил ствол к щеке дремавшего так, чтобы тот не мог повернуть голову в их сторону, и, искусно изменив голос, зашипел:

— Не дергайся, падла! Полчерепа снесу. Где твои братья-шакалы? Ну, живо!

— Ушли... — Шофер, пытаясь перехитрить врага, сунул руку за пазуху, но там оказалось пусто.

— Так будешь отвечать или нет, падла?!

Разъяренный аварец, рванувшись, попытался схватить его руку с оружием. Шах отдернул ее назад, и его родственник ухватился за воздух.

— Ну, бахарчи*, а что теперь будешь делать? — уже своим голосом заговорил Шах.

— Ты, Шахбан, сдурел, что ли?! Что за шутки! — разозлился водитель и что-то выкрикнул по-аварски.

— Ну-ка вылезай, скотина! Сейчас узнаешь, что за шутки! — сдерживая гнев, приглушенным голосом произнес Шах по-русски и, спрятав пистолет у себя за поясом, врезал ладонью по наглому лицу шофера, который был одновременно и рэкетиром, как и все в бригаде Шаха. — Я тебя дважды предупреждал, подлец...

Провинившийся шофер по-бычьи уставился на своего знаменитого среди московских уголовников родственника и, раздувая ноздри и небритые щеки, попытался было возразить. Но Шах приказал замолчать, и тот больше не осмеливался раскрыть рот.

— Я потом поговорю с тобой, — пообещал Шах. — А сейчас отправляйся в подвал и сиди на проводе... — Шах вернул ему оружие и сам сел за руль машины.

Был уже третий час ночи. На широких московских проспектах даже в это время не смолкал гул неизвестно куда спешащих автомобилей. На некоторых перекрестках стояли гаишники, рядом с ними — патрульные «форды».

Шах размышлял, стоит ли ему сейчас звонить Монаху, а Сава, потрясенный услышанным от наводчиков, следовал за Шахом, не переставая поражаться человеческому коварству и превратностям судьбы.

---

* Бахарчи — храбрый мужчина (*авар.*).

Тренькнул зуммер радиотелефона, и Шах быстро схватил трубку.

— Шахбан, тут фура один в гости затесался... — Ромбик говорил по-русски потому, что не знал аварского, а Шах даргинского. — Телка выкупила, я поговорил, арац* дал, думаю, нормально...

— Фуражка из крутых?

— Да.

— Машины все наши подъехали?

— Все до одной.

— Пусть Фиксатый поставит людей смотреть за ними. Бери всех наших и немедленно сваливайте по задворкам. Все.

Теперь он взял курс на Черемушки, куда должны были приехать парни из ресторана, чтобы подготовиться к сбору в гостинице «Спорт». На мгновение у него закружилась голова. Усталость и спиртное, выпитое для снятия напряжения, давали о себе знать.

Оперативники Красин и Карпенко, покинув злачное логово рэкетиров, направились по спящей улице к автобусам, которые стояли в трех кварталах от «Филадельфии». Там расположилась ударная группа из двадцати четырех бойцов, не считая самого Архипова, его помощника Тарасова и примкнувшего к передвижному штабу капитана Васильева. О том, что их шеф, подполковник Архипов, вызвал большой отряд ОМОНа, сняв его с других мероприятий, они не знали. Да если бы и знали, руководитель операции не то лицо, чтобы интересоваться аналитическими выводами подчиненных.

---

* Арац — деньги (*авар.*).

По дороге Красин рассказал Карпенко о провале и о щедром на взятки рэкетире по прозвищу Ромбик.

— За «вальтеры» и даже «калаши» привлекать их — дело бесполезное, — согласился Карпенко. — Но с такими кретинами, как Архипов, банду за жабры не возьмешь. И думаю, о подробностях ему не стоит докладывать. Надо прямо Георгию Ивановичу представить оперативный план действий. А доллары нам с тобой пригодятся, я почти всю зарплату на агентуру истратил...

Красин достал бумажник и к двум стодолларовым купюрам приложил двести двадцать тысяч рублей.

— Да брось ты, Юра, мы же не барыги — бабки подбивать... — Карпенко рубли не взял, а сунул в карман лишь две американские банкноты.

Оперативники вошли во второй автобус, сухо бросив коллективу обычное «привет».

— За каким хреном сюда пожаловали?! — заорал на них Архипов. — Вы что, совсем с ума посходили? Где вы должны находиться?!

— Разрешите доложить, товарищ подполковник... — Не обращая внимания на то, что начальник психует, как директор торгово-закупочной базы, распекающий нерадивых коммерсантов, капитан Красин обратился по форме.

— Докладывайте! — рыкнул Архипов.

— Во время проводимых мной разведывательно-оперативных мероприятий какой-то дилетант переусердствовал с зуммер-сигналом, в результате чего я вызвал у субъектов подозрение...

— Что?! — Подполковник побагровел от злости. — Я тебе покажу «дилетант»! Молокосос! Струсил, подлец! Так и скажи...

— Прошу не кричать на меня, товарищ под...

— Болван! Ты у меня допаясничаешься... Доложи обстановку на объекте...

— Главари противоборствующих группировок, обозначаемые в разработках как «Эф-Эс» и «Даг-Ша», вместе с тремя сообщниками и девицами в 24 часа 20 минут на двух автомобилях покинули ресторан «Филадельфия». Номера машин и маршрут их следования установить не удалось. В ресторане остались почти все члены участвующих в разборках банд. Судя по их поведению, похоже, что банды сливаются в одну преступную организацию. Есть возможность привлечь к агентурной работе некоторых членов банды, но лишь в условиях строго регламентированной оперативной разработки...

Архипов не уловил тонкого юмора в словах капитана и перевел взгляд на сидевшего рядом старшего оперуполномоченного — подполковника Тарасова, который временно находился в его подчинении.

— Роман Михайлович, — обратился он совершенно другим тоном к ветерану сыска, — какие будут предложения?

— Ждать и наблюдать — коротко ответил Тарасов, полоснув холодным взглядом по физиономии руководителя операции, что не ускользнуло от маслянистых глаз Архипова. Но возражать испытанному волкодаву с двадцатилетним стажем у Архипова не хватало мужества, хотя, будь его воля, он не отказал бы себе в удовольствии погонять Тарасова наравне с молодыми сотрудниками.

Архипов всегда поражал быстротой принимаемых решений: похоже, это был его конек на поприще правопорядка.

— Хлебников, ты со своими людьми перекроешь все входы и выходы этого гадюшника. Миронов, ты со своими бойцами ворвешься в зал. Всех «отдыхающих» лицом на пол, женщин не обязательно... Смотрите по обстановке. Произведем обыск, а бандитов, по крайней мере известных по фотографиям, в наручники — и в автобус. Я с оперативниками войду через две минуты. — Выпалив все это на едином дыхании, он повернулся к командиру роты ОМОНа. — А ты, Медведев, со своими орлами окружай квартал и задерживай всех подозрительных на фирменных тачках. Въезд и выезд на время проведения операции по прилегающим к кварталу улицам закрыть.

— А тебе не кажется, Иван Николаевич, что ты превышаешь полномочия?.. — внешне равнодушно возразил Тарасов. — По инструкции к таким мерам можно прибегать лишь в крайних случаях, например, если идет перестрелка...

— Попрошу не указывать мне на мои полномочия, подполковник! — с пафосом возразил ему Архипов и дал команду действовать.

Два белых «пазика» стремительно помчались к «Филадельфии» и со скрежетом тормознули перед роскошным двухэтажным зданием, где под огнями неоновой рекламы переливались всеми цветами радуги иномарки престижных моделей.

Рослые, натренированные собровцы в черных масках и с короткими автоматами посыпались из автобусов. С криками «Стоять!», «Лечь!» они ворвались в Хрустальный зал ресторана, в пустующие бары и казино.

Два швейцара у массивных двустворчатых дверей — в прошлом борцы-тяжеловесы классического стиля, неоднократные победители первенств ЦС СССР, уже получили предупреждение о «гостях» и успели подготовиться к встрече: нужно было играть в поддавки и терпеть пинки суперменов с автоматами.

Блюстители порядка в масках ударами по ногам поставили швейцаров на колени и тщательно обыскали их. Потом приказали лечь на паркет лицом вниз. Остальные бойцы пронеслись мимо — в глубь ресторана. Парочкам, курившим в холле, тоже не повезло: их холеные лица уткнулись в пыльные, истоптанные ковры. В зале, правда, этой процедуре подверглись только мужчины, но и обыск женщин явно затянулся — их осматривали с пристрастием, щупая даже в паху — вдруг там запрятана «пушка»?!.

Хотя ресторанная публика была не из тех, кого удивишь подобными театральными сценами, все же нашлись и такие, которые позволили себе возмутиться. Это были астраханские коммерсанты, поставлявшие в Москву черную икру и копченую осетрину. Их поддерживали некоторые высокопоставленные чиновники МВД, поэтому они не платили дань ни одной из рэкетирских группировок. Приезжая с новой партией деликатесного товара, они почему-то предпочитали отдыхать именно в этом ресторане.

Рослый краснощекий астраханец в солидном фирменном костюме яростно выкрикнул: «А на каком основании...», но не успел закончить фразу. Боец в черной маске ударом ноги в шнурованном ботинке уложил бунтовщика на пол. В нокаут были отправлены еще несколько человек: коммерсанты, маклеры, шулеры, блатные, но среди них не оказалось ни одного из тех, ради которых и была проведена эта облава. Самарские крадуны ушли вместе с дагестанцами.

Ромбик Даргинец первым уводил своих парней. В начале квартала он засек четыре автобуса с омоновцами, которые не слишком-то заботились о маскировке: шторы на нескольких окнах были раздвинуты. Ромбик тут же достал радиотелефон и набрал номер. Ответил ему Фиксатый. И пока скрежетали тормоза «пазиков», рэкетиры вышли через черный ход и растворились в переулках старого московского квартала.

Обыскали и стриптизерш. У музыкантов за кулисами обнаружили четыре газовых пистолета, наркотики, деньги. Газовые пистолеты нашли и у старшего повара и официантов. У посетителей — одиннадцать боевых револьверов различной модификации и столько же заявлений о намерении владельцев сдать их в ближайшее отделение милиции.

Архипов стоял в центре зала и увлеченно жестикулировал.

— Эту парочку — увести... Надеть на него наручники! Этих еще раз обыскать!

— У меня ничего нет — я проститутка!.. — хохотала какая-то пьяная красотка. — Начальничек, хочешь со мной в постель? Небось не генерал, а мент поганый!..

— Заткни ей рот! — приказал Архипов бойцу. Тот, не раздумывая, врезал пьяной девушке ладонью по лицу с такой силой, что бедняжка перелетела через столик, смахнув за собой посуду, и замерла на полу без сознания.

Через пять минут основная работа по «оперативной профилактике» была закончена. Публику престижного ресторана поставили вверх тормашками. А командующий этим парадом подполковник в строго подогнанной камуфляжной форме, но без черной маски орал что есть мочи на Красина и Карпенко:

— Где?! Я вас спрашиваю, где банды рэкетиров?!

Оперативники в недорогих парадных костюмах, двадцать минут назад покинувшие этот зал, стояли, скрипя зубами от злости на дебильного начальника, который совершил должностное преступление: подставил почти что внедрившегося в банду сотрудника, а затем привлек его без маскировки к совершенно бесполезной, но небезопасной «профилактической» операции — облаве.

Архипова, казалось, совершенно не интересовало, что его рассуждения слушают окружающие, — он будто задался целью получить самую широкую известность среди столичных уголовников и ресторанных завсегдатаев.

— Слушай, полкан, — прошипел ему на ухо Тарасов, не снимая черной маски, — приглуши свой громкоговоритель, ты же не о картошке речь ведешь! — И прежде чем тот успел возразить, повел закованного в наручники мужчину, у которого было найдено боевое оружие, в автобус.

Два пожилых еврея — те самые бизнесмены из Израиля, которые засвидетельствовали свое почтение Шаху, легли на пол, едва завидев бойцов в черных масках, и благоразумно не шевелились, пока блюстители порядка, забив до отказа автобусы, не отъехали от «Филадельфии». Они единственные не подверглись обыску, и соответственно побоям, хотя, кроме них, в ресторане было немало сынов и дочерей Израилевых, но столь хитрыми оказались только они. Молоденькие путаны, сидевшие за столом в их компании, долго потом смеялись, вспоминая, как быстро «старые жуки скрылись под навозом». На что замаскированные агенты отвечали: «Навоз, дорогуши, предпочтительнее мордобоя». А про себя думали: «Погодите, козочки, скоро вы узнаете разницу между московским «навозом» и одесским «привозом», где лишняя осторожность никогда не вредила нормальным людям».

Подвальные помещения спортивно-оздоровительного комплекса «Аполлон» были построены добротно: их мощные стены вполне могли выдержать осаду роты стрелков пехоты или ОМОНа, несмотря на то что охраняли объект всего два человека.

Официально Серый и Валера числились здесь тренерами по атлетической гимнастике и по совместительству — сторожами. Но главное — директор и главбух этого предприятия были на попечении Шаха, и поэтому за «аренду» финской сауны, бассейна и множества комнат без окон платить не приходилось. Наоборот, каждый месяц Серый или Валера исправно получали от директора по десять тысяч долларов, которые передавали кому-нибудь из приближенных Шаха. Поэтому ущучить Шаха по статье за вымогательство тоже было трудно. Конечно, тренеров можно было взять с поличным, но Шах все равно оставался бы юридически недосягаемым...

Директор и главбух оздоровительного комплекса не сомневались, что в случае чего Шах не оставит от них и мокрого места и, возможно, пострадают и их семьи. И потому они уже больше года исправно платили огромные для нерентабельного комплекса деньги и помалкивали. Доставали же они эти деньги старым и весьма опасным способом — печатали фальшивую валюту.

Валера, уговорив Лену продолжить веселье, разливал по рюмкам коньяк, и чем пристальнее вглядывался в Блондинку, тем больше жалел, что поспешил с выбором ее крикливой подруги.

Они сидели в мягких кожаных креслах без подлокотников (в таких удобно заниматься сексом), пили коньяк, мартини, джин, закусывали бутербродами, крабами, балыком и шумно смеялись.

Серый закрыл в одной из подвальных комнатушек незадачливых наводчиков, пристегнув за руки к водопроводным трубам наручниками и предупредив, что, как бы они ни старались, их никто не услышит, вернулся в компанию. Лиса Наташа тут же прильнула к нему.

Оля была безразлична к симпатичным атлетам. Она ждала Шаха. Но Валера об этом не знал и, чтобы отделаться от назойливой Лены, предложил искупаться в бассейне.

Девушки приняли предложение на ура, первой с кресла поднялась Лена.

Не успели они войти в зал с двадцатиметровым бассейном, как у тяжелой входной двери раздался звонок.

— Сейчас разберемся, — сказал Серый и направился к двери.

Через глазок он увидел недовольное лицо Джафара.

— Привет, Джафар! — Серый впустил родственника Шаха, профессионального боксера в прошлом, а ныне нагловатого рэкетира.

— Привет, Серый. Я здесь тормознусь.

— Ты вовремя появился, Джорджик. Шахбан таких цыпочек оставил... — говорил Серый, шагая по коридору к бассейну, где уже плескались обнаженные девицы.

Блондинка плавала, не обращая ни на кого внимания, медленно, мечтательно, переворачиваясь то на спину, то на живот, сверкая прелестями и вскидывая удивительно нежные, словно лебединые крылья, руки. Валера не отступал от нее, забыв о ее подруге. К слову сказать, девушки были из богатых московских семей, чьи родословные уходили в глубь веков, к самым корням российского дворянства. Этакие породистые красавицы...

— Нечего ко мне подлизываться! Иди к Ленчику, а я буду ждать своего Падишаха, — сказала Оля властно, брызнув ему в лицо водой.

— Да я чё, я не подмазываюсь... Я так просто плаваю. — Валера решил оставить ее в покое, опасаясь, что в случае неудачи возникнут проблемы с Леной. «Лучше синица в руках, чем журавль в небе»,— резонно подумал он.

Джафар, развалившись на топчане, пил баночное пиво и переводил взгляд с одной обнаженной красавицы на другую.

— Эй, белокурая! Хватит изображать умирающего лебедя, иди сюда, я тебя оживлю... — Джафар поманил пальцем Ольгу.

— Что это он себе позволяет? — возмутилась она и, обращаясь к атлетам, попросила: — Объясните ему, что я не проститутка!

Но они только улыбнулись, а Валера заметил:

— А мы об этом пока ничего не знаем... — И в голосе его прозвучало сожаление.

Джафар подошел, ухмыляясь, и, присев на невысокий бортик бассейна, поймал Олю за маленькую изящную ступню. Она вырвала ногу и уплыла на другую сторону.

— Чё, мне в воду за тобой лезть? Ну-ка плыви сюда, лебедиха голая! — зарычал он, делая устрашающее лицо.

Но девушка решила не реагировать на наглую бесцеремонность кавказца.

— Валера, ну-ка выкинь ее из воды, чё она, в натуре, из себя целку, что ли, строит!

Валера легко, словно пушинку, поднял Ольгу над водой и, немного подержал на руках — она вся была, казалось, пропитана дурманяще сладкой энергией любви, точнее, греха. Потом осторожно опустил девушку на мраморный борт возле Джафара.

— Ну что, рыбка, попалась?! Не хочешь выпить со мной пива?

— Нет, не хочу... — Она попыталась встать, но бандит так грубо дернул ее за руку, что Блондинка шлепнулась упругими, как мячики, ягодицами на мраморный бортик бассейна. — Не распускай руки, парень! — Тут же накричала она на него.

— Меня Джафаром зовут, Джорджем погоняют... Не хочешь со мной попариться?!

— Нет! Я к Шаху пришла париться... Так что очень прошу оставить меня в покое. — Оля вскочила на ноги и на этот раз сумела увернуться от грубых рук рэкетира, который был ей противен даже внешне: густые темные волосы, выпученные наглые глаза, большой рот с крупными, острыми зубами...

— Ну-ка оставь ее в покое! — вступились за Блондинку ее подруги.

Но Джорджа это только развеселило.

— Подождите, козочки, я еще и вас достану — будете знать, как голосок подавать... — Он стремительно схватил девушку за ноги и, закинув на плечо, как волк добычу, направился в «комнату отдыха».

Несмотря на ее протесты и угрозы, он бросил обнаженную красавицу на диван и некоторое время стоял, любуясь ее телом. Но она вскочила, истерично крича, чтобы он не прикасался к ней.

Вошел Серый, а следом и вся компания.

— Джафар, Шахбан сказал, чтоб мы тут с ними это... без напрягаловки...

— Чё? Какая напрягаловка? Сейчас она сама ляжет как миленькая! Давай, идите отсюда!

Серый молча вышел, а Лена и Наташа предложили остаться вместо Оли.

— Джафар, братуха, бери любую из этих, — добродушно подхватил предложение девушек Валера.

— Вот как трахну эту курву, потом займусь ими. А пока идите, ныряйте... — грубо обрезал он.

— Зря ты, братуха, грубишь своим парням... — Валера вышел, не задерживаясь. Следом вышли и девушки, постепенно начиная понимать, что этого невысокого, жилистого бандита геркулесы почему-то побаиваются.

Серый в коридоре по радиотелефону звонил Шаху. Выслушав его бесстрастный доклад, Шах велел проучить наглеца.

— ...А то, что он мой родственник, не имеет к делу никакого отношения, — добавил Шах. — Если хоть одна из девушек останется недовольна, их могут потом использовать против нас. Короче, ответишь ты, Серый! Понял?

Серый вернулся в комнату, на ходу бросив Валере:

— Шахбан сказал, что за все спросит с меня. Джафар, — обратился он к распаленному кавказцу, — к телефону, срочно!

Тот протянул руку, другой удерживая бьющуюся, как птица в клетке, девушку.

— Нет, не при них, выйдем в коридор, — сказал Серый.

Джафар швырнул девушку на пол и, выругавшись, вышел в коридор.

— Не хотел говорить при них... Я только что звонил Шаху, он приказал девчонок не трогать. Если хочешь — сам позвони, — Серый протянул ему трубку с короткой антенной.

— Вы чё, в натуре, вольтанулись, что ли? Из-за сучек кипиш поднимаете?!

— Если ты можешь игнорировать слова Шаха, то мы не можем! — жестко ответил Валера. — Девчонки замешаны в деле, которое интересует Шаха, и из-за твоей напрягаловки я не намерен получать по шее.

Беспредельщик, втайне ненавидевший своего родственника, заскрипел зубами и злобно посмотрел на мускулистых коллег.

— Короче, если хочешь, возьми и позвони, — Серый опять протянул телефон, — а телку трогать больше не смей!..

— Ладно, на фиг дуру гнать! Вы чё, вместе с Шахом влюбились, что ли, в них?! — Джафар грубо оттолкнул руку с телефоном и направился к Лене. Но девушки слышали разговор и поняли, что теперь они под защитой.

— Не хотел, когда я предлагала, а теперь я не хочу... — Она мгновенно спряталась за широкой спиной Валеры.

— Ну-ка иди сюда, сучка! — заорал он в бешенстве. — Голые купаетесь и целок из себя строите, твари! — Джордж шагнул за ней, но Валера остановил его мощной рукой. И Джафар мгновенно взорвался: на геркулеса посыпались удары в печень, селезенку, в челюсть. Удары были настолько сильными, что Валера, корчась от боли, стал медленно сползать у стены на пол. Серый же спохватился и сгреб Джафара в охапку, а затем со всей своей огромной силой — два центнера жим от груди — ударил об стену.

Блондинка уже оделась и, всхлипывая, вышла из комнаты, а ее подруги в коридоре с ужасом смотрели на распростертого без сознания страшного рэкетира.

Валера, все еще морщась от боли, тихо засмеялся:

— В натуре, ты его размазал. А я не ожидал, что так сильно ударит, гад, — словно оправдываясь, добавил он, держась за печень.

— Он, может, еще выживет... бежим отсюда, Валера! — в ужасе закричала Лена.

Парни переглянулись и засмеялись.

— А он и не умирал, так что не паникуй, красавица, будем пировать до утра, и никто вас больше не тронет.

В фойе гостиницы «Спорт» культуристы из группы Черняги встречали савиных парней — восьмерку бригадиров, руководивших группами бойцов. Они знали друг друга в лицо, хотя никогда не общались.

Слева при входе, возле табачных и журнальных киосков, слонялись крепкие парни с угловатыми физиономиями, все в спортивных костюмах. Но было видно, что они давно уже вышли из турнирных обойм сборных команд страны. Справа за декоративным ограждением, вдоль стеклянных витражей, на мягких красных диванах не спеша потягивала кофе и пиво разношерстная публика. Затерявшиеся среди них оперативники ФСБ и РУОПа внутренне напряглись, увидев «филадельфийских» рэкетиров, которые вместе с атлетами в спортивных костюмах прошли к лифтам.

Наблюдатели из силовых структур уже знали, на какой этаж они поднимутся и кто их там ждет, но еще не догадывались, что не только они одни интересуются этими субъектами. Но их пути тут неизбежно пересеклись.

— Извините, молодые люди, — не выдержал Тарасов и раскрыл удостоверение. — Прошу предъявить ваши документы.

Двое мужчин невзрачной наружности, по физиономиям которых трудно было определить их возраст и национальность, переглянулись. Один из них с натянутой улыбкой протянул паспорт. Тарасов перевел взгляд на второго.

— Вас это тоже касается. — Он взял другой документ. — Что вы тут делаете с московской пропиской?! — Тарасов присел на диван, и с трех сторон, улыбаясь, чтобы не привлекать внимания окружающих, подошли его волкодавы. Все они вели себя корректно и разговаривали вполголоса. Со стороны можно было подумать, что беседуют хорошо знакомые друг другу люди.

— Ждем друзей. — Один из подозрительных мужчин улыбнулся казенной улыбкой, но Тарасов знал эту улыбку. Ведомственную такую улыбку... И с этим ведомством у Тарасова были свои счеты.

— В каком номере вы живете? Откуда приехали? И чем занимаетесь в Москве?

— Не слишком ли много вопросов? — Невзрачный нахмурился.

— В таком случае вынужден вас задержать!..

— Ладно, шутки в сторону, — не повышая голоса, произнес второй мужчина и развернул удостоверение ФСБ. — Прошу не отнимать у нас время!

— Это еще вопрос, кто у кого отнимает... — зашипел на ухо контрразведчику волкодав и вернул им паспорта. — Не путайтесь у нас под ногами! Делом семьдесят четвертого квадрата занимаемся мы. Так и передайте своему начальству!

Контрразведчики невозмутимо встали и направились к выходу. Но Тарасов знал, что остались здесь и другие. Он просто излил злость, накопившуюся после провала особо важной операции, над разработкой которой он без сна и отдыха бился со своими товарищами и был уже близок к успеху, когда мальчики из ФСБ, шустрые, как электровеники, все его труды пустили псу под хвост, появившись на объекте оперативной разработки в самый неподходящий момент. И поди, угадай причину...

Тарасов обменялся взглядами со своими коллегами, чьи физиономии на мгновение озарились довольными улыбками: знай, мол, наших...

Подполковник Тарасов был назначен руководителем операции вместо Архипова, из-за глупости которого оперативники высокого класса — капитаны Карпенко и Красин — выбыли из игры. Теперь по заданию полковника Алексеева они занимались разработкой плана «Внедрение» — чрезвычайно опасного мероприятия. Но риск был вынужденным и неизбежным.

Подполковник вошел в лифт и поднялся на пятнадцатый этаж, где в люксе, снятом на деньги спецфонда, работала бригада скрытого прослушивания.

На десятом этаже в трех номерах люкс и семи двухместных расположились рэкетиры, приехавшие на сходку. Шах велел не жалеть денег из бригадной кассы. Еды и прохладительных напитков было вдоволь, но спиртного — ни капли.

Шах знал, что их могут подслушивать, поэтому и проинструктировал братву, как себя вести: «Ни слова по теме, кругом на стенах выросли уши...» Бандиты болтали о женщинах и спортивных событиях в мире. Оперативники из РУОПа за такое издевательство крыли их на чем свет стоит. Контрразведчики же бесстрастно фиксировали каждое движение рэкетиров и руоповцев из своих номеров на пятом этаже.

У Шаха были первоклассные специалисты из института электроники, которые могли заблокировать прослушивание, но он не хотел лишать такого «удовольствия» оперативников, питая к ним тайную слабость: в юности он мечтал о генеральских погонах. Выиграв в девятнадцать лет свой первый кубок на чемпионате СССР по вольной борьбе, он потом победил на чемпионате Европы, а на следующий год стал чемпионом мира в среднем весе. Его весовая категория стала расти параллельно с новыми победами на самых больших турнирах.

Московский университет, куда его приняли как чемпиона, заронил в его душу первые зерна сомнения в правильности существующих в стране порядков, хотя и посещал он университет два раза в году — во время экзаменационных сессий.

Бурлящая между добром и злом столичная жизнь на третьем году студенчества втянула его в уголовную среду...

В течение двух часов, пока оперативники в наушниках нетерпеливо ждали хоть каких-нибудь сведений по существу, бригадиры «филадельфийской» группировки уходили потихоньку в номер, тщательно «почищенный» электронщиком, где получали от Черняги нужную информацию. Потом возвращались в номер люкс, где продолжался спектакль: «Да, братаны, Черняга правду сказал. Об остальном поговорим дома...»

Но Черняга был не тем человеком, которому Шах доверился бы полностью, и потому все это время рядом с бывшим спецназовцем неотлучно находился сухощавый, рано поседевший сорокалетний мужчина в темно-сером костюме, больше похожий на профессора, чем на матерого преступника. Это был уголовник по прозвищу Профессор Рутулец.

Через два часа рэкетиры неожиданно для руоповцев и контрразведчиков вышли из гостиницы и разъехались на шикарных автомобилях по бесчисленным улицам златоглавой Москвы.

ЧАСТЬ ВТОРАЯ

Кортеж автомобилей свернул с широкого проспекта на тихую улицу, где дома были выстроены в стиле классицизма: массивные колонны, лепные арки, скульптуры на фасадах.

Впереди следовали два «мерседеса», за ними — черный лимузин, «БМВ», «вольво», джип. Лимузин въехал под арку, остальные машины замерли у тротуара. Несколько бойцов вышли и стали медленно прохаживаться вдоль них, настороженно вглядываясь в окна домов.

Во дворе трехэтажного дома лимузин встречали парни с надменными лицами в дорогих фирменных костюмах, но перед маленьким плешивым человеком они почувствовали себя явно не в своей тарелке: заискивающе улыбаясь, они распахнули перед ним дверь и после приветствия, чуть ли не на цыпочках семеня следом, проводили к лифту, чтобы подняться на второй этаж.

Весь подъезд, реставрированный по евростандарту, принадлежал дородному высокому человеку — вору в законе по прозвищу Лесник. Он встретил Резо Шилика по-домашнему, в индийском велюровом халате.

— Здорово, брат, — приветствовал его почтительно черноглазый, с лысой макушкой, одетый в черный с иголочки костюм уголовник одной с ним категории — вор в законе.

— Здоров, здоров, проходи, присаживайся, — хрипло пробасил Лесник, холодно кивнув в ответ.

Резо удивленно вскинул брови: обычно Лесник наклонялся навстречу другу для объятия, и они трижды целовались в губы. (Наипротивнейший обычай неоязычества.) Они расселись в мягких, обтянутых дорогой кожей креслах, впервые столь напряженно изучая друг друга.

— Хлеб и соль не предлагаю — некогда! Давай сразу о деле, Резо, как ты мог так проколоться?

— Твоя идея была грохнуть Шаха, вот ты и говори, почему осечка вышла. — Глаза Резо моментально стали колючими, как крохотные заточки.

— Но забота о наших наводчиках на тебе была?! — тут же вскипел Лесник и вскочил с кресла, размахивая толстыми руками. — Как ты мог позволить этому сопляку забрать их с собой?! Что ты на это скажешь, Резо?!

Обращение по имени после привычного «брат» было плохим признаком, и Резо Шилик про себя это отметил.

— Ты, Коля, забыл, что сам поручил через Плистовского позаботиться о них Викингу и Саве. Мои люди в кабаке только наблюдали за игрой...

— Ну и чем же закончилась эта «игра»?

Резо сохранял невозмутимое выражение.

— Шах подмял под себя Саву и, возможно, узнал про седло.

Лесник сначала побагровел, потом посинел: на его искаженном лице отразился омерзительный сплав злости и страха, силы и бессилия, и словно все грехи жизни проступили в этой страшной гримасе.

— Ты должен их убрать! Информация о седле не должна просочиться дальше Шаха и его вонючих гаденышей!

— С каких это пор я у тебя на побегушках?

Лесник со злостью топнул по толстому ворсистому ковру, привезенному ему из Тегерана одним из главарей азербайджанской торговой мафии. Потом шагнул к сообщнику и заорал, брызгая слюной:

— Шилик! Я не советую тебе мне перечить! Я со своими киллерами высунусь только в крайнем случае и начну всех крошить на мелкие куски, ясно тебе?

— Подождем Акулу, тогда и решим. — Резо достал тонкую коричневую сигарету с ментолом и щелкнул золотой зажигалкой.

— Он не придет, — Лесник неожиданно успокоился, — только что звонил — у него незапланированная встреча с аргентинцами. Сказал, чтобы мы сами утрясли...

— С тобой утрясешь! Только нервы издергаешь. — Резо понял, что его оттеснили от жирного пирога, но бывший друг не должен заподозрить, что он догадался об этом. — Ты думаешь, нам повредит, если эта шантрапа еще более раздует слухи о седле? Это же нам только на руку...

— Черта с два!.. — Лесник опустился в кресло. — Ты, конечно, в кабаке и гостей из Израиля не видел?.. Ну-ка опиши мне их, если заметил...

— Коля, не теряй голову: я не торчу в забегаловках, там были мои люди, но о твоих «красавчиках» я ничего не знаю.

— Вот именно — ничего! — продолжал накручивать себя вор.

Резо, прищурившись, следил за мимикой Лесника. Так крокодил выслеживает добычу, намереваясь напасть, совершить бросок, схватить — и снова уйти под воду. Отдавая должное актерскому таланту Лесника, Резо ломал голову: зачем тот выбрал тактику «психотерапии», какие у него козыри в секрете? Дураком он никогда не был.

Об израильских агентах Резо действительно ничего не знал, но появление их возле рэкетиров — факт закономерный: они будут идти по следу до тех пор, пока не убедятся, что золотое седло — настоящее.

«Ведь это было предусмотрено нами заранее, — думал Резо, — так для чего тогда спектакль с Акулой?»

— Шаха нужно мочкануть, чтобы они через него не пронюхали о том, что седло фальшивое. Придется убирать и все его окружение: Саву, Чернягу, Абрека, Ромбика... Кого еще, вечером буду знать точно. Мои люди у них на хвосте. Так что шевели мозгами, Шилик, ищи по всему городу наших наводчиков. Скажешь, это не твоя забота?

— Да нет, почему — моя, только что с ними делать, когда найду?

— Ты правильно заметил: они нам больше не понадобятся, но живыми или мертвыми — я их должен увидеть.

— А как предпочтительнее?

— Конечно, живыми! Мы можем получить ценную информацию, да и нажитое ими добро не мешало бы прибрать.

— Договорились. А как аргентинцы — клюнули на дырку*?

— Пока накольщики не найдены, говорить об этом рано! Давай на посошок... — Неожиданно подобрев, Лесник разлил по рюмкам «Смирновскую» и залпом выпил. Резо, пригубив, поставил рюмку на стол и направился к выходу. Каждый думал об одном: как перехитрить соперника и при этом остаться в живых? Чем

---

* Фальшивый, поддельный предмет, в данном случае — золотое седло.

больше людей входило в их группировки, тем более крупные суммы им требовались, из-за которых, теряя головы, они уже несколько лет вертелись в мутном потоке «рыночной» экономики России, переступая воровскую мораль, что не одобрялось как уголовниками блатной когорты, так и волкодавами милиции.

Нескольких воров в законе, которые решили прекратить их беспредел, задушили шелковыми шнурами. Других авторитетов, которые стали о чем-то догадываться, зарезали при «стихийно» возникших разборках. Хотя об этом знали многие, никому не удавалось уличить и уничтожить беспредельщиков, и потому репутация воров в законе сохранялась за ними прочно. Они держали отдельную кассу для грева, то есть для материальной помощи «элитарным» заключенным, что и обеспечивало им славу воровской «чистоплотности».

Уничтожить их мог только мститель-камикадзе или такой же коронованный вор в законе, но обладающий более мощными силами, чем они. Но таковых пока не находилось. Может, их дороги еще не пересекались, но скорее всего злодеям удавалось сохранить гнусную тайну: к разборкам с противниками они привлекали милицию. Немало было за ними и других грехов, о которых воры говорят с презрением.

Прощаясь у лифта, два зверя обменялись несколькими незначительными фразами, но каждый в эту минуту думал о Монахе как о заклятом и наиболее опасном враге, способном уничтожить и их, и Акулу — бывшего тайного агента КГБ, о чем, кстати, ни Лесник, ни Шилик не знали.

Рэкетиры, отчалив от гостиницы «Спорт», через полтора часа встретились перед стадионом «Трудовые резервы». Они собрались в одном из залов, уселись на борцовский ковер и стали обсуждать дальнейшие задачи своих бригад.

Первым поднялся Сава.

— Братва! — начал он с пафосом. — За последние сутки многое изменилось. Теперь вы знаете, что Плистовского и двух его шестерок, Гошу и Ювелира, в мою бригаду тасанули ссученные воры...

Пока все шло как планировал Монах. Восемь «филадельфийских» бригадиров, Черняга со своими качками, Абрек, Ромбик Даргинец, Ромбик Русак, Фиксатый, Шах и Профессор Рутулец внимательно слушали Саву.

— Фиксатый! — повернулся Сава к своему бойцу, и тот встал. — Ты согласен часть забот о нашей братве переложить с моих плеч на свои?

Фиксатый выждал минуту, как бы раздумывая:

— Да, брат, согласен. — Видно было, что он с трудом сдерживает нахлынувшие чувства: гордость за оказанное доверие и сознание огромной ответственности.

— Отныне каждый из моей бригады должен слушаться Фиксатого как меня самого. Поклянись, что никогда не предашь меня, подобно Викингу, и не пойдешь против своей братвы!

— Я клянусь в этом, Сава! Я клянусь в этом, братва! — торжественно произнес рэкетир, переводя взгляд с главаря на остальных присутствующих. Некоторые из парней Савы были не в восторге от такого поворота, но Фиксатый просто сиял от счастья. Теперь у него будет авторитет в банде и соответственно с ним будут считаться представители как дружественных, так и враждебных группировок.

«Ну, Леший, погоди! Ты у меня теперь попляшешь перед козочками!» — было первой его мыслью. «Козочками» на жаргоне уголовников он называл девушек легкого поведения, с которыми ему не очень везло из-за внешности.

— Наши движения, — продолжал Сава, — теперь должны проходить рука об руку. В одиночку ссученных воров нам не победить, но война с ними, как говорится, насмерть неизбежна... Они замочили Вовчика, за которым, как говорят ему равные, не было ни одного греха. На разборки они подсылают ментов в черных масках, группы захвата ОМОНа и СОБРа. Малейшие непонятки против них — и они тут же подставляют братву купленным операм из МУРа... Короче, братва, раз Монах дает «добро» Шаху, то Шах и для меня авторитет. Я присоединяюсь к общаку Монаха. Общими силами мы раздавим гадов! — закончил он с чувством.

Сава присел на борцовский ковер, а Шах, выждав несколько минут, чтобы люди могли обменяться мнениями, не спеша поднялся.

— Братва! — тихо начал он, окинув взглядом сразу притихших рэкетиров. — Все, что здесь говорил Сава-братан, правда. И я под каждым его словом, сказанным здесь, подписываюсь. Ссученным мы должны предъявить счет за то, что они суются не в свои дела, за то, что разносят заразу по миру... Если они в воровском законе и хотят контролировать положение, то могли бы вызвать Саву и спросить у него, а не посылать шпионов, как это делают менты. Если они будут прикрываться воровскими коронами, за нас вступится Монах с другими коронованными ворами. Мы в любом случае правы!

Головорезы шумно загалдели, выражая одобрение.

— Каждый из нас объяснит своим людям создавшееся положение, и, пока не закончатся эти разборки, не расслабляйтесь. Кто устал, болен или не хочет участвовать, может сказать свое слово и отвалить в сторону, базара не будет... Но как только мы выйдем из этого зала, закон вступит в силу, и каждый должен держать за свои слова и действия ответ перед братвой. В этих играх шуток не бывает, и пусть потом никто не обижается, что, мол, спрос слишком жесткий.

Но никто из уголовников собрание не покинул.

Через час все расселись по машинам и разъехались. Сава остался с Шахом, коротко объяснив Фиксатому, как заправлять делами в «Филадельфии», куда обычно стекается информация и дань со всех контролируемых им магазинов и складов Москвы.

За руль «БМВ» сел другой родственник Шаха, не такой анархист, как Джафар, и более исполнительный. Его пришлось снять с важного участка дохода: он контролировал совместное предприятие по импорту евроамериканского ширпотреба — сигарет, пива и шоколада.

— Едем к Монаху, — сказал Шах. — Гони машину и не забывай про ГАИ.

Доехали быстро, без приключений.

На тихой улице в двухэтажном старинном доме из красного кирпича, в небольшой трехкомнатной квартирке Монах жил со своими приближенными — урканами старой закалки, свято соблюдавшими воровские законы.

Шах уже не думал, в самом ли деле один из друзей Монаха — Акула Боцман, коронованный вор — имеет отношение к ссученным ворам, а решил довериться судьбе и вместе с Савой вошел в аскетическую обитель авторитета. Хотя понятия «вор» и «закон» с позиций здравого смысла несовместимы, Шах оперировал ими согласно тем условиям, в которых жил вот уже десять лет.

— Здорово, брат! — Шах перешагнул порог комнаты.

Монах поднялся со стула с неизменной улыбкой на лице и медленно протянул руку, Шах лишь слегка прикоснулся к ней, сдержанно пожав сухощавую ладонь.

— Здорово, Шахбан, здорово. Рад тебя видеть и успеху твоему рад. Молодец, я не ошибся в тебе. Проходи, присаживайся, хлеб и соль на столе... — Монах никогда не называл «братом» некоронованных. А обращение по имени в данном случае означало, что он, Монах, по праву воровского закона стоящий выше, оказывает уважение уголовному собрату, в данном случае — своему воспитаннику. Беспредельщиков, не соблюдающих этих правил, Монах ненавидел лютой ненавистью.

— Спасибо, брат. — Шах сел за стол и разлил по рюмкам водку отечественного изготовления. Больше спиртного на столе не было.

— За успех твой, — тихо, скрипучим голосом произнес старый вор.

— Нет, брат, это твой успех, и за это тебе спасибо, — ответил Шах, на что старый вор лишь сдержанно рассмеялся.

Шах коротко доложил о проделанной работе.

— Хо-ро-шо, — по слогам растянул вор. — Теперь надо их на деле проверить. И вот тогда я объявлю сходку, на которую все суки должны явиться, а не явятся — можно мочить их без всяких предупреждений.

— Думаю, они не придут...

— Я тоже так думаю, но силы у нас слишком неравные. Дать тебе добро мочить их я мог бы, имея на руках доказательства, а их, к сожалению, у меня нет. А на сходке я их метлой* посажу наглухо в дерьмо.

— Доказательства у меня есть, но прежде один вопрос...

— Говори.

Шофер Шаха оставался возле машины. Сава с приближенными Монаха сидел в соседней комнате. Стены старого дома были настолько толстыми, что не пропускали ни единого звука.

— Что собой представляет Акула?

Вор, вопреки мучительным ожиданиям Шаха, нисколько не удивился вопросу. Он ответил не раздумывая:

— Акула Боцман — козел, но сил у него больше, чем у трех райотделов, вместе взятых. Я это знаю уже много лет, хотя сейчас заикнулся об этом лишь второй раз. Бог любит троицу — заикнусь и в третий, когда будет возможность раздавить его как гада. Он давно уже заправляет Лесником и Резо Шиликом. На нашей стороне Акула Славик и Резо Кахетинский, которые знают о нем не меньше моего, но помалкивают. Силенок маловато...

Монах вопросительно посмотрел на бывшего знаменитого спортсмена, из которого он сделал матерого уголовника, способного раскалывать, а затем уничтожать отступивших от разбойничьих заповедей собратьев.

* Метла — умение говорить.

Шах положил на стол кассету с записью разговора наводчиков в импровизированном аду. Монах взял кассету и подошел к старенькому магнитофону. Пока он слушал запись, Шах ел курицу с малосольными огурцами и следил за реакцией своего учителя, которому он поверил с первой встречи в тюремной камере «Крестов» — знаменитой тюрьмы в тогда еще социалистическом городе Ленинграде.

Сава тоже пил водку, закусывая курицей и салом, присыпанным красным перцем, — венгерским шпиком, и терпеливо ждал, когда вор позовет его в свою комнату, то есть окажет немалую честь его скромной персоне.

— Ты неплохо потрудился, Шахбан. — Монах был в восторге от инквизиторской выдумки ученика. Он выключил магнитофон и спрятал кассету в шкаф. — Теперь на нашу сторону перейдут многие, с кем эти пинчи садились за стол как путевые...

Сомнения, что Монах может вести двойную игру, исчезли. Шах был доволен похвалой и откровенностью старого вора.

— Брат, Сава хотел увидеться с тобой...

— Ты думаешь, с ним стоит поговорить? Тогда зови, хотя не советую доверять ему — он не из нашей породы.

Фиксатый, Ромбик Русак и двое бригадных бойцов подъехали к ресторану, где их уже ждали.

— Как обстановка? — поинтересовался Фиксатый у Лешего.

— Нормально, — ответил тот, догадываясь, что в делах группировки ему теперь придется подчиняться сопернику.

А положение было далеко не таким безоблачным, как представлялось Лешему. Но Фиксатый об этом не знал и, не заходя в зал, сразу поднялся по мраморной лестнице и устроился с друзьями за круглым столом на мягком диване. Он хотел отметить свое новое место в группировке. «За полчаса ничего не произойдет», — думал он.

В зале в это время обедали две невзрачные компании с проститутками. Они сидели уже несколько часов.

Ромбик, сделав обход зала, кухни и гримерных, влетел в бар веселый, как мальчишка.

— Нормально, братва! — восторженно закричал он и присоединился к пиршеству. К ним тут же подсели прозябающие в ожидании вечера девицы — в это время в ресторан заходят пообедать лишь случайные состоятельные нувориши, поэтому народу было мало.

И вдруг в бар стремительно вошли два типа. Не давая компании опомниться, они направили на рэкетиров пистолеты-пулеметы с глушителями. Следом за ними как из-под земли выросли еще двое с автоматами «узи».

— Здорово, красавчики, — тихим, вкрадчивым голосом произнес один, седоватый, с холодными как лед глазами. — Повеселимся вместе? Вам привет от Резо.

— Их много по Москве, от которого конкретно? — Фиксатый мысленно ругал себя последними словами. В голове, как разъяренный зверь, металась мысль: хватай ствол и пали под встречными пулями...

— Ах ты, падла, будешь еще зубы показывать?! Менты тебе их плохо выбили?! Я выбью — ни один дантист не починит!

Второй закрыл стеклянную дверь бара и задвинул бархатную шторку на дверях. «Филадельфийские» сидели на диване, положив руки на стол, и с застывшими в глазах досадой и ужасом смотрели на врагов: воспользоваться своим оружием они уже не могли.

— Где Сава? Где даги?

— Мотаются где-то... — Фиксатый попробовал потянуть время, но тут же получил пулю в плечо.

— Где они? — монотонно прозвучал тот же металлический голос.

Раздался еще один предупреждающий выстрел — на этот раз стреляли в шевельнувшегося было Ромбика.

— Где бизнесмены, которые сидели вчера за столом с Савой?

Фиксатый понял, что пришла смерть. Но тут внезапно раздались четыре хлопка: быстрые, как барабанная дробь, прозвучали выстрелы, и четверо врагов, истекая кровью, повалились на пол. Девицы в ужасе завизжали и выскочили из бара.

Из подсобки вышел Черный Мага со «стечкиным», на ствол которого была накручена трубка глушителя, в руке. Никто из «филадельфийских» не знал неожиданного спасителя, поэтому они недоуменно уставились на него. Черный Мага, еще до обеда отправленный сюда Шахом, проник в бар и тихо сидел в подсобке, пригрозив бармену, что убьет, если тот его выдаст.

Мага убрал оружие за пояс.

— Все живы? Я из бригады Шаха, если кто не знает. — Он подошел к дверям и, чуть отодвинув занавеску, увидел: двое в костюмах недоуменно смотрели на двери бара. Их руки замерли под мышками на рукоятках пистолетов. — Так... резко, все сразу сможете? Берем их на мушки... — шепотом скомандовал Мага.

Несмотря на ранение, Фиксатый выхватил оружие, едва Мага подал знак. Остальные замешкались. Ромбик уже не помышлял о героизме: стиснув зубы, он стонал, с трудом перенося боль — он тоже был ранен в плечо. Разговаривать сейчас было некогда. Мага выскочил вслед за Фиксатым — но враги уже выхватили оружие.

— Суки!.. — заорал Фиксатый, а Мага мгновенно дважды выстрелил, угодив обоим в головы.

По мраморной лестнице уже бежали пятеро «филадельфийских», которые, не подозревая, что происходит наверху, сидели в креслах, травя анекдоты.

— Ну и кенты у тебя, Фиксатый... — Мага бросил презрительный взгляд на рэкетиров, оставшихся в баре.

Фиксатый засунул левой уцелевшей рукой «кольт» за пояс и отвесил каждому основательную оплеуху. Затем приказал затащить трупы в бар, где их набралось уже шесть. Убитых сложили штабелями прямо в кладовке.

Рэкетиры перекрыли все выходы из ресторана. Надо было срочно вычислить врагов, пришедших по их души в зале, на первом этаже. Два швейцара, знающие постоянных клиентов в лицо, довольно успешно справились с этой задачей. Бандитов из команды Резо, с виду почтенных, солидных людей, вычислили сразу. Остальные посетители поспешно расплачивались и покидали опасное заведение — их не стали задерживать.

Через пятнадцать минут после этого побоища в «Филадельфию» прибыли Ромбик Даргинец и Черняга Люберец с бойцами. До их прихода Черный Мага уже успел расколоть трех оставшихся в живых врагов, узнать, где прячется Резо, сколько его людей было в ресторане и сколько осталось поблизости на подхвате.

Выяснилось еще, что один из «филадельфийцев» помогал бойцам Резо. Он признался в надежде сохранить себе жизнь, но стал уверять, что хотел «накрыть» их, когда соберутся в кучу. На самом деле «накрыть» подосланных киллеров пришлось Черному Маге, который перестрелял их через занавеску из укрытия.

Фиксатый не поверил ни единому слову подручного Викинга: предателем был один, предателем стал и другой. Он приставил «кольт» с глушителем к его виску и нажал на спусковой крючок. Пистолет не дал осечки...

Получив сообщение об окончании «операции», Шах и старый вор со своей небольшой свитой покинули квартирку в двухэтажном красном доме и на неприметных, но с мощными моторами «Жигулях» выехали со двора.

— Шахбан, — обратился по дороге Монах к своему ученику, — зачем тебе понадобилось привлекать Саву к допросу пинчей в парилке?

— Я уже думал об этом — глупо получилось... Наверное, хотел усилить впечатление о предателях вокруг него. Я не ожидал, что они заговорят о седле. Но в принципе что это меняет, брат?

— Я слышал, что Акула уже толкует о седле с аргентинскими барыгами. Мои пацаны дыбанули на них — это не простые барыги. Похоже, миллионов у них чертова прорва...

— Мультимиллионеры, что ли? — уточнил Шах.

— Они самые. А это значит, что и спецы у них не простые, и нам, бедолагам, — старый вор имел обыкновение называть себя и тех, кого уважает, самыми скромными словечками, — тягаться с ними будет нелегко... Из-за одного-двух лимонов они бы не приехали, тут четвертинкой арбуза пахнет. За такие бабки они всех московских отморозков и продажных ментов купят и на нас натравят...

— А нам не на что ментов купить? — осторожно спросил Шах.

— Нет, Шахбан, нам — нельзя. Только себя или друга отмазать, на лапу кинуть, а чтоб ментов на врагов наводить — идейному человеку должно быть в падлу, иначе мир скурвится. Тот, кто не в состоянии мазу держать, должен отойти от блатной жизни и жить мужиком.

— Хорошо, брат, нельзя так нельзя, твое слово закон, — ответил рэкетир и попросил у вора закурить. — А чё ты, брат, все время «Кэмел» куришь? Что, этот сорт лучше «Мальборо»?

Монах улыбнулся: наивная непосредственность ученика, которого он однажды спас в тюремной камере «Крестов», его умиляла. Он считал Шаха достойной себе заменой для продолжения идеи, которой посвятил всю свою сознательную жизнь. Как бы ни смешно это звучало, старый вор искренне считал, что без его «идеи» работягам, то есть народу, будет тяжело, а суки приберут страну к рукам. Но передать Шаху символ воровской власти значило нарушить многие разбойничьи заповеди, а в чем-то даже уподобиться ворам новой, постсоветской волны.

Во-первых, Шах учился в государственном учебном заведении и получал государственные награды — чемпионские медали. В его честь играли гимны — «сатанинскую музыку», по мнению идейных воров, не признающих никакую другую музыку, кроме чисто блатных песен.

Во-вторых, среди родственников Шаха есть сотрудники милиции, на которых он не поднимет руку ни при каких обстоятельствах. Благо, что они далеко, на Кавказе, и их пути не перекрещиваются...

В-третьих, он общается с занимающимися «общественно полезным трудом» инженерами, преподавателями и простыми работягами, то есть с теми, кто выходит за реестр воровской когорты, и вовсе не склонен считать их людьми низшего сорта по сравнению с ворами и их приближенными.

В-четвертых, мечтает жениться, как только управится с делами в Москве.

Хотя есть немало воров в законе с гораздо худшими репутациями, но он, Монах, ни разу в жизни не нарушивший ни одного из многочисленных воровских законов, не мог позволить себе короновать вора, не отсидевшего срок. Отправить его на зону, выбрав для этого подходящее преступление, было делом пустяковым. В зоне власть Монаха была гораздо сильнее, чем на свободе. Один жалкий клочок бумаги, на котором бы он нацарапал несколько предложений с массой орфографических ошибок, мог превратить в пыль десятки миллионов рублей воров-бизнесменов, умудряющихся пользоваться деньгами даже в тюрьмах. Спор за колючей проволокой, где решаются вопросы жизни и чести богатых и бедных уголовников, разрешался таким вот клочком бумаги, называемым малявой. Малява от вора в законе — это что-то вроде символа арестантской легитимности.

И все же главная причина, по которой не Шаха он готовил в свои преемники, а Печника — отчаянного домушника и кристально чистого с воровских позиций уголовника, заключалась в другом: Шаху не нравилась «воровская идея». Собственно никакой идеи он в преступности не находил и считал ее отголоском общественного протеста против беззакония власть предержащих. Только и всего. И еще, по мнению Шаха, преступный мир в России, как ни странно, сдерживал процессы разложения нравов в стране. За пять лет учебы в университете он посетил не более пятидесяти лекций, которые, однако, мало что ему дали. Там он, наивное создание природы, впервые услышал о том, что среди профессоров тоже бывают жулики, а то и бобики-гомики, и был потрясен таким открытием. Именно после этого знакомые с детства понятия о законопослушности и справедливости приобрели для него иной смысл. Дагестанец, выросший в горах в самое благодатное для истории Кавказа время, из одной крайности попал в другую. Уже на первом курсе он убедился в правоте седобородых стариков-суфиев, которые отговаривали его ехать в Москву. Но он, как и многие из его земляков, был счастлив — ведь в Спорткомитете ему предлагали практически без экзаменов поступить в самый престижный вуз страны, по окончании которого можно стать «большим» человеком.

На третьем курсе, уже будучи чемпионом мира и двукратным чемпионом Европы по вольной борьбе, он легко выиграл международный турнир в Ленинграде. Победу праздновали в ресторане. Там и подцепила его валютная проститутка, подосланная гопстопниками с комсомольскими билетами в карманах. Дело кончилось тем, что он размазал комсомольцев по стене гостиничного номера и его задержали оперативники Главного управления внутренних дел. Было возбуждено уголовное дело, и три с половиной месяца он просидел в тюрьме, где и свела его судьба с идейным вором Монахом.

Чемпион вел себя в камере несколько иначе, чем уголовники. В беседах с сокамерниками — а там сидело около двадцати человек — он говорил о следователях в уважительном тоне, критиковал людей, живущих чужим трудом, критиковал и коммунистов — за безбожие. В целом же, говорил он, коммунисты — молодцы, сломали хребет фашизму, и вообще в Союзе народ живет лучше, чем в капстранах. Над его наивностью уголовники посмеивались, но он не замечал этого. Один из уголовников, когда Шах рассказывал о Магомеде Гаджиеве, герое Второй мировой войны, грязно выругался. Чемпион пришел в ярость и избил его. Восемь блатных решили своими силами его проучить. Кончилось тем, что всех отправили в тюремный лазарет. Заработал «зековский телефон», на который тюремная администрация смотрела сквозь пальцы. Через час, другой о случившемся знала вся тюрьма. «Ну чё, братва, загоним быка в консервную банку?» — предложил крутой фраер по прозвищу Шкиля. Естественно, нашлось немало желающих. Ведь чемпион осмелился поднять руку на блатных — редкий случай в преступном мире в те годы. Пришли в движение тайные механизмы, и на следующий день один за другим, жуя во рту бритвы, в камере чемпиона оказались четверо блатных, а затем еще семеро.

Одним из них был вор в законе Монах. Он молча наблюдал за поведением чемпиона мира, дав блатарям «добро» на разборку.

Но за эти два дня юноша многое узнал о жизни. Симпатизирующие Шаху мужики-уголовники разложили ему воровские понятия по полочкам.

— Ты, чемпион, иди-ка сюда, разговор имеется... — позвал его Шкиля, усевшись на нарах в окружении убийц и бандитов.

— Тут некоторые уже звали, теперь кровью харкают! Подойди сам, если такой деловой...

— Тебе нормально сказали, как человеку, чё ты возмущаешься?! — подал голос стоявший к нему ближе всех уголовник из блатных.

— Как мне сказали, так и я ответил, и не надо меня учить. Гнать будете кому-нибудь другому, а я за свои слова отвечаю!

Тогда к нему подошел пожилой блатной и, жуя лезвие, нагло поинтересовался:

— Ты чё, сам себе авторитет и никого не признаешь?

— Чтобы признавать, надо знать, а я еще не успел вникнуть в эту жизнь. Вы из-за этих быков пришли разбираться со мной? Так они первыми полезли и получили то, что заслужили!

— Это ты, что ли, так решил? — Уголовник цинично хохотнул, заржали и остальные.

— В натуре, братва, чё мы порожняки гоняем — на парашу его!.. — зарычал Шкиля, и тот, кто был ближе всех, смахнул с языка бритву и шагнул к непокорному. Но, получив мощный удар кулаком в лоб, растянулся на полу без сознания.

Все удивленно уставились на Монаха, ожидая его знака, чтобы, как саранча, налететь на храбреца и раскромсать его бритвами.

Но коронованный вор медлил, внимательно наблюдая за молодым человеком, который готов был биться с блатарями насмерть. Монах разбирался в людях: есть отчаяние, готовность жертвовать жизнью, есть щегольство сильных мускулов, а есть натуры, для которых честь в тысячу раз дороже жизни. Вор понял, что перед ним — человек чести.

— Так толкуйте, вам и карты в руки. А как я погляжу, с его стороны пока все нормально. Он держится молодцом...

Шкиля вышел вперед.

— Ты, я слышал, говоришь, что милиционеры доброе дело делают, сажая в тюрьмы воров. Было такое?! — Уголовник пытался поймать неопытного парня на слове.

— А ты кто такой, чтобы меня об этом спрашивать? Я впервые сталкиваюсь с ментами и братвой, для меня это темный лес... — Чемпион настойчиво твердил свое. — Но пусть кто-нибудь скажет: я сам, первый, хоть одним словом обозвал кого-нибудь или хвастался, что я чемпион? А какое тот мудак имел право оскорблять человека, который является для меня народным героем?! А те барбосы, — он в точности повторял слова, которым его научили за два дня мужики-уголовники, — которые хотели со мной разобраться, они разве не видят, что у меня свои понятия и я по ним живу? А что касается ментов, то мне плевать на них, они же меня сюда посадили. Жрать захочу — и я украду, но не как крысятник, а как это принято у порядочных людей. Короче, за слова не надо цепляться, я и сам кого хочешь зацеплю!..

— Он прав, пацаны, — сказал Монах и, подойдя к чемпиону, спросил: — Как тебя звать?

— Шахбан.

— Дело прошлое, парень, я буду погонять тебя — Шах...

Чемпион, конечно, не понял, что это значит для него и как этот вор собирается его «погонять», но благоразумно промолчал, думая о своем: «Попробуй только погонять — я тебя вперед погоню...»

С тех пор за ним закрепилось это прозвище. После нескольких месяцев, проведенных в тюрьме, он вышел на свободу довольно грамотным в делах преступного мира человеком. Но все равно его жизнь пошла бы по другому пути, отклони он дружбу, завязавшуюся в тюрьме с матерыми уголовниками, которые тоже отмазались от предъявленных им обвинений. И потом три года, пока Монах отбывал срок, эти блатари опекали его на свободе.

За несколько секунд пронеслись в голове Шаха эти воспоминания. И какая-то странная грусть защемила сердце. Подумать только, как изменились люди за это время! Случись это сейчас, кто бы стал слушать доводы, апеллировать к какой-то неписаной арестантской морали? Зарезали бы сонного или тут же, на разборке... Вряд ли нашелся бы второй «Монах» — вор, стремящийся не к личной наживе, а искренне верящий в воровскую идею.

За рулем в машине сидел Вася Боцман, а справа от него Печник — приближенные люди Монаха.

Они подъехали к девятиэтажному дому на окраине Москвы и вдвоем поднялись на восьмой этаж. Это была одна из тайных квартир Монаха. Старый вор не мог подолгу жить в одном месте.

Печник и Боцман покрутились вокруг квартала, убедились, что за ними нет хвоста, поставили в гараж машину и направились в свое очередное жилище.

Сколько было времени, и относительно спокойного, чтобы поговорить с Монахом о давно интересующем Шаха вопросе, но почему-то до сих пор это никак не получалось. А сейчас, когда голова раскалывалась от войны с ссученными, Шах вдруг спросил:

— Слушай, брат, я до сих пор не могу понять, как это ты тогда смог попасть в общаковую хату*?

— Сто рублей на лапу кинул дубарю**, заправляющему делами по хатам, да еще на это дело было «добро» одного хмыря из ментовской конторы, не помню уже, как его фамилия. Что, воспоминания прошлых лет? Уж не жалеешь ли ты, Шахбан, что пошел по этому пути?

— Нет, брат, нисколько. Хотя имея опыт, который есть у меня сейчас, в те годы я многое сделал бы иначе, а кое-чего не делал бы и вовсе. — И, помолчав немного, добавил: — Но козлов мочил бы всю жизнь...

Расправившись с обнаглевшим членом бригады, Джафаром, Серый позвонил Шаху и рассказал о происшедшем.

---

* Камера, где содержатся впервые привлеченные к уголовной ответственности.

** Надзирателю.

Шах выматерился, что случалось исключительно редко, и велел удержать девушек любым способом, но, подчеркнул, по возможности — мягко.

— Вешайте им лапшу на уши: люблю-женюсь. Если не удастся — что делать, сажайте в наручники. А мудака этого бейте до посинения, пока не образумится. И не высовывайтесь, забурлило у нас не по делу...

Под утро Валера с Леной, а Серый с Наташей разошлись по разным комнатам. Оля осталась одна в оборудованном под люкс помещении. Джорджа бить не пришлось больше. Он уже ни к кому не приставал, памятуя, какую получил трепку, и тихо уснул на кушетке возле бассейна.

Проснулись поздно. Поплавали в бассейне, попили кофе с бутербродами, и девушки засобирались домой.

— Ленчик, красавица моя! Ты что, хочешь меня покинуть? — заливался соловьем Валера.

Красавица с распущенными каштановыми волосами уставилась на геркулеса округлившимися глазами:

— Ты что поешь, малыш, не наездился, что ли?..

Компания разразилась смехом. Даже закручинившаяся Блондинка смеялась до слез.

— Ну конечно же, нет, но дело не в этом...

— А в чем?

— В том, что я такую, как ты, еще не встречал и не представляю себе, как же я буду теперь без тебя?

— Хорошо, мой малыш, я завтра снова приду к тебе, но если ты меня разыгрываешь, так и знай — я выцарапаю тебе глаза...

Девушки взяли сумочки и пошли к выходу.

Геркулесы переглянулись, и Серый запел ту же песенку Наташе.

— Вы сговорились, что ли? — удивилась Наташа.

— Малыш, пропусти меня, иначе я отделаю тебя кулаками, как тот чурка.

Атлет улыбнулся и, нежно обняв девушку, увлек ее в комнату. Присев на диван, он признался, что влюбился в нее и хотел бы с ней встречаться. Девушка радостно улыбалась и уже не злилась.

Наконец и Серому удалось уговорить Наташу остаться. Блондинка грустно проронила:

— Был бы мой Падишах, и я бы осталась, но я здесь лишняя, до свидания, девочки...

— Нет, нет, что ты, Оленька, Шах скоро появится. Он просил тебя подождать... — Серый, продолжая игру, по-собачьи ласково заглянул в синие глаза девушки и, заметив в них настоящую тоску, внутренне вздрогнул от жалости. Он мягко погладил ее по руке и сказал: — Оля, все будет нормально, жди, он обязательно приедет, — хотя сам в это не верил, потому что Шах бывал здесь не чаще одного раза в месяц. К тому же рэкетир знал, что затевается война и Шаху сейчас не до девушек. Но что-то надо было с ними делать...

И Ольга даже не думала покидать подвал — казалось, она была готова хоть целую вечность ждать взволновавшего ее сердце дерзкого рэкетира.

Девицы жили в одном из центральных районов столицы, в двадцатиэтажных домах по соседству. Возле их подъездов Резо уже расставил своих бойцов. Они сидели в автомобилях и рассчитывали перехватить подруг и узнать о местонахождении пропавших наводчиков.

Снова вечерело. На небе незаметно появились звезды, вспыхивали электрические огни в окнах домов и уличные фонари.

У бандитов были телефоны девушек, и они знали, что дома их нет. Оставалось только одно — ждать.

У полковника Алексеева шло оперативное совещание. Присутствовали сотрудники, задействованные в операции под кодовым названием «Семьдесят четвертый квадрат».

Подполковника Архипова среди них не было, он схлопотал строгий выговор и теперь сидел дома и глушил водку со старым приятелем, который работал сейчас в контрразведке ФСБ.

Приятеля интересовал подполковник Тарасов, и глупый сыщик охотно выкладывал внутриаппаратные секреты бывшему сослуживцу. Но волкодавы РУОПа серьезных нарушений закона не допускали, поэтому никакого компромата разведчик не получил.

...Тарасов поднялся со стула и, окинув взглядом коллег, продолжал:

— Не скрою, преступники оказались умнее, чем я предполагал. В номерах гостиницы они ломали комедию: никто не проговорился, не сказал ни одного слова, дающего хоть какую-нибудь зацепку о дальнейших их действиях. Но сейчас у меня есть абсолютно надежная информация: четыре часа назад особо опасный преступник по прозвищу Черный Мага застрелил шестерых из противоборствующей группировки, которую возглавляет не менее опасный преступник по прозвищу Резо Шилик. Их подлинные имена и досье есть в информационном центре МВД. Арестовывать их при ныне действующих законах не имеет смысла. Трупы жертв из ресторана исчезли — информация поступила к нам с опозданием... Чтобы провести успешную операцию, необходимо увеличить состав оперативной группы и вести наблюдение круглосуточно. Внешние эффекты недопустимы. Задержание следует производить в момент совершения преступления. И последнее. Надо как можно скорее внедрить в банды наших людей. К сожалению, капитанов Красина и Карпенко бездарно провалили. Считаю необходимым привлечь оперативников из регионов, которых здесь, в Москве, бандиты в лицо не знают...

Полковник был согласен с Тарасовым, хотя в предлагаемой тактике просматривалось пугающее хладнокровие: «Пусть бандиты сначала перестреляют друг друга, а то эти головорезы, загубившие столько невинных жизней, слишком легко ускользают от мести Фемиды».

В этом случае, как правило, страдают и непричастные к бандитским разборкам граждане. И это не давало полковнику покоя. Он снова и снова просчитывал в уме различные варианты, чтобы с минимальными потерями завершить операцию по обезвреживанию бандитских группировок.

В это время рядом с автомобилями бандитов, притаившимися у подъездов, внезапно появились мотоциклы: парни Черняги открыли стрельбу из короткоствольных десантных автоматов. И тут же, рванув с места, мотоциклисты исчезли за поворотом. Встретились они, бросив в условленных местах «железных коней», не-

неподалеку от Белкинской, 32, где Абрек, Ромбик, Черняга и еще с десяток бойцов сидели на лавочках во дворе и курили.

Тихий двор, где собрались бандиты, был окружен девятиэтажными домами, перед окнами которых росли пышные каштаны, так что можно было не опасаться любопытных граждан, которые так любят смотреть на мир из-за тюлевых занавесок. Увидеть одновременно все рожи, которые не спутаешь с лицами законопослушных обывателей, было невозможно. Но пышная зелень во дворе их надежно укрывала.

— Ну что, братаны, двигаем к гастроному, пока он не закрыт, и загасим ссученных тварей... — сказал Абрек, отключив радиотелефон после короткого разговора с Шахом.

— Двигаем, — поднялся Черняга.

Он получил свое прозвище еще на службе в десантных войсках. В их роте служили в основном призывники с Кавказа: чеченцы, дагестанцы, грузины, ингуши. Ржаной хлеб в их краях не пекут, к нему они не привыкли, и поэтому в солдатской столовой всегда был дефицит белого. Рядовой Емельянов охотно менялся своей порцией белого хлеба с товарищами, за что и заработал себе прозвище — Черняга, хотя был белобрысым и сероглазым крепышом.

Сейчас у него подрастали сыновья, два породистых головореза, и дочь — все трое от жены, которую он привез с афганской войны вместо наркотиков, золота и заграничных тряпок: все это он презирал тогда, как и «буржуев», свято веря вождям Страны Советов. Он резко отзывался о товарищах, которые вывозили награбленное добро из разрушенных афганских кишлаков и городов. Жену его в России крестили, и звали ее теперь Галиной. Семью, живущую в маленькой деревушке под Люберцами, Черняга навещал два-три раза в месяц.

Абрек и Ромбик тем временем подошли к гастроному с тыла. Во дворе между рефрижератором и продуктовыми грузовиками стояли бандитские иномарки; чуть поодаль троица упитанных брюнетов с уже намечающимися проплешинами курила «Мальборо».

Бац первым показал им дуло автомата — израильского «узи». Потом еще двое с завидным проворством извлекли спрятанное под пиджаками оружие.

Черняга с бойцами из зала гастронома проскочили во внутренние помещения и, безошибочно определяя среди грузчиков и подсобных рабочих своих «коллег», прошлись по кабинетам директора, завскладом, товароведа. Еще семерых бойцов Резо они вывели из строя, оглушив их ударами по голове.

В подвале началась стрельба. Двое внизу, увидев Абрека и Ромбика, выхватили пистолеты, но Абрек опередил их, сразив наповал очередью из «АКС», затем крикнул в глубину подвала:

— Томаз, Георгий, Дато, даю тридцать секунд на размышление, а потом бросаю гранаты!!! Выходите первыми, с остальными потом разберемся! Время пошло!..

Услышав выстрелы, Черняга спустился в подвал. Наверху его братаны затаскивали оглушенных противников в чулан подсобки.

Томаз, один из приближенных Резо, откликнулся первым:

— Абрек, чё за беспредел?!

— У тебя еще пять секунд, выбирай! — Еще не было случая, чтобы Абрек не выполнил свою угрозу.

Томаз поднялся наверх, за ним Георгий и Дато — кутаисские громилы, несколько лет назад примкнувшие к банде Резо из Тбилиси, вот уже двадцать лет орудовавшей в России.

— Мочить их, ссученных! — зарычал Черняга.

— Конечно, братан, замочим, если остальные не выйдут! — громко, чтобы до всех дошло, пообещал Абрек.

Парни Резо выходили по одному, держа оружие в поднятых над головой руках за стволы.

Проходивший в это время мимо гастронома милиционер вздрогнул и под осуждающими взглядами прохожих поспешил домой, мысленно ругая матом начальство, не позволяющее во время отпуска носить табельное оружие. Больная жена и двое ребятишек требовали столько расходов, что он не мог позволить себе купить приличную одежду и даже во время отпуска ходил в форме.

Патрульная машина ОМОНа остановилась у перекрестка в пятидесяти метрах от гастронома. Оперативники пытались определить, откуда раздается стрельба...

— Короче, орлы, я не буду с вами тут порожняки гонять. Резо, под чьим авторитетом вы ходите, по жизни сука и педераст! И войну он начал первым. Скоро ему конец! Если второй раз попадетесь — перестреляю, как шакалов... — крикнул им Абрек.

Через три минуты, прихватив с собой приближенных Резо, рэкетиры шаховской бригады укатили на трофейных автомобилях. А среди помилованных разгорелась жаркая дискуссия, еще в подвале. Но это уже не имело особого смысла — их тут всех накрыли омоновцы и увезли в отделение.

В одном из престижных районов, в двадцатиэтажном кирпичном доме жил в семикомнатной квартире в двух уровнях негодяй высочайшего класса. Этому негодяю принадлежали еще четыре квартиры в подъезде, и он мечтал утереть нос Леснику, прибрав к рукам весь подъезд. Связь со своими группами Резо поддерживал через «буферы». Он отдавал приказы, не покидая своего любимого кресла, а вокруг порхали три проститутки: грузинка, русская и негритянка. Два «адъютанта» по очереди выходили из дома к машине, находившейся метрах в пятидесяти, и оттуда по радиотелефону принимали и передавали сообщения, чтобы квартиру шефа не засекли оперативники.

В подъезде и на лестничной площадке перед квартирой дежурили особо доверенные головорезы. Руководитель отряда Джоба, получив очередное сообщение, изменился в лице. Затем вызвал из подъезда пятерых охранников в квартиру на первом этаже. Он был достойным сыном своих родителей-экстрасенсов, друживших с дьяволом, — убил он парней, садистски улыбаясь и, как-то мурлыкая, очевидно, получал удовольствие от «хорошо» выполненной «работы». Потом вызвал по телефону Вано, своего испытанного сообщника в делах двойной игры. Тот примчался на джипе, ведя за собой микроавтобус с бойцами. Джоба расставил пятерых из вновь прибывших у входа, а с остальными поднялся на семнадцатый этаж, в квартиру своего главаря, где хладнокровно застрелил двух адъютантов и четырех советников — заплывших жиром шахматистов или, как называл их Резо, «живых компьютеров».

Девицы разразились истошными воплями, но через секунду смолкли — их рты закрыли ладони убийц, безжалостно лишая их воздуха. У Резо вылезали из орбит глаза и он потерял дар речи. Джоба погладил его по плешивой голове, недобро ухмыляясь.

— Не волнуйся, Резо-батоно, девчонки твои целы, и ты сам жив-здоров.

— Да, да, ты прав, Джоба, это главное, — мгновенно превращаясь из господина в раба, ответил вор.

— Вот и хорошо. А теперь скажи мне номера счетов общаковых денег, ну! — Джоба воткнул ему в рот дуло пистолета, от чего окончательно сломался уже давно предавший воровскую идею законник. Получив сведения, необходимые Леснику, Джоба затянул на хилой шее Резо Шилика шелковый шнур...

А между тем трех девушек, удерживаемых в «Аполлоне», уже разыскивали обеспокоенные родители. Они обзвонили всех друзей и знакомых и, не найдя дочерей, обратились в милицию.

— Ждите, будем искать, — сказал им дежурный по райотделу и включил заявление в список материалов милицейской ориентировки. Но пока эта информация попадет к оперативникам, которые занимались рестораном «Филадельфия», могла пройти целая ночь. Пасмурная августовская ночь над Москвой...

А подруги уже начинали понимать, почему их отсюда не выпускают.

— Это из-за тех жирных боровов. Они, наверное, их убили... — с ужасом сказала Лена.

— Точно, из-за них, — согласилась Наташа, а Оля только слегка повела изумительными бровями, как бы выражая удивление.

Вот уже с час геркулесы не появлялись, и мысли одна страшнее другой стали одолевать девушек.

— Девочки, может, этот чертов Султан хочет получить за нас выкуп?.. — Лена была уже на грани истерики.

— Не мели ты, Ленчик, чепуху, у Шаха денег в сто раз больше, чем у твоего папы, — возразила Ольга.

Они с Наташей лежали на диване в дорогих вечерних платьях, укрывшись измятым после бурной ночи пледом. По телевизору шли «Московские новости», и они услышали вдруг сообщение о расстрелянных в трех автомобилях преступниках. Диктор предполагал, что в городе началась война бандитских группировок.

Девушки буквально обомлели, увидев на экране родные дома в окружении берез и тополей, знакомые с детства подъезды, вокруг которых суетились сотрудники милиции.

Джафар все это время спал или просто лежал на топчане у бассейна, а Серый и Валера, заглянув в чулан, где на полу с посиневшими от наручников руками лежали наводчики, дали им хлеба и воды и ушли в одну из отдаленных комнат.

— Как ты думаешь, что там началось у наших?

— Не знаю. И толстяков этих почему-то не забирают.

— Да и нам пора домой показаться. — Серый закурил. — Может, заваруха началась?

— Не знаю... — Валера тоже закурил. Хотя оба воздерживались от вредной привычки, иногда они все же позволяли себе эту слабость.

Так и не придя ни к какому выводу, они вернулись к девушкам.

Лена и Наташа уже рыдали.

— Ну хоть позвонить дайте! Дома уже с ума сходят...

Все ласковые слова о любви были исчерпаны, да и не верили им больше красивые посетительницы ресторана «Филадельфия».

— Нельзя, — строго отрезал Сергей.

— Что вы так переживаете, мы вам ничего плохого не сделаем, — успокаивал Валера. — Как только можно будет, отпустим, а пока вам лучше оставаться здесь. Потом еще благодарить будете... — Он сам не очень-то верил в то, о чем говорил, и поэтому испытывал угрызения совести.

— Так что, эти мафиозники по наши души, что ли, приезжали? — со страхом спросила Лена.

Рэкетиры не видели репортажа, показанного по телевизору, и потому удивленно уставились на девушек.

— Какие мафиозники? Ты что, Ленчик? — не на шутку испугался Валера, думая, что девушки пронюхали каким-то образом о двух наводчиках, закрытых в чулане, но когда те рассказали о телепередаче, у рэкетиров отлегло от сердца. Оба знали, чей это почерк.

Девушки, которым они поначалу так обрадовались, стали уже надоедать рэкетирам, и они с нетерпением ждали, когда же наконец Шах разрешит их отпустить или пришлет за ними.

Связь с «Аполлоном» Шах передал Профессору Рутульцу. Серый и Валера несколько раз звонили ему и просили избавить от гостей: ведь игра становилась уже опасной. Наконец в полночь приехал Рутулец с бойцами. Сначала они увезли девиц, а затем в микроавтобусе с занавешенными окнами наводчиков: в более безопасное место.

Акула Боцман иногда наведывался к Монаху, своему учителю по уголовному ремеслу, и, прикидываясь простачком, просил кое-каких мелких советов. Шах несколько раз присутствовал при этих беседах и имел уже некоторое представление о личности этого крупнотелого законника. Например, что он был сказочно богат, было ясно как день. Шах нередко интуитивно улавливал на лице Монаха неясную тень и скрытую настороженность, когда тот разговаривал с Акулой, но, не имея ни одного компрометирующего вора в законе факта, относил это к особенностям психики Монаха.

После того как Монах залег на дно, старый вор поддерживал связь с внешним миром через «буферы».

В этой войне с перешедшими границы воровских законов авторитетами Монах представлял гораздо большую опасность, чем малоизвестный и соответственно не имеющий права решать судьбы авторитетов Шах, хотя именно он со своими бойцами начал крушить их «карательные экспедиции». Рано или поздно любого участника разборок настигает пуля: бандитская резня не может долго продолжаться, принося одни лишь победы. Монах скрытно выступал против Лесника и Резо, а кто-то пустил слух, что убийство Резо Шилика — дело рук людей Шаха. Казнить Шилика, как ссученного, могли только на воровской сходке, где обнаружилась бы вся подноготная его грязных дел и неизбежно засветился бы Акула Боцман. Тогда против них встали бы Гена Акула, Акула Сибиряк и еще немало законников и авторитетов с аналогичными прозвищами.

Спасти Акулу Боцмана, державшего в узде с полдюжины воров уже много лет с помощью агентурного материала, к которому он имел доступ до реорганизации КГБ, могло в этой ситуации лишь уничтожение Монаха и его окружения, под которое он так и не сумел подкопаться из-за фанатичной преданности воровской идее окружавших Монаха уголовников.

Шах встретился с Савой, чтобы проинструктировать его о дальнейших действиях. Ситуация накалилась так, что нельзя было ошибаться. Они сидели в «Запорожце», когда зазвонил телефон. Шах вынул из кармана пиджака трубку.

— Говори, — коротко бросил он в микрофон, и Печник сразу узнал голос с характерным дагестанским акцентом.

— Старший брат тебя просит... Мы в гостях у «тети Риты». «Дядя» пришел о встрече с «Рыбиной» просить... Когда ты сможешь подскочить?

— Через час.

— Долго... Похоже, они у нас на хвосте.

Шах прикинул по памяти расстояние до квартиры, куда пришлось перебраться Монаху, и сказал:

— Постараюсь за двадцать минут.

Он отключил аппарат и, бросив Саве: «Не появляйся в кабаке...» — выскочил из «Запорожца», пересел в «Жигули» и помчался по улице.

Из разговора по телефону он понял, что кто-то из воров в законе пришел поговорить, точнее, договориться о встрече Акулы с Монахом. Втихаря о таких встречах с законниками не договариваются, если нет особой надобности.

Рослый гаишник, увидев на радаре превышение скорости, остановил машину. Сидевший за рулем рэкетир по прозвищу Студент весело затараторил:

— Командир! Жена мне сына родила! Две доченьки есть — друзья бракоделом обзывали, а теперь я им нос утер, понимаешь, командир. Извиняй, тороплюсь! — Студент сунул милиционеру в руку пятидесятидолларовую бумажку, и тот вполне удовлетворился проверкой.

Шах успел на четыре минуты раньше, чем планировал. В трехкомнатной квартире девятиэтажного дома за круглым столом сидели Монах и вор в законе по прозвищу Князь. На столе стояла початая бутылка «Столичной», соленые огурцы, сало и хлеб.

Главаря профессиональных убийц воры встретили сидя. Здороваясь, Монах не назвал его, как обычно, по имени.

— Привет, — бросил он коротко и снова уставился на Князя.

В прихожей сидели телохранители Князя, ожидая, пока их босс закончит свои дела. А парни Монаха стояли рядом, готовые в любую минуту взять их на мушки.

— Какие новости? — спросил Монах.

— Никаких.

Старый вор перевел взгляд на Князя, который, как и Акула Боцман, был его учеником, но из-за жадности, тщеславия, гордыни и жажды денег пренебрег заповедями, которые Монах неустанно им втолковывал: «В падлу доносить на людей, в падлу воровать у друзей, в падлу бедолагу обижать и на мужиков беспределом наезжать, среди братвы раздор не учиняй и на старых воров руку не поднимай...»

— Значит, Князь, ты предлагаешь мне встретиться с Акулой Боцманом?.. — Вопрос прозвучал зловеще, и гость вздрогнул под острым как лезвие бритвы взглядом своего учителя.

— Ты что, брат, видишь в этом подвох? — неплохо владея собой, заговорил Князь. — Если хочешь, можно собрать людей и поставить на правилу того, кто ведет нечестную игру. Но я думаю, Акула не осмелится на гнилые ходы: он просто хочет разобраться в этой бойне...

— Как ты узнал, где я нахожусь?

— Акула сказал, — не раздумывая ответил Князь.

— Он откуда узнал?

— Я не знаю, брат! Я до гроба буду верен клятве, которую произнес, когда меня короновали по твоему слову. — Фальшь в его голосе уловил даже Шах, не говоря о старом законнике.

Но это уже не имело значения. Акула Боцман использовал Князя как «торпеду», приклеив к лацкану его пиджака на специальной липучке крохотный микропередатчик, поэтому слышал весь разговор с Монахом. Тайный агент бывшего КГБ понял, что его раскусили.

Телефонный разговор Печника с Шахом, когда он сидел в «Запорожце» и инструктировал Саву, тоже прослушивался — оперативниками РУОПа, но когда Шах отключился, у них не было возможности проследить, куда он поехал. А бригада киллеров Акулы по датчику на пиджаке Князя вычислила «квартиру тети Риты».

— Он крутит! — Шах вскочил и вопросительно посмотрел на Монаха.

— Развяжи ему язык, Шахбан, — произнес старый вор, на этот раз обращаясь по имени, он не знал, что каждое его слово Акула записывает на магнитофон, чтобы потом передать купленным чиновникам прокуратуры и МВД.

У подъезда росли деревья, листва которых лишала киллеров возможности стрелять с безопасного расстояния. Шах, с помощью изощренных пыток получив ответ на интересующие их вопросы, застрелил и Князя, и двух его приближенных. Затем с помощью электронного индикатора нашел на пиджаке убитого «пуговку».

— Надо уходить, брат, — поторопил Шах. Монах со свитой стал спускаться по лестнице.

Они остановились на площадке между вторым и третьим этажами, а Крот с Боцманом вышли из подъезда, чтобы подогнать машины. Шах видел, как они свернули за угол. Шло время, но они не появлялись...

А за углом их встречали спецы-головорезы. Разделались тихо, трупы погрузили в микроавтобус. Водителя Шаха застрелила прямо в салоне машины миловидная женщина, при виде которой рэкетир ничего не заподозрил.

— Брат! Вызвать подмогу? — спросил Шах, понимая, что произошло.

— Если не в бойню, то в лапы ментам они точно угодят! Ты лучше, брат, — впервые Монах назвал его братом, впервые признал его равным себе, и Шах на несколько секунд замер, не зная, что ответить, — ...сообщи подробности своим парням и скажи, что Монах велел им обратиться к людям с требованием разобраться по понятиям с ссученными, если мы отсюда не выберемся...

Печник с затаенной ревностью посмотрел на Шаха: Монаха он боготворил и вот уже более пятнадцати лет преданно служил ему.

Старый вор, большую часть жизни проживший в тюрьмах и лагерях, хотел сказать своему приближенному то же самое слово, но, верный идее, не мог нарушить заповедь. Туберкулез и старость отняли у него былую ловкость: когда другие воры не рисковали носить с собой финские ножи, он ходил по городам СССР с «наганом», любимым оружием воров старой закалки, и выходил невредимым из многих передряг. Он привык играть со смертью, и ему не один раз удавалось перехитрить ее, но сейчас он видел, что она слишком близко подкралась к нему.

Двое мелькнули в подъезде. Шах рванул по лестнице вниз и разрядил пол-обоймы «стечкина».

Выстрелы пока не потревожили жильцов — звук доносился приглушенно.

Печник с «наганом» в руке спустился на пролет ниже, готовый в любое мгновение открыть огонь.

— Не отходи от брата! — крикнул ему Шах, и тон его был неожиданно повелительным, что на секунду отвлекло внимание Печника от зияющего смертельной опасностью дверного проема.

Рядом взвизгнуло несколько пуль, и Шах, отпрянув, прижался спиной к стене.

— Хорошо, брат, — ответил Печник и внутренне напрягся: если теперь Шах не произнесет в ответ это же слово, Печник будет обязан подчиняться ему до тех пор, пока кто-нибудь из воров в законе не обратится к нему как к равному.

Сознание воровской власти приятно пьянило Шаха. В следующее мгновение он выпустил оставшиеся в обойме патроны, поразив еще двоих насмерть, и получил встречные пули в плечо и в грудь. Он снова прижался спиной к стене, почувствовав тупую боль в груди.

Мелькнула тень, Шах сквозь решетки перил попробовал выстрелить, но услышал только щелчок — кончились патроны. И впервые за все это время прогремел выстрел без глушителя. Это Печник с верхнего пролета уложил врага из старого «нагана». Шах полез в карман пиджака за запасной обоймой, кое-как достал ее и правой рукой попытался зарядить пистолет, но через секунду свет в глазах Шаха начал быстро меркнуть, и он стал сползать по стене, пока не потерял сознание от резкой боли в груди. Печник подхватил его под руки и потащил наверх.

— Дай мне «наган», а сам возьми его стволы, — приказал Монах, глядя на помертвевшее лицо своего ученика, которого, предчувствуя собственную гибель, он только что назвал братом. — Эх ты, — горько протянул он, — я же думал, что ты выберешься из этой ловушки, а я останусь! Кто же теперь ссученных на правилу поставит?!

Печник отстреливался одиночными выстрелами. Снизу ответили очередью из «калаша» — и приближенный Монаха свалился замертво. Шагнувшего вперед убийцу Печника настигла пуля Монаха...

Вдруг руководивший группой киллеров крикнул оставшимся: «Уходим!» Раздался шум моторов — и все стихло, но лишь на минуту. Все это время Монах держал на мушке входную дверь подъезда, ожидая следующей атаки. Но взревевшие во дворе моторы говорили о том, что враги драпанули. «Значит, — подумал он, — скоро заявятся менты».

— Лю-ди!!! — заорал он изо всех сил. — По-мо-гите! Кто-нибудь! Вызовите «скорую», человек умирает!.. — Но на крики вора, впервые обратившегося с мольбой о помощи, многочисленные двери на лестничных площадках ответили гробовой тишиной.

Он видел, что Печнику уже никто не поможет.

— Тимоша! Тимофей! Как же так? — беспомощно окликнул он мертвого подручного. — Шахбан! — Старый вор коснулся раны на груди Шаха, и рука окрасилась теплой кровью.

Но жильцы не безмолвствовали. Кто-то позвонил в милицию, а кто-то стал рассказывать приятелям о скоротечной бандитской войне. Дежурный райотдела, принявший сообщение, направил по рации к месту бандитского побоища патрульные машины.

Первым прибыл экипаж старшины Новоселова с тремя милиционерами. Увидев в подъезде гору трупов, они в ужасе отпрянули. Бронежилеты и короткоствольные автоматы — не самая лучшая защита. Где много трупов, там пахнет большими деньгами. А подставлять головы под пули из-за чьих-то миллионов им совершенно не хотелось.

Еще через несколько минут, визжа тормозами, почти одновременно около дома остановились два «уазика». Сержант-омоновец первым ринулся в подъезд. Вор, увидев милицейскую форму, еле удержал палец на спусковом крючке.

— Брось оружие! — скомандовал омоновец, поднимаясь по лестнице с автоматом на изготовку.

— Чего бросать — вот, возьми! — держа за ствол, протянул оружие Монах.

— Бросай немедленно, а то стреляю! — еще более жестко приказал сержант, и Монах отшвырнул «наган». Сержант, защелкнув наручники на худых запястьях вора, потребовал лечь лицом вниз.

— Вызови «скорую», начальник, человек умирает! — попросил вор, ложась на пол — ударит ведь прикладом по голове змей!

«Скорые» и машины телевидения уже мчались к месту разборки. Из «фордов» и «мерседесов» высыпали крупные милицейские чины в форме и в штатских костюмах.

Телевизионщиков отгоняли чуть ли не пинками до предела взвинченные милиционеры, получившие нагоняй от своих командиров. Медиков тоже не подпускали к подъезду, пока шел осмотр места преступления.

— Кто стрелял? — спросил Монаха мужчина в штатском, подняв его с пола за воротник старенького пиджака.

— Я стрелял, — ответил Монах, смело глядя в глаза оперативника.

— Это что, ты всех уложил?!

— Зачем же всех, только ссученных, вон сколько их там, восемь или девять. А в этих, моих друзей, они, гады, стреляли. Начальник...

— Из какого оружия ты стрелял?! — перебивая вора, спросил оперативник, но вор, игнорируя вопрос, продолжал:

— ...Пока не отправите в больничку еще живого человека, я не отвечу ни на один вопрос.

— Хорошо, — сказал оперативник и приказал позвать санитаров с носилками.

Через несколько минут Шаха увезли в тюремную больницу, и Монах начал давать показания: да, это он уложил восьмерых из пистолета Стечкина. Хотя оперативники ему не верили, все же слушали с большим вниманием. Но вскоре появились другие блюстители порядка и стали вести допрос на лестничной площадке несколько иначе...

Дюжий подполковник в штатском двинул Монаха ногой в грудь и пинал шестидесятидвухлетнего старика до тех пор, пока не убедился, что старый вор не дышит.

Спустя некоторое время на служебном «форде» примчался подполковник Тарасов с тремя волкодавами. Трупы еще не убрали. Кровавая разборка закончилась трагично, и только «баловню судьбы», Шаху, повезло — его, можно сказать, спас Монах.

Но Шах был еще на пути в больницу, когда подкупленные Акулой оперативники уже сели на хвост машине «Скорой помощи».

— Кто? Кто, я вас спрашиваю! — рычал Тарасов на сотрудников милиции и прокуратуры. — Кто бил обезвреженного преступника?!

— Подполковник, успокойтесь, что это вы так расходились?! — Высокий седоватый мужчина со штабной повадками надменным голосом попытался, было, осадить Тарасова.

Тарасов не обратил на окрик внимания, хотя лично знал этого служаку — старшего оперуполномоченного МВД по особо важным делам, который имел огромное влияние. Он стал трясти стоявшего рядом майора.

— Если не хочешь видеть небо в клеточку, отвечай! Кто забил задержанного?

Майор в страхе вытаращил глаза и оглянулся на полковника в надежде на защиту.

— Вы что, болван! Что вы себе позволяете?! Я вам приказываю немедленно...

— Плевать мне на то, что вы приказываете, полковник! — не поворачиваясь к нему, бросил Тарасов. Он так и не выпустил лацканов кителя майора, продолжая буравить его ненавидящим взглядом.

И майор сдался:

— Подполковник Поливанов...

Руоповец оттолкнул майора и подошел к подполковнику в штатском.

— Что здесь потеряли сотрудники министерства?.. — Вопрос был задан таким тоном, что оперативника по особо важным делам МВД передернуло, лицо его от злобы покрылось багровыми пятнами.

— Я вас арестую! — закричал полковник.

— Попробуйте, — спокойно ответил Тарасов.

— Прекратите! — вмешался помощник прокурора. — А не то подам рапорт о служебном несоответствии на обоих!..

— И правильно сделаете! — серьезно ответил Тарасов. Он смерил оперативников из министерства презрительным взглядом и отошел в сторону.

Эксперты-криминалисты МУРа и РУОПа приступили к изучению и сбору материала на месте кровавой бойни. Тарасов дал указание своим подчиненным, оставил с группой РУОПа капитана Васильева и с двумя оперативниками сел в служебный «форд».

— В Лефортово! — скомандовал он.

Сидящий за рулем капитан Красин газанул, и машина, рванув с места, помчалась по разбитому асфальту. Вскоре, несколько расслабившись, водитель оглянулся на шефа. Дымя «Беломором», тот постепенно успокаивался.

— Роман Михайлович, может, связаться со «скорой» по телефону, а то ведь они могут раненого и не довезти?..

— Давай, Юра, звони. — Тарасов задумался о грядущих неприятностях и пришел к выводу: «Все правильно, пусть думают обо мне что хотят... Главное, теперь я знаю, за кем установить наблюдение, и они выведут меня на логово зверя, где разыгрывают бойни, как бездельники колоду карт».

Красин позвонил в диспетчерскую «Скорой помощи» и связался с врачом «уазика», в котором везли раненого Шаха. Он попросил их не подъезжать к тюрьме, а остановиться во дворе дома по улице Пугачева, 107, перед самой тюрьмой.

— Поймите меня правильно, — ответил озадаченный врач, — как я могу быть уверен, что вы действительно сотрудник милиции?.. Вы понимаете мои опасения? — Врач проявил похвальную бдительность.

— Конечно, доктор, и вполне разделяю их. Но вы попросите своего диспетчера, пусть свяжется с начальником восьмого отдела РУОПа полковником Алексеевым. Моя фамилия Красин, капитан Красин...

Несколько минут спустя в машине раздался телефонный звонок, и врач уже спокойным голосом сообщил, что они будут ждать в указанном месте.

Еще полчаса оперативники добирались до «скорой», которая на расстоянии квартала до тюрьмы притаилась во дворе в ожидании «честных ментов», как медики называли их между собой. Пожилой еврей в тяжелых роговых очках в отличие от коллег-соплеменников, двинувших за бугор, остался работать в своем коллективе, ежедневно спасая от смерти бандитов и мирных граждан.

— Какое страшное лицо... — заметил ассистент — студент мединститута, подрабатывающий в «Скорой помощи».

— Волевое лицо, видно, бандит с большой дороги... — предположил шофер, немало повидавший на своем веку. — И что им неймется, все стреляют и стреляют каждый день. И этот наверняка не одну душу на тот свет отправил...

— А что делать, страна с ума сходит, хотели сделать демократию, а получилось черт знает что!.. — Врач хлопотал над приборами, обеспечивающими искусственное дыхание. — Да и кто бы он ни был, дело врачей — спасать людей...

Наконец приехал Тарасов. Он пересел в «уазик» и крикнул водителю:

— Гони в Лефортово!

«Форд» тронулся следом.

5 Зак. 390

У ворот тюрьмы «скорую» остановили офицеры из министерства, но, увидев в салоне матерого волкодава, удивленно переглянулись.

— О-о! Какая встреча, Роман Михайлович, не ожидал... — Подполковник Данкевич смотрел на Тарасова, явно стараясь потянуть время.

— Красин, — окликнул Тарасов капитана, — поинтересуйся, что им нужно? — И захлопнул дверь «уазика» перед самым носом оперативника из министерства.

«Скорая» въехала на территорию тюрьмы. Тарасов торопил санитаров и уже в больнице сказал хирургу:

— Лев Яковлевич, этот преступник — очень ценный свидетель и может помочь нам в раскрытии особо опасных бандитских группировок. Прошу вас, сделайте все возможное, чтобы этот негодяй выкарабкался...

— Это моя работа, — спокойно ответил врач.

Тарасов вышел из тюремной больницы и из машины позвонил своему начальнику — полковнику Алексееву, попросив «надавить» на тюремных врачей. Потом связался с майором Корабельниковым и приказал подъехать в квадрат 45 с оперативной группой.

«Так, — размышлял Тарасов, — шеф молчит, значит, со скандалом они не торопятся — рыльце в пуху».

В старинном особняке недалеко от станции метро «Чистые пруды» руоповцы под видом коммерсантов снимали для офиса три комнаты. Это и был условно называемый в их отделе квадрат 45, о котором, как выяснилось, уже знали другие отделы, а значит, могли знать и преступники...

Майор Корабельников с группой из одиннадцати человек в штатском прибыл на место. Соседи — сотрудники различных коммерческих контор — косо поглядывали на «коммерсантов».

Они собрались в большой комнате, и Тарасов, коротко обрисовав ситуацию, поручил им наблюдение за министерскими оперативниками. Ребята в группе были проверенные, люто ненавидели уголовщину и, как дети, радовались, когда им удавалось раскрыть очередное преступление.

Электронное оснащение комнаты позволяло им безбоязненно говорить о своих делах: подслушать их здесь никто не мог.

— Задание, которое я вам хочу поручить, противозаконно... — Тарасов сделал паузу, вглядываясь в лица офицеров. — Контролировать оперативников из министерства никто нам права не давал, но без особой на то причины я бы не толкал вас на этот опасный шаг. За такое мероприятие вполне могут привлечь к уголовной ответственности, не говоря уже об увольнении. И поэтому я хочу предупредить: кто не хочет рисковать, пусть сразу скажет, я поручу ему другую работу.

Но никто не отказался.

— Необходимо установить круглосуточное наблюдение за полковником Шелмаковским, подполковниками Поливановым и Данкевичем. Наблюдать за ними в здании министерства не нужно, над этим пусть ломают головы соответствующие службы... Брать их в объектив контроля следует за территорией министерства, куда бы они ни направлялись. Они должны вывести нас на организаторов бойни... Скоро в ход пойдут гранаты и бомбы, будут страдать мирные граждане, и мы, призванные защищать их от уголовной и прочей мрази, не имеем морального права сидеть сложа руки!

Офицеры заскрипели стульями, выражая нетерпение, и Тарасов понял, что пора переходить к сути дела.

— Одного организатора этой кровавой разборки, небезызвестного вам старого волка, вора в законе по кличке Монах, министерские важняки, не поленившись оторвать задницы от кожаных кресел, забили ногами до смерти. Что это, случайность? И ежу понятно — личный интерес... И сделал это Поливанов, а его шеф Шелмаковский, стоя рядом, страховал его. «Скорую помощь» с раненым главарем рэкетирской банды поджидает у Лефортова Данкевич... Выводы очевидны, но я не верю, что в сегодняшних условиях мы сможем сохранить результаты своих многодневных трудов, если доложим о них в соответствующие инстанции и немного не отклонимся от буквы закона. Эти продажные шкуры в мундирах выведут нас на вторую воюющую сторону волчьих группировок, да и сами предатели увидят небо в клеточку. Так что, ребята, не жалейте сил для правого дела. Вопросы есть? — Тарасов выдержал паузу. — Если вопросов нет, то все, кроме Корабельникова, Красина и Карпенко, могут выпить кофе.

Офицеры вышли в коридор и, угрюмо переглядываясь, разбрелись по комнатам. А подполковник достал электронную записную книжку и продиктовал старшим оперативникам адреса и телефоны взятых под наблюдение коллег из министерства. Затем стали отрабатывать наиболее приемлемые варианты операции. Через час Тарасов позвонил своему приятелю в министерство, и тот сообщил, что генерал Бычков был в ярости, услышав о его дерзкой выходке. От него же Тарасов узнал, что интересующие его лица сидят сейчас в своих рабочих кабинетах.

— Долго они там не пробудут, уже конец рабочего дня. Давай, Коля, приступай к делу, и... удачи тебе, — благословил Тарасов коллегу.

Профессор Рутулец развез девушек по домам, объясняя по пути, в какое неприятное положение они попали, легкомысленно сев за стол с негодяями. Саву из их числа они исключили. «Доброжелатели» разъяснили притихшим подругам, что за ними охотятся бандиты, и посоветовали в течение месяца или даже двух не выходить из квартир без охраны, а если охраны у них нет, то и вовсе сидеть дома безвылазно ради собственной безопасности.

Наводчиков вывез Ромбик Даргинец и запер их в подвале котельной на окраине города, едва живых от голода, холода и страха. Эдик и Леонид сулили им золотые горы в обмен на жизнь, но заполучить те «горы» было отнюдь не простым делом: по всей Москве их искали десятки бандитских бригад, чтобы доставить к Леснику живыми или мертвыми.

Рэкетиры бросили им объедки и уехали. Лишь слабо мерцающий огонек электрической лампочки напоминал барыгам о былой бурной жизни, о хрустальных люстрах дореволюционной работы, которые они продавали за бешеные деньги, за бесценок отняв у лохов.

Холеные, подкованные в вопросах коммерции и права, истории и культуры, они легко устанавливали контакт с очередной жертвой, «бескорыстно» предлагая деньги в долг, иногда без всяких процентов. И потерявшие общественную поддержку и государственную зарплату, московские и питерские инженеры, научные работники — интеллигенты принимали их заботу за чистую монету, надеясь, что полученные в долг деньги удастся использовать для выгодных сделок, чтобы хоть на шаг опередить страшного монстра — инфляцию. Но через несколько дней, пока шли переговоры о выгодных сделках с «весьма порядочными бизнесменами», деньги таинственным образом пропадали прямо из квартир изумленных граждан.

В итоге кредиторы наседали, требуя возвращения ссуды, а «порядочные бизнесмены» предъявляли счет за потраченные в переговорах дни и обеды в ресторане.

Дальше жертвы попадали в лапы бандитов. И обманутым ничего не оставалось, как продавать собственное имущество, чтобы откупиться от негодяев.

— Э-эдик, Э-эдик, вот и нам предъявили счет...

— Да-а, Леонид, да...

Они сидели на цементном полу и за два прошедших дня, похожих на кошмарный сон, превратились в осунувшихся, сонливых уродцев, на которых даже их палачи смотрели с омерзением. Правда, для презрения у рэкетиров были и куда более веские причины.

У наводчиков был обширный банк данных о коллекционерах картин, орденов, медалей и других ценностей. В их квартиры они умудрялись проникать по рекомендациям уважаемых в среде коллекционеров людей. Постепенно они завели тайных агентов в МУРе и прокуратуре. Но сейчас помочь барыгам было некому. Рэкетирам не было дела до их богатства, нажитого на слезах и крови.

Прийти в гости и украсть они считали делом беспредельным.

Настырный Джордж, вернувшись на главную базу бригады, которая занимала все четыре квартиры последнего этажа, поднял крик, что его избили из-за «прошмандовки». И живописно рассказал о случившемся, опуская важные подробности: например, почему Шах снял его с машины и велел находиться с парнями Черняги; какие доводы приводили Серый и Валера, не подпуская его к девицам.

— Голые купаются с ними!.. — жестикулируя, как магаданский урка, говорил Джордж. — Я ей нормально говорю — иди сюда, а она, сучка, этим быкам кричит: «Скажите ему, что я не проститутка...»

Парни заржали так, что их было слышно в машинах, охранявших подходы к дому.

— В натуре, шлюха-целка получается с ее слов... — сказал Майдан, бравший совместно с Бацем Лешего. — И чё потом?..

— Как кошки трахались всю ночь, а я еле уснул от злости. Хотел перестрелять их, как шакалов, но это было бы неправильно... Откуда узнали бы вы потом, что там было на самом деле? Короче, братва, я должен спросить с этих культиков — они, в натуре, за кого меня принимают?!

Рыжик вскочил с дивана и подошел к Джорджу вплотную.

— Если все это даже и правда, мы не сможем этим заниматься, пока Шах в опасности. У нас, кроме твоего порожняка, забот хватает...

— Вот и занимайся ими, Рыжик, и не суйся в мои дела, понял?! — зарычал Джордж.

Рыжик знал, что его оппонент — родственник Шаха, и, может поэтому обладатель четвертого дана по карате-до, с которым именитые зарубежные каратисты побаивались встречаться в неофициальных поединках, вел себя с наглецом гораздо сдержаннее, чем это требовалось по ситуации.

— Я в твои дела не суюсь, я хочу тебе сказать, что ссориться с парнями Черняги нам не с руки, они нужны, чтобы Шаха отмазать и ссученных раздавить.

— А кто с ними ссорится? Я имею зуб на двоих, и они должны мне ответить!.. А заменить их на комплексе можно любыми из наших. Если Черняга из-за них «массу» потянет, то и его туда же.

— Все правильно! — вскочил Салих Мерседес. — Если его парни виноваты, то какое он имеет право тянуть за них «массу», и вообще, чё за базар? Пацанов начали вырубать! По понятиям, за это их можно мочить...

Шестеро из восьми присутствующих дагестанцев поддержали Джафара, который затаил на своего троюродного брата черную обиду. Заступившись за него, бандиты звериным чутьем уловили возможность выйти из опасной игры, предоставив поле брани другим...

Хунзахцы Рыжик и Черный Мага, смертельно уставшие после ночного боя в ресторане «Звездопад», где они чуть было не взяли в плен одного из приближенных Лесника, стали собираться.

— Вы куда? — ехидно спросил Майдан, чье прозвище означало «площадь».

— На кудыкину гору, — отрезал Черный Мага.

На темно-синем «мерседесе» рэкетиры неслись к «Филадельфии», где находились сейчас Абрек и Ромбик, ближайшие помощники и советники Шаха.

За обстановкой в ресторане вместо Фиксатого теперь следил Леший, напарник Ромбика Русака по многим «мокрым» и прочим делам. Ни Сава, ни Фиксатый, ни Ромбик, ни парни Шаха ему не доверяли, но более подходящей кандидатуры при нынешнем раскладе не было. А видимость благополучия нужно было соблюдать, чтобы выиграть время и привлечь на свою сторону московских воров-авторитетов.

Абрек и Ромбик, чтобы хоть как-то контролировать Лешего, попросили Саву наведываться в ресторан в обеденное время и самому принимать дань, стекающуюся сюда из магазинов и складов, находившихся под их «крышей». Контроль приводил Лешего в бешенство, но он весьма искусно изображал лояльность.

Два автомобиля сопровождали машину Савы на пути от квартиры до ресторана и обратно. Если раньше они собирали деньги один-два раза в месяц, то теперь, когда расходы из-за войны увеличились, делали это гораздо чаще.

За территорией ресторана наблюдали специально расставленные люди. Вечером, как только появлялись автобусы с занавешенными окнами, они подавали в ресторан сигнал: внимание. Если автобусы проезжали мимо, рэкетиры снова доставали оружие из тайников.

Леший не был связан с врагами Савы: ни с Лесником, ни с покойным Резо. Но он с нетерпением ждал момента, чтобы сорвать за услугу противнику приличный куш и смыться подальше, предоставив столичное поле сражений другим. Уйти с тем, что нажил (семьдесят тысяч долларов наличными и джип), ему мешали жадность и холодный бесовский расчет: «Подкину им перца и заодно монету сорву для себя...»

Так рассуждал Леший, расхаживая по залам казино, где с наступлением вечера начинали работу молодые, но уже опытные крупье в малиновых пиджаках. И деньги им доставались не тяжким трудом. Гораздо легче, чем обычным законопослушным гражданам, изо дня в день работающим на государство.

И, вопреки прогнозам сотрудников восьмого отдела РУОПа, народу в «Филадельфии» не убавилось, а наоборот, было много как никогда.

— Паразиты отличаются от людей тем, что им скучен театр на сцене, они жаждут зрелищ с живой кровью и настоящей смертью... — говорил Тарасов, сидя в автобусе с ударной группой СОБРа. — И в этой толпе нетрудно затеряться стрелкам, киллерам, «минерам»... Но все же действующих бандитов можно отличить от праздношатающейся блатной публики. Характерная особенность действующего, независимо от того, с какого он берега и на чью мельницу льет воду, продажный ли он юрист или закоренелый преступник, — это прежде всего скользящий острый взгляд, который легко заметить, когда бандит неожиданно встречается с вами глазами. Стоит упустить этот момент — и преступник мимикрирует, и, чтобы снова увидеть эти острые огоньки, понадобится новый эффект неожиданности... Все это вам необходимо знать. Те из нас, кто теряет форму для участия в ударных операциях из-за возраста, из-за ранений, могли бы приносить пользу обществу как аналитики, что широко используется в спецслужбах мира, а у нас с этим... — Подполковник запнулся, обдумывая, как лучше сформулировать мысль, и, не найдя нужных слов, с досадой набрал номер телефона майора Корабельникова. Не мог он бойцам СОБРа сказать, что в России менты, которые не могут найти себе применения, не нужны государству...

Оперативники охотно и с уважением слушали производственные лекции Тарасова. На этот раз за пультом оперативной связи вместо Архипова сидел он и, по крупицам собирая нужную информацию, объединял ее в общую картину.

Группа майора Корабельникова уже сутки вела наблюдение за офицерами из министерства и успела обнаружить их контакты с преступниками. Полковник Шелмаковский на квартире своего приятеля встречался с некой Новиковой. Они находились там ровно восемь минут и сорок девять секунд. Подслушать их разговор не удалось. Полковник вышел первым, а через пять минут квартиру покинула Новикова и на своей «ауди» отправилась на тихую, со старинными домами улицу, где целый подъезд трехэтажного дома занимал Лесник.

При входе и выходе из подъезда полковника и связную сфотографировали.

Данкевич встретился в баре с человеком Акулы. Разговор их записал лейтенант Миронов, а его напарник, старший лейтенант Термизюк, сфотографировал их в момент рукопожатия.

Но больше всех прокололся Поливанов. Подъехав на «Жигулях» с затемненными стеклами к проходному дворику, он хотел уйти подземным переходом со множеством ответвлений на противоположную улицу, где его ждала другая машина, но не тут-то было... За ним наблюдал сам Корабельников с четырьмя помощниками в двух автомобилях. Заметив, что боковые карманы поливановского новенького костюма слегка оттопыриваются, он сообщил об этом Тарасову. Тот приказал «ограбить» коллегу. Корабельников и оперативник, инсценируя налет уголовников, затащили подполковника в первый подвернувшийся подъезд.

В карманах Поливанова было восемь пачек стодолларовых купюр. Корабельников снова связался с Тарасовым, и тот посоветовал сменить тактику: поинтересоваться результатами бойни и начать вербовку, записывая каждое слово на магнитофон. Поливанов сразу же согласился на них работать. Потом у «коллеги» забрали половину суммы и отпустили...

Начальник Тарасова был уже в курсе всех подробностей операции и ждал от генерала Бычкова многоэтажного мата. Но на этот раз почему-то все было тихо.

Штабной автобус стоял в четырех кварталах от «Филадельфии». Бойцы СОБРа сидели на жестких сиденьях, страдальчески вытянув затекшие ноги, и позевывали, мучаясь и вынужденным бездействием. Оперативница, работающая в зале под путану, передала Тарасову очередное сообщение по радиотелефону и убрала аппарат в дамскую сумочку. С ней за столом сидели трое мужчин и женщина, немолодая, но достаточно смелая, чтобы кутить в ресторане с такой репутацией, как «Филадельфия». Вульгарный сиреневый костюм обтягивал плотную фигуру, широкие отвороты блузки открывали массивную грудь; в ушах дамы поблескивали небольшие бриллианты.

Разговор шел о преимуществах московских ресторанов перед западными, об особенностях американской кухни и о прочей чепухе. «Джентльмены» не отрывали глаз от подсевшей за их столик девицы. А та в свою очередь пыталась определить, что они за птицы: бандитские лазутчики или сексуально озабоченные богачи? Один из них, кряжистый, с толстой шеей исполин, одарил ее ослепительной улыбкой.

— Я редко пользуюсь платными услугами, — признался он, — у меня много любовниц среди актрис, но если уж какая понравится, плачу втрое больше, чем любой фирмач.

— О-о! Должно быть, вы неплохо зарабатываете, — отвечала «путана».

— Нас интересуют большие деньги? — в тон ей, растягивая слова, отреагировал мужчина с матово-красным лицом.

— Да, очень! — весело отвечала офицер РУОПа. — Надоело шляться по ресторанам, хочу замуж за миллионера...

— Смелое желание, должен вам заметить, — почти искренне рассмеялся собеседник.

Оперативница обратила внимание на то, что сидящие за столом толстосумы (а это были люди Акулы) переглянулись. Она поняла, что они в одной связке. Но какова их роль, что они здесь делают, что собираются предпринять? — пыталась разгадать старший лейтенант милиции, у которой была уже не одна награда за особые заслуги в борьбе с организованной преступностью.

— А позвольте поинтересоваться, какое у вас образование?

— Высшее, — пожала она плечами, и упругая грудь волнующе колыхнулась, но мужчина с бычьей шеей не отреагировал на это движение тем взглядом, который так хорошо знаком красивым женщинам. Теперь она не сомневалась, что его интерес к ней объясняется совсем другим, следовательно, нельзя исключать провал...

— Я поставляю оборудование для пекарен в сибирские регионы... Вы, признаюсь, в моем вкусе... — Он вытащил из кармана бумажник и небрежно отсчитал десять стодолларовых купюр. — Устроит за одну ночь?

— Ой, что вы! Это слишком много. Я обычно беру сто. Иногда сто пятьдесят, но больше мне никто еще не предлагал...

— Я предлагаю. Вы прекрасны, девочка моя! Могу я с вами на ты?

— Ну разумеется... — Она изобразила на лице счастливую улыбку, а у самой сердце в груди стучало так, словно хотело выпрыгнуть наружу. Она почувствовала серьезную опасность. С преступниками такого уровня, если ее предположения оказались верными, ей еще не приходилось иметь дело. Поэтому подполковник Тарасов и просил ее быть предельно осторожной.

— Значит, договорились. Как вас зовут?

— Люда...

— Ну и прекрасно! Поедем ко мне на квартиру или к вам, а хотите — в отель...

«Значит, им нужно довести меня до машины... Но зачем? Если они знают, что я из милиции, то по логике вещей должны улыбнуться и откланяться как можно быстрее... Они же, наоборот, проявляют повышенный интерес к моей персоне», — лихорадочно думала девушка.

А разномастная публика веселилась. Кавалеры развязно тискали своих дам, топчась возле сцены, другие обжирались, третьи «беспечно» озирались по сторонам. «Поставщик оборудования» изображал ловеласа. Он обнимал соседку за плечи и норовил поцеловать в щечку...

За два года оперативной работы у старшего лейтенанта Золотаревой ни разу не было провала. Ей всегда удавалось доводить операцию до победного конца, не позволив при этом преступнику завлечь себя в постель... Но сейчас ситуация была критической.

— Мне надо ненадолго вас оставить... — Она решила улизнуть.

— Э-э, нет, красотка, я боюсь — отобьют тебя... — Он держал ее более крепко, чем она предполагала.

— Вы же делаете мне больно, Иван Петрович! — Она оглянулась на столик, откуда ее должны были страховать два оперативника, но там никого не оказалось. Еще три минуты назад она видела их. Неужели танцуют?

Дама, сидевшая за столом, вдруг молча встала и пошла к выходу. Это была Новикова, связная между полковником из министерства и Лесником. Но Золотарева об этом не знала, да и не могла знать. У нее в этот вечер была другая задача — следить за общими передвижениями объектов, которых она знала по фотографиям. Показать ей Новикову Тарасов просто не сообразил. Он не мог даже предположить, что организаторы бойни уже задействовали людей даже из ближайшего своего окружения.

Она могла врезать бандиту локтем в челюсть или в горло, но исполин с бычьей шеей словно прочитал ее мысли.

— Не советую! — Блатной шлягер заглушил насмешливый рык, и она поняла, что врукопашную с таким не схватишься. — Сверну шею, как цыпленку! — прошипел он над самым ухом девушки. — Сейчас мы с тобой спокойно встаем и, не привлекая внимания, выходим и садимся в мою машину. Ты все поняла?

В эту минуту мимо прошел парень в черном костюме. Под пиджаком слева выпирал какой-то предмет. Он внимательно оглядывал пирующих за столами и на секунду встретился глазами с Золотаревой.

— О, Абрек! Привет!.. — воскликнула она, мгновенно принимая решение.

Хищные, как у тигра, глаза его на секунду смягчились.

— Привет, девушка, чё случилось?!

Она суетливо защебетала:

— Как дела? Мне надо поговорить с тобой. — И, грубо стряхнув руку растерявшегося бандита со своих плеч, выпорхнула из-за стола, рассчитывая теперь только на удачу.

— Братан, это моя телка... — Мужчина приподнялся из-за стола.

— А чё ей надо?

— Выпендривается, братан. Сначала снялась...

— Чё тебе, говори?! — Абрек уставился на девушку и мысленно отметил, что этой красавицы раньше здесь не видел. Хотя все красотки были для него на одно лицо, эта чем-то неуловимо отличалась от остальных.

Но мысли его сейчас были заняты совсем другим: он беспокоился о раненом главаре и о начавшемся расколе в бригаде. Каждый день гибли парни, к бизнесменам за обычной данью было невозможно сунуться — вокруг кишели стрелки враждебных группировок...

Золотарева повернулась к «миллионеру»:

— Что ты сказал? Я — твоя телка? Я снялась?! Да я тебя первый раз вижу, а то, что ты бросил на стол баксы, еще ни о чем не говорит! Откуда я знаю, может, ты барыжничаешь за столом со своими кентами!..

Увидев, что Абрек задержался возле столика, подошел Бац и встал рядом, оглядывая зал.

— Слушай, я не занимаюсь проблемами девушек, я сам их иногда обижаю... Конкретно, чё тебе надо?!

— Улизнуть она от меня хочет, братан, — расхохотался «Иван Петрович».

— Держи покрепче!.. — бросил Абрек и шагнул в сторону, чтобы уйти.

Она шагнула за ним, но «миллионер» цапнул ее за руку и легко усадил на стул.

— Не трогай меня, скотина! — завизжала она, и Абрек оглянулся. — Я тебе ничего не должна! И вообще с тобой незнакома! Отпусти руку, урод!.. Абрек!.. — снова жалобно крикнула она.

Тот вернулся и тяжело посмотрел на троих мужчин, словно придавив их взглядом.

— Братаны, если она хочет ко мне, никто не имеет права возражать, даже если она последняя здесь... Короче, порожняки не будем гонять, если она вам чё-то должна — ловите ее, когда уйдет от меня... — Абрек вопросительно посмотрел на здоровяка налитыми кровью глазами, но тот, как и двое его товарищей, потупил взгляд, показывая, что не возражает. — Дело прошлое, мужики, не в обиду будь сказано, я ее забираю...

«Ивану Петровичу» ничего не оставалось делать, как согласиться. Он прекрасно знал, с кем имеет дело. В случае сопротивления люди Акулы расстались бы с жизнью здесь же или в подвале ресторана.

Абрек медленно двинулся по проходу, и Золотарева молча зашагала рядом. Десятки любопытных глаз провожали их, пока они, пройдя мимо отдельных кабинетов для богатых клиентов, не завернули в самый отдаленный из них, который Сава оборудовал для себя.

На мягких диванах и креслах с угрюмыми, злобными лицами сидели Черняга, Рыжик и Черный Мага. С ними — не совсем уютно чувствующий себя Леший, которому здесь никто не доверял, но открыто его никто не игнорировал.

— Братаны, дело прошлое... — смущенно сказал Абрек и добавил несколько фраз по-аварски, что у него и в мыслях не было развлекаться при существующем раскладе, но он хочет послушать красотку. Бац за дверью, он объяснит...

— Нормально, братан. — Черняга поднялся с кресла, за ним остальные, и, бросив короткие, оценивающие взгляды на взволнованную незнакомку, рэкетиры покинули кабинет.

Бац в тихом пустом коридоре рассказал вкратце, что заставило Абрека уединиться с женщиной в такое время, когда гибнет братва, а враги могут появиться в любую минуту. Леший рванулся было вперед, чтобы вытрясти информацию из подозрительных типов, но Черняга жестче, чем это требовалось, остановил его, и они все вместе, поодаль друг от друга, пошли в зал. Но подозрительные здоровяки уже исчезли. Бац кинулся к выходу и выскочил на залитую светом неоновых ламп площадку. Белый джип, рванув с места, скрылся за углом. Бац вернулся и увидел своих ребят, которые окружили парней, развалившихся без сознания в креслах.

— Под клофелином кайфуют, лохи... — предположил Черняга.

Обычно рэкетиры, опекающие ресторан, не беспокоятся об ограбленных, будь то случайные посетители или постоянные клиенты, но сейчас шла война, и они должны были быть в курсе всего, что происходило на их территории.

— Леший, давай-ка в темпе собери всех мурок и выясни, кто и зачем их напоил. И халдея тряхани. — Он коротким кивком отправил одного из своих качков за официантом.

Бац набрал номер, и аппарат в кармане Абрека затренькал.

— Кто? — бросил Абрек.

Бац назвался и на аварском рассказал о случившемся.

— Я скоро подойду, — пообещал Абрек.

Оперативник РУОПа Золотарева играла свою роль уверенно. Этот зверь был не настолько дик, чтобы его бояться. Она знала о нем почти все, вплоть до подробностей многочисленных убийств, которые скорый на расправу бандит совершал со своими дружками.

Но у ее коллег не было никаких улик против Абрека и его компании, и поэтому офицеры-оперативники рисковали жизнями, чтобы добыть их.

Абрек спрятал изящный аппарат в карман и повернулся к девушке. Она была красива, эта отчаянная оперативница. Серые большие глаза с длинными ресницами, густые полумесяцем брови, слегка тронутые вишневой помадой полные губы, шелковистые темные волосы собраны на затылке. Его взгляд скользнул по обнаженным плечам, высокой груди, широким бедрам и длинным, словно волшебным мастером изваянным ногам... Она тоже посматривала на него и злилась, что не питает ненависти к хищному, опасному человеку: черные как смоль глаза, один несколько крупнее другого, что производило странное впечатление, землистого цвета пористая кожа, широкие скулы, горбатый нос, тяжелая челюсть... «Настоящий абрек!» —

подумала она. Но надо было что-то говорить, его вопросительный взгляд становился опасным... Золотарева видела, что в нем нарастают недовольство и напряжение. Что же делать, она ведь сама напросилась... От этой мысли ей стало противно, и она приняла решение поблагодарить и уйти. Если бандит начнет распускать руки — она откроется, это не тот тип, который в обычных условиях посягнет на жизнь сотрудника милиции. Но что-то останавливало ее, и она молча ожидала от него первого шага.

— Ты чё, девушка, смотреть на меня, что ли, сюда пришла?.. — наконец не выдержал Абрек и устало опустился в кресло. — Короче, шесть секунд тебе, чтобы изложить суть дела, у меня мало времени, по́няла?!

— Поняла́. — Золотарева поправила его машинально, но он этого даже не заметил.

— Говори, раз поняла!

— Чё говорить-то! — зачастила она. — Этот козел пристал ко мне, а на хрен он мне нужен! Угрожал, блин, что шею свернет, а заступиться было некому. И тут я увидела тебя... Спасибо, Абрек.

— Сама ты абречка! — внезапно обиделся преступник. — Чё, не знаешь, как меня зовут?!

— Как же, конечно, знаю, Магомед-Али Исмаилович... — как школьница-отличница выпалила она и осеклась, но было уже поздно. Дерзкое лицо рэкетира медленно поплыло в кривой улыбке, и по мере того, как края рта приближались к деформированным борцовским ушам, плечи его начали вздрагивать от еле сдерживаемого смеха. Потом он взял себя в руки, и лицо его приняло прежнее выражение, только глаза немного сузились, став сразу одинаковыми.

— Нормально, — сказал он вставая. — Ты, как я погляжу, девушка грамотная, блатные понятия неплохо хаваешь. Так вот, после того как телка уходит, что бы с ней ни случилось, чувак уже не может предъявить на нее права. Так что будь осторожна, сеструха... — Он повернулся к ней спиной, давая понять, что разговор окончен, а Людмила, кляня себя за то, что попалась на столь нехитрую приманку, еще стояла, пытаясь найти нужные слова. Абрек уловил ее состояние и уже хотел бесцеремонно выставить за дверь сотрудницу органов, но что-то мешало ему так поступить. Что именно, он не мог объяснить даже самому себе, ибо, по его понятиям, было подлостью позволить себе увлечься женщиной, когда его друг, чей авторитет он поклялся на кинжале чтить до конца жизни, находится в беде. А тем более эта женщина, похоже, его заклятый враг, ментовка...

— Извини, я не знала, что ты не любишь, когда тебя зовут по имени-отчеству... — Она поймала его насмешливый взгляд и поняла, что сморозила очередную глупость.

— По имени-отчеству меня только менты зовут, а братва и путевые девушки Абреком погоняют... Короче, дорогая, извини, занят, поговорим в другой раз. Если судьба... — Он стал набирать номер по радиотелефону, и Золотарева, бросив «Пока!», вышла из кабинета.

Проходя через холл, она увидела своих коллег — лейтенанта Банишевского и капитана Осипова: они без движения лежали в креслах, а вокруг хлопотали рэкетиры. Чернягу она узнала, видела на фотографии, а физиономии других соответствовали стандарту уголовников. Бандиты, как закадычных друзей, отпаивали их какой-то жидкостью, а ночные гуляки ресторана, вышедшие в холл покурить, с любопытством глазели на богатеньких лохов, которых, как они думали, травануди клофелином и ограбили.

«Ах вот они где, красавчики! — Золотарева подошла ближе. — Дилетанты несчастные!» — безжалостно обругала она их мысленно.

Рэкетиры уже вывернули их карманы — они были пусты, как и кожаные чехлы под пиджаками.

Один, помоложе, начал понемногу приходить в себя, а второй, старше лет на десять, с тупым взглядом покачивал головой и производил впечатление безумного человека.

— Чё, братва, на кидальщиц нарвались? — сочувственно спросил Черняга.

— Да, блин, лопухнулись по-крупному... — через силу проговорил молодой, который в отличие от напарника лишь пригубил шампанское, щедро сдобренное клофелином.

— Взять, всех взять в камеру, всех в камеру... — забормотал вдруг оперативник, не совсем пришедший в себя.

— Тьфу! Так это менты!.. — удивились рэкетиры.

Черняга первый отошел в сторону.

— Не трогайте, пошли отсюда.

Золотарева зашла в женский туалет, но там было людно. Выйдя оттуда, она стала подниматься по мраморной лестнице, на ходу набирая номер на портативном японском аппарате.

— Гаврики мои нажрались как свиньи, пусть кто-нибудь быстро заберет их отсюда. Я уже направляюсь к выходу... — Золотарева круто повернулась и, торопливо спустившись вниз, вышла на улицу, чувствуя спиной злобные взгляды рэкетиров. Процокав каблуками три квартала до штабного автобуса, она разрыдалась, как маленькая девочка, с обидой и злостью.

Суровые лица бойцов СОБРа исказились яростными гримасами. Как бы ни были они жестоки, но обижать женщину не позволили бы никому.

— Роман Михайлович! Дайте команду — и мы в щепки разнесем этот гадюшник! — воскликнул один из них.

— Переломаем кости бандитской своре! — крикнул другой боец, и автобус загудел.

— Вы что, ребята, с ума посходили? Что случилось? — мгновенно прекратив плач, дрожащим голосом заговорила оперативница.

— Это ты нас спрашиваешь? — удивились бойцы.

— За ребятами отправили? — спросила она Тарасова.

— Конечно!

Она успокоила товарищей, объяснив, что ничего страшного с ней не произошло: просто стало обидно, что ребята, обеспечивающие ее безопасность, позволили опоить себя наркотической дрянью и выбыли из игры.

Тарасов, оставив вместо себя капитана, пересел с Золотаревой в стоявшие рядом «Жигули». Васин и Карпенко ушли в автобус, оставив их наедине.

— Докладывай, Людочка! — Подполковник устало смотрел на отчаянную сотрудницу. Она коротко и сдержанно стала рассказывать о случившимся в ресторане.

Мужчина с бычьей шеей, который представился оперативнице Иваном Петровичем, корчась от боли, извивался на полу, а Акула Боцман, раздувая заплывшую жиром широкую грудь и смачно ругаясь, бил его ногами, хищно щеря рот, в котором среди крупных белых зубов талисманом сверкал один золотой.

— Почему ты спугнул ее раньше времени?

Наконец, утомившись, он взял нож с широким лезвием и изогнутым на конце острием. Его приближенные, среди которых были и воры в законе, стояли молча.

— Мне нужна правда, тебе — жизнь. Отвечай, почему отпустил?! — Акула придавил толстым, как у слона, коленом грудь поверженного и приставил лезвие к его горлу.

— Я не справился с заданием, — прохрипел тот, еле выговаривая слова, — она оказалась хитрее... Зацепилась за Абрека и сорвалась с крючка...

— Хорошо, пусть так... А почему ушел? Почему и его вместе с ней не приволок на аркане? Может, ты продался?

— Нет! Акула, нет! Только не это... Я не справился, не оправдал доверия, прости — я сделаю все!

— Замочишь Саву.

— Сделаю... — выдохнул бандит.

— Сегодня же! — Акула спрятал нож и убрал свое массивное колено. — Речник! — гаркнул он. — Дай ему четверых и скажи, чтобы без скальпа не возвращались...

— Я понял, мой господин, — ответил бывший вор в законе, которого несколько лет назад воры лишили высшего титула за чрезмерную жестокость к своим жертвам. Речник, обокрав несколько богатых домов в Саратове, зарезал старую беспомощную женщину. Подобных случаев было несколько. На воровской сходке Речник с завидным для любого афериста или адвоката умением объяснять свои поступки всячески выкручивался и выкрутился бы, если бы не присутствовал на толковище Монах. Он подошел к вору, уже торжествующему в душе победу, и спросил: «Мокрушник может быть равным вору?» Речник ответил отрицательно: иначе ответить — что сознательно под трамвай кинуться. Тогда Монах бросил: «Ты мокрушник! — и плюнул в ненавистное лицо убийцы. — Исчезни, мразь, чтоб не было тебя больше среди порядочных людей». Конечно, под «порядочными» Монах имел в виду «честных» уголовников и не знал, что через год, с помощью его же ученика Акулы Боцмана, Речник сколотит бригаду киллеров и совершит десятки убийств втайне от воров и ментов, а получив известие о гибели Монаха, пойдет плясать «цыганочку» от радости...

Трое оперативников, посланных Тарасовым в ресторан после разговора с Золотаревой, вернулись через пятнадцать минут вместе с провалившимися с треском коллегами. Лейтенант уже пришел в себя, а капитану все еще было скверно: его рвало, кружилась голова, и на вопросы он отвечал невпопад.

Проводить в ресторане облаву, чтобы изъять оружие и одноразовые дозы наркотиков, не было смысла. Тарасов хотел накрыть одновременно обе враждующие преступные группировки. А чтобы сделать это и достичь желаемого результата — заставить суд приговорить главарей и их подручных к высшей мере наказания, а остальных осудить к десяти и более годам лишения свободы, — необходимо было узнать истинную причину войны. Раскрыть и захватить ее организаторов. Это главное. А пока...

Тарасов вдруг вздрогнул, представив, что могло произойти. Исчез сотрудник из ресторана... Умники из министерства приказали бы вывернуть наизнанку всю группировку... Поломали бы все тщательно разработанные планы...

Тарасов представил, как полковник Шелмаковский и генерал Бычков с пеной у рта поносят его: «Оперативницу чуть не похитили, двух офицеров отравили, с магазинов и складов дань взимают, а вы, подполковник, неизвестно для чего катаете по городу своих оперативников и целую группу СОБРа...»

«Вот черт, так ведь они могут меня не только со службы турнуть, но и в казематы упрятать». Тарасова передернуло от таких мыслей. Он удивился, как ловко Золотарева использовала одного бандита, чтобы спастись от другого. Мельчайшие детали этого эпизода, кроме одной-единственной, которую Люда скрыла от своего начальника, помогли ему определить четкую психологическую грань между головорезами и рэкетирами: они хоть и звери все, но совершенно разные...

Кроме группы майора Корабельникова, за квартирами и ресторанами Лесника и за бывшими владениями Резо Шилика наблюдение вели еще две группы, подключенные полковником Алексеевым. Голова раскалывалась от изучения многочисленных сводок и обязательной аналитической их обработки. Но расслабляться нельзя, иначе все, что так хорошо начиналось, пойдет прахом.

Был уже второй час ночи. Тарасов остался один в салоне автомобиля, отправив оперативников в автобус. В ресторан посылать было уже некого. Красин и Карпенко засвечены; возможно, противники запомнили и лицо Васильева. Завтра придется заменить их ребятами из другой группы.

Подполковник получил два сообщения с постов наружного наблюдения. Бандит по кличке Черняга с братанами уехали из «Филадельфии» на автомобилях, а Абрек с черного хода ускользнул по задворкам. Тарасов решил свернуть наблюдение до завтрашнего вечера и объявил конец рабочего дня. Назавтра, к двум часам пополудни, начнется новый день и, возможно, более жаркий, чем прошедший.

Попрощавшись с сотрудниками, полковник решил пройтись пешком до платной стоянки, где оставил служебный, но без опознавательных знаков новенький «форд». Однако расслабиться и просто подышать воздухом, ни о чем не думая, он себе не позволил. Тарасов считал, что не имеет права на подобную отключку. Мозг должен быть всегда в работе, потому что если враг думает быстрее, то твои шансы на победу катастрофически сокращаются...

Откуда люди Акулы или Лесника (он еще не выяснил, кто из них играет главную роль в этой войне) могли узнать о секретной оперативнице Золотаревой, об этих паршивцах, позволивших проституткам или официантам накачать себя клофелином?..

Под подозрение, естественно, попадали многие сотрудники, которые могли по телефону описать внешность оперативницы и ее страховщиков. И все же Тарасов думал, что здесь не обошлось без Архипова, хотя конкретного основания для подозрений у него не было.

Рослый парень в камуфляже открыл ему металлическую калитку, и он вошел на стоянку, слабо освещенную немногочисленными фонарями. Двое охранников сидели в будке. На стоянке больше никого не было.

Тарасов уже подходил к своему «форду», когда затылком почувствовал опасность. Он остановился, не спеша полез в карман за «Беломором». Закурил, глубоко затягиваясь. Горло от едкого дыма дешевого табака наполнилось противной горечью, и, сплюнув, он повернулся к охраннику.

«Парень явно чем-то озабочен, надо проверить», — решил Тарасов и, вынув из кобуры под пиджаком пистолет Стечкина, развернулся левым плечом к охраннику, а правую с оружием засунул в широкий боковой карман.

Охранник стоял все в той же позе. «Черт! — мысленно выругался подполковник. — Да он смотрит на меня как на покойника...»

— Ну-ка подойди сюда, парень, — жестким командным тоном произнес Тарасов, и охранник, едва переставляя ноги, нехотя подошел. В ярко освещенной будке зашевелились.

— Кто в будке?

— Напарники мои... — дрогнувшим голосом соврал парень.

— А что так засуетились? Ну, отвечай!

— Не знаю... — Парень отвел глаза и отклонился в сторону.

— Стоять на месте, сволочь! — рявкнул со злостью Тарасов и, подойдя вплотную, приставил к животу охранника ствол пистолета.

— Выкладывай, кто они и кто подходил к моей машине?! — решив действовать прямо, задал вопрос «в лоб» подполковник.

— Я не виноват... не виноват... — зашептал дрожащим голосом охранник. — Это они, они что-то подложили...

Волкодав услышал, как распахнулась дверь будки, и, резко оттолкнув парня, отпрыгнул в сторону. В следующее мгновение, увидев в руках незнакомца длинный ствол с глушителем, подполковник уложил его с первого же выстрела.

— Прячься за машины! — крикнул он парню и в два прыжка достиг будки. — Брось дурить, гнида, если хочешь остаться в живых!

И в ту же секунду автоматная очередь прошила стены будки. На асфальт посыпались щепки: бандит стрелял на голос, но промахнулся. Выкрикнув ультиматум, Тарасов резво нырнул под окно и выстрелом навскидку сразил второго негодяя.

Пока на выстрелы к ночной стоянке мчались патрульные машины ОМОНа, парень, заливаясь по-детски безудержными слезами, рассказал, как пришли эти двое, закрыли в грузовике его напарников, оглушив их ударами по голове, и подложили что-то в машину подполковника, а ему сказали: если проболтается, убьют жену и двухлетнего сына...

Тарасов не испытывал к охраннику неприязни. «Именно из-за его внутреннего страдания, которое у честных людей, как правило, невольно отражается на лице, — думал он, — мне удалось сохранить себе жизнь, уничтожить подонков и продвинуться еще на один шаг в своем расследовании».

Отоспавшись, рэкетиры собрались на одной из базовых квартир. Было время обеда. Профессор Рутулец и рэкетир с аналогичным прозвищем Профессор хлопотали без сна и отдыха вокруг адвокатов, врачей тюремной больницы, снабжая их немалыми деньгами, которые брали у Абрека и Ромбика, стремясь спасти Шаха от трех врагов одновременно: от возможных убийц из числа врачей или тюремной охраны, купленных людьми Акулы, от прокуратуры, отобравшей дело у Тарасова, и от тяжелых ран, полученных во время боя. Поэтому они не присутствовали на внутренних разборках своей бригады.

В зале четырехкомнатной квартиры на диване и в креслах расселись Абрек, Ромбик, Черняга, Бац, Черный Мага, Рыжик, а со стороны Джафара, настоявшего на разборке, — Майдан, Хонда, Японец, Красавчик, Дикий и Боцман. Остальные расположились в смежной комнате, в том числе Серый и Валера, и через открытую дверь внимательно следили за ходом «разборки по понятиям». Атмосфера была угнетающей. Все понимали и причину, и мотивы столь нелепого сборища.

Перед сходкой Черняга предлагал Абреку и Ромбику «всадить настырной падле пулю в лоб», чтобы остальные шелковыми стали и, кроме как о бригадных делах, ни о чем не помышляли.

— За Шаха, — горячился Черняга, — я их всех перестреляю!

Но большая часть бригады хотела разобраться в претензиях Джорджика.

Рэкетиры смотрели на Абрека, а он, как нарочно, молчал, еще более нахмурив и без того хмурое лицо. Никто не решался заговорить первым. Джафар был похож на разозленного индюка, ноздри его раздувались, руки беспокойно теребили обшивку кресла.

Наконец молчание нарушил Майдан, русоволосый здоровяк с широкой как поле грудью, из-за чего еще в детстве его и наградили этим прозвищем.

— Ну чё, давайте решать, братва...

И хотя он произнес слова, за которые было трудно зацепиться, Абреку было достаточно и того, что он заговорил первым. «С нажитым благодаря Шаху добром хочет выйти из игры, — подумал он, вонзив в говорившего тигриный взгляд. — Не побоялись, сволочи, затеять раздор в бригаде, когда Шах на грани между жизнью и смертью и враги окружили нас со всех сторон...»

— Говори, Джафар, послушаем тебя. — Абрек перевел взгляд на «родственничка» главаря.

— Они вдвоем на меня быканули, блин... Я должен с них спросить за это!..

— А нельзя подождать было, пока Шах поправится, и мы сможем его отмазать от ментов?!

— Да при чем тут это! Ради Шаха я на все пойду... Профессор Рутулец и Профессор Самарский делают все, что можно. Если надо, и я сделаю, но спрос с быков катит по-любому...

— Кто еще хочет сказать свое слово? — Абрек взял со стола стакан сока: от гнева на Джафара во рту пересохло.

— Проблемы с Шахом и быковство из-за шлюх между собой не связаны. Я считаю, что они должны ответить перед Джафаром, — высказался Майдан.

Это мнение разделяло большинство из шаховских парней, а Японец произнес целую речь с завидными для любого адвоката хитросплетениями:

— Ради чего мы каждый день жизнями рискуем? Чтоб жить нормально и красоток иметь. Их по Москве — до чертовой матери, хоть по десять штук за день цепляй и выбрасывай... Если эти быки, Серый и Валера, так сильно озабочены, что из-за девок как бешеные кидаются на своего пацана, о чем тут говорить — они должны за это ответить! А если они влюбляются в шлюх, тогда они вообще чмошники и им не место среди нас!..

— Вы все сказали? Теперь послушаем, что скажут Серый и Валера. Позовите их сюда, — по праву старшего в бригаде в отсутствие Шаха распорядился Абрек.

Серый и Валера хоть и волновались, но держались достойно, потому что были уверены в своей правоте. Говорить стал Серый:

— Шах сказал мне, чтобы мы развлекали телок, но без напрягаловки, потому что они ему еще понадобятся, а для чего — он не говорил, не до этого было: Шах сильно торопился. Потом пришел Джафар и прикололся к одной, а она ни в какую, кричит: «Я не к тебе пришла, а к Шаху, с ним и буду париться...» А Джафару хоть бы что — пристал как банный лист. Я позвонил Шаху, и он сказал, что телок против нас могут использовать, если мы их обидим, и что спросит за беспредел с меня. Я сказал об этом Джафару и предложил позвонить Шаху, убедиться, но он не стал... Он просто откровенно игнорировал слова Шаха. Тогда начал объяснять Валера, но он взорвался и полез на него с кулаками, а я не долго думая схватил его за шкирку и размазал по стене. Шах велел проучить его, если по-хорошему не поймет. — Серый невольно смягчил краски, Шах сразу велел не церемониться с мерзавцем.

Рэкетиры загудели, и Абреку с трудом удалось их успокоить.

— Короче, вы что, братва, против Шаха идете? Клятву хотите нарушить, которую давали на кинжале?!! Джафар виноват сам, он капитально запорол косяк!.. — Абреку приходилось говорить все громче, чтобы заглушить гомон недовольных голосов. — Хорош галдеть! Тихо! Все выскажетесь, если прежде нас не достанут из гранатомета!

Рэкетиры понемногу стихли. Но бригада уже открыто разделилась на две половины, с опаской присматривающиеся друг к другу.

— А зачем Шаху понадобились эти сучки? Ведь, насколько мы знаем, он презирает сутенеров?.. — Майдан старался разжечь страсти, рассчитывая тем самым увильнуть от участия в бойне, набирающей обороты с каждым днем. — А почему Шах из-за шлюх наказывает пацанов? Это чьи понятия? Я первый раз с таким сталкиваюсь... Телки голые купаются перед пацанами, а одна из них кричит: «Я с тобой не буду париться, а буду с Шахом...» Короче, братва, мне не по нутру такая логика...

— Ты хочешь, чтобы я за Шаха ответил, или все-таки подождешь, пока мы его отмажем?! — Абрек с трудом удерживался, чтобы не пристрелить Майдана на месте.

— Мне все равно. Мне никто не докажет, что белое — это черное, а черное — это белое... — Майдан дерзко смотрел на Абрека, которого он, как и многие находящиеся здесь, всегда побаивался. Но, ловко прикрывшись понятиями и находясь в составе большинства, он почти не рисковал, осмелившись задеть самого сильного в бригаде после главаря рэкетира.

— Магомед-Али, — вовремя отвлек страшный взгляд Абрека хитрый Японец, — не в обиду будет сказано, я ничего не имею против тебя, но ты для нас не тот авторитет, который может навязывать нам свое решение. Про клятву, которую давал на кинжале, как и все, кто здесь находится, я не забыл, но в ней не говорится, что Шах может обижать своих пацанов из-за телок!..

— Японец прав, базара нет! — снова загалдели рэкетиры, с облегчением найдя предлог, чтобы покинуть поле столичной войны.

— Короче! С вами все ясно... Слушайте, что я вам скажу: Шах еще жив и общаковская касса, которую он мне доверил, цела. Кто не хочет доводить до конца начатые Шахом движения, может отвалить, но от ответа они не уйдут, когда Шах вернется!

С кресла опять поднялся Майдан, более крупный, чем Абрек, но духом послабее.

— Ничего не знаю... Мне Шах не говорил, что в случае чего движениями бригады будешь банковать ты. Лично я не собираюсь воевать неизвестно против кого. Отмажем Шаха — разберемся. А если нет — не дай Аллах, конечно, — общак придется разделить на братву. Каждый из нас имеет право добывать свой хлеб как считает нужным...

— Сколько сейчас в общаке воздуха? — спросил Японец: это было право каждого из членов шайки — интересоваться совместно нажитым на крови добром.

— Узнаете у Шаха, когда он выйдет на свободу, а теперь разговор окончен. Кто еще раз поднимет эту тему, пока нет Шаха, получит пулю в лоб. Все меня слышали? Потом не говорите, что Абрек беспредельничает! Я продолжаю начатые им движения...

Взбаламученные рэкетиры добились своего и разъехались на иномарках. У каждого из них в заначках было по нескольку сот тысяч долларов. Вдоволь покатавшиеся на саночках везения с крутых горок, они не пожелали теперь тащить сани вверх. И даже уголовная «совесть» никого из них не мучила.

Абрек, верный однажды данной клятве, по праву держателя бригадной кассы сохранил за собой и оставшимися с ним семью парнями базовые квартиры и несколько новеньких «мерседесов», которые стояли в гаражах недалеко от дома. Но после случившегося базу нужно было срочно менять. О местах, где они ночуют, никто из чужих не должен был знать.

Теперь четыре квартиры им долго не пригодятся. А деньги были нужны. Троих из бригады Шаха застрелили в упор, когда, как обычно, они пришли к бизнесменам за причитающейся данью. Следовательно, за «станками»* смотрели враги. Резко сократился доход от «станков» Савы. Фиксатый еще валялся в палате маленькой больницы при мединституте. Другого человека, способного в подходящем направлении вести дела «филадельфийцев», пока не было, и поэтому помощником Савы оставался Леший.

«Пока Черняга с нами, — думал Абрек, — у нас есть шансы отомстить за Шаха и за убитых товарищей». В Черняге он не сомневался.

— Кому поручить продать эти хаты? — спросил Абрек у товарищей.

— К нашим бизнесменам пока нельзя подойти, может, Черняга подключит кого-нибудь из своих? — Ромбик, как и другие, собирал свои вещи в большие спортивные сумки.

В это время зазвонил телефон, и Абрек выдернул короткую антенну.

— Абрек, — раздался радостно-возбужденный голос Савы, — бери людей и дуй ко мне!.. — Просьба получилась в несколько приказном тоне, но Абрек не стал тратить время на размышление и коротко бросил: — Хорошо. У Савы там что-то наклюнулось, нужно сроч-

---

* Фирмы или люди, с которых рэкетиры получают деньги в качестве пресловутой дани.

но ехать к нему. Братан, — обратился Абрек к Черняге, — давай так. Ты с ребятами, — он кивнул на Серого и Валеру, — займешься поисками подходящих коммерсантов, чтобы...

— Нет, Абрек, я поеду с тобой, а моей командой распоряжайся по своему усмотрению. Пока Шаха нет с нами — ты за него. И хотя мы не давали клятв на кинжалах, мы достаточно сильно уважаем авторитет Шаха и до победного конца будем за него биться. Я не забываю тех, кто меня выручал из беды, и, в отличие от некоторых, — Черняга криво улыбнулся, — не стремлюсь прикрываться понятиями... Надеюсь, вы хорошо поняли мою позицию? — Черняга перевел взгляд на своих геркулесов, и они громко поддержали вожака.

— Значит, так, — решил Абрек, просветлев лицом, в очередной раз убедившись, что Черняга действительно то, что надо. — Мы с тобой берем всех со стрема (двенадцать парней Черняги охраняли во время разборки подходы к дому и подъезд) и едем к Саве, а Ромбик, Серый, Валера и остальная братва перевозят отсюда кассу. И «мерсы» сегодня же надо перегнать в гаражи Профессора Самарского. Я уже с ним договорился, там нас встретят его люди. А этими хатами займемся позже, сюда нам не придется больше возвращаться.

...Через сорок минут шесть автомобилей остановились у двадцатичетырехэтажного дома. Четверо дюжих парней с непроницаемыми лицами вышли из джипов и молча направились в подъезд, чтобы проверить обстановку, прежде чем войти в квартиру Савы.

Осмотрев до пятнадцатого этажа лестницу, петляющую по балконам, качки остановились на площадке перед нужной дверью. Все было тихо, засадой не пахло.

Прыгун, почти двухметровый атлет, прозванный так из-за страсти к прыжкам в высоту с места, с двумя громилами двинулся вверх — проверить лестницу до самой крыши. На последнем балконе он наткнулся на ствол пистолета и, машинально вскинув руку с готовым к бою оружием, чуть было не нажал на спусковой крючок.

— Не суетись! — крикнул незнакомец, мгновенно спрятав голову за бетонной стеной. — Ты из бригады Черняги? А я из «филадельфийских», убери пушку и свяжись со своими, только аппарат у Савы засвечен, возьми другой...

— Покажись и руки без ствола держи перед собой! — потребовал Прыгун. — Если ты из «филадельфийских», тебе бояться нечего.

Из-за балкона показался высокий худощавый парень, пистолет он уже заткнул за пояс. Прыгун ступил на балкон, а следом с автоматами на изготовку поднялись по лестнице еще двое.

— Мы тут четверых киллеров держим на мушках, — стал объяснять «филадельфийский» рэкетир, кивнув на своего товарища, который с любопытством разглядывал незнакомцев из союзнической группировки. — Грохать их пока нельзя, ждем Абрека...

Прыгун посмотрел на последний лестничный пролет, упиравшийся в потолок многоэтажного дома. Там на ступеньках обреченно сидели с залитыми кровью лицами бойцы из бригады Речника.

«Чё они, в натуре, не могут аппараты поменять?» — злился Прыгун — он ведь чуть не пристрелил своего и с таким же успехом мог сам получить пулю в лоб. Набрав номер на радиотелефоне, он условными фразами доложил о результатах проверки. Абрек и Черняга направились к подъезду.

В двухкомнатной квартире за столом рядом с Савой сидел мужчина лет сорока в дорогом сером костюме. Лицо его было разбито, струйки крови стекали с подбородка на мятую ткань пиджака.

— Послушайте, что рассказывает мой старый кореш, — сказал после приветствия Сава. — Акула направил его на меня с группой киллеров. Четырех гадов он уже сдал нам, мои парни держат их на мушках...

— Знаем, — перебил его Абрек. Он сразу узнал вчерашнего фраера, у которого в ресторане увел сероглазую красотку.

Мужчина попытался встать с кресла, но Абрек, не здороваясь, жестом велел ему сесть на место и ловко вынул у него из-под мышки пистолет Стечкина.

— А эта красотка, которую ты у меня забрал вчера в кабаке, ментовка из РУОПа... — мстительно сказал перебежчик.

— Знаю. Что еще интересного можешь сообщить? — пристально посмотрел рэкетир на бандита, решившегося направить оружие против своего шефа.

Рыжеволосая девушка, подруга Савы, принесла на подносе кофе, горячие бутерброды и удалилась в другую комнату.

Черняга, как удав, уставился на мужчину, который служил у Акулы личным киллером.

— Крестовский!.. Не узнаешь, падла?! — зарычал он неожиданно для всех. — Отвечай!

— Почему же, узнаю, — хладнокровно, хотя и побледнев, ответил киллер. — Но я здесь не затем, чтобы ворошить прошлое. Я пришел по делу. Вы нужны мне, а я — вам, чтобы разделаться с нашим общим врагом.

Черняга вне себя от ярости схватил перебежчика за горло и стал душить.

Сава встал, не смея вмешиваться, а подоспевший Абрек, как ни пытался, не смог разжать железный захват армейского рукопашника и поэтому ударил его по лицу. Это вернуло Чернягу к действительности. Он разжал пальцы на горле заклятого врага, и Абрек оттащил его в сторону.

— Возьми себя в руки, Черняга, не сходи с ума! — Абрек жестко посмотрел ему в глаза и увидел в них боль. — Можешь спокойно рассказать?..

— Да, братан, могу, — ответил Черняга. — Он изнасиловал мою жену. Правда, тогда она еще не была моей женой, но все шло к этому, а он — замполит батальона майор Крестовский — знал, что у нас любовь... Но это долгая история...

— Емельянов... — потирая пальцами онемевшую шею, прохрипел Крестовский, — я знал, что ты здесь, что ты работаешь на Шаха... Емельянов, забудь прошлое — я думал, у тебя обычная «романтика», побалуешься с туземкой — и в Союз... Каюсь! Виноват. Но я пришел, чтобы помочь вам уничтожить ссученных. Хотя уже столько лет работаю на них — нет мочи более терпеть...

— Я не верю этой мрази! Чем он лучше ссученных? Знал — и работал на них, людей шлепал без разбору, гадюка проклятая, — холодно сказал Черняга, обращаясь к Абреку.

— Я уловил, братан, твою мысль, но давай послушаем его, может быть, что-нибудь ценное сообщит? — Абрек похлопал товарища по плечу и обратился к перебежчику: — Оставим на время эмоции, каяться будешь в церкви. Нам нужна информация, уловил?

— Чего ж тут не уловить — уловил, потому и сам пришел с поклоном. Давайте замочим эту тварь, я знаю несколько номеров его телефонов и места, где он собирает работающих на него авторитетов. Но прежде необходимо отбить мою жену, которую Речник... — Голос Крестовского на секунду сорвался. — И сына моего Андрея, грудного младенца... — Здоровенный бандит с бычьей шеей заплакал как ребенок. — Ему всего три месяца от роду, а они... — У него опять перехватило дыхание, но, справившись, он продолжал: — Их взяли в заложники. Вы должны мне верить. Я хочу мстить, я хочу уничтожить эту мразь! Я знаю почти все ваши движения... Я знаю в лицо киллера из министерских оперов, который работает на Акулу, знаю в лицо связных из Аргентины...

— Успокойся, мы проверим твои слова, и если все чисто — нет проблем, мы примем твои услуги. — Абрек обернулся к Черняге. — Как ты считаешь, братан?

— Тебе решать. Как скажешь, так и будет, мое дело маленькое — крушить нечисть поганую... — ответил Черняга и подошел к своему бывшему боевому командиру, под чьим началом служил в Афганистане. — Смотри, майор, если твоя информация насчет жены и сына не подтвердится, я скормлю тебя своим овчаркам, согласен?

— Да, лейтенант, согласен. Но как вы меня проверите? Речник банкует бригадой киллеров, а куда их увезли... — перебежчик опять захрипел, — я не знаю...

— Кто такой Речник? — спросил Абрек. Черняга тоже о нем не слышал.

— Бывший вор в законе, которого снял с положения Монах, царствие ему небесное, мало на Руси таких воров осталось. В морду плюнул он Речнику на сходке за беспредел и бессмысленные мокрухи, сказал, что мокрушники — не воровская масть. Примерно лет пять назад. И с тех пор я о Речнике не слышал ни разу. Вот сегодня впервые, — пояснил Сава.

— У него теперь другая кликуха, да и морду свою оплеванную он изменил пластической операцией. Сейчас он — Цветочник, сколотил для Акулы бригаду киллеров, человек двадцать я знаю в лицо, но, думаю, их вдвое больше... Профессионалов-снайперов немного, точно не знаю сколько... — Перебежчик посмотрел Абреку в глаза, пытаясь понять, верят ли ему...

Про Цветочника ходили слухи по Москве, и рэкетиры слышали о нем не раз, но не имели ни малейшего представления о том, кто это такой и где базируется.

— Все. Сваливаем с этой хаты... — поднялся Абрек, приняв решение: использовать в качестве «торпед» четверых пленных, которых оглушил и разоружил сам Крестовский — бандит широкого профиля по прозвищу Ефрейтор. Ефрейтору тоже предстояло выступить в роли «торпеды».

Теперь нужно было бесследно исчезнуть из дома, за которым наверняка следят люди Акулы, хотя это уже не имело значения — прошло более полутора часов с момента, когда Крестовский с группой надзора вошел в дом, и один из них в подъезде сразу же отправил по радиотелефону сигнал... Теперь нужно было срочно отчалить, увезти с собой пленных и затеряться в многомиллионном городе.

Через несколько минут они покинули ненадежное убежище Савы, думая, что нет худа без добра.

Ефрейтор взял у Абрека радиотелефон и позвонил Речнику-Цветочнику. Тот отозвался сразу, видимо, с нетерпением ожидал известия, что Сава мертв. Но вместо этого услышал угрозы и уговоры Ефрейтора и оцепенел от страха — Хозяин обычно приговаривал к смерти за провал дела.

— Речник, ты человек неглупый, твои старики родители живут в Мурманске, я знаю точный адрес, и мои друзья уже взяли их на прицел... Ты выполнишь мои условия — а я оставлю их в покое.

— Хорошо, какие твои условия? — прогнусавил бригадир, и бывший замполит понял, что этим не возьмешь садиста-убийцу, для которого нет ничего более важного, чем собственная шкура. Но все же на что-то еще надеясь, этот вдоволь накупавшийся в чужой крови бывший коммунист и заядлый атеист мысленно обратился к Всевышнему: «Боже! Создавший гармонию, спаси мою радость — сына моего Андрюшу, я — ничтожество, покарай меня в аду, но сын мой... Его спаси, Боже...»

Абрек, сидевший рядом с водителем, парнем Черняги (сам бывший лейтенант не мог ехать в одной машине со своим врагом), увидел в зеркале лицо киллера-перебежчика и понял, какие муки тот испытывает. Закурив, он задумался: возможно, и он будет вот так же страдать? Когда-нибудь перед ним пронесутся вдруг страшные картины совершенных им убийств... Больно кольнуло сердце...

— Хватит!.. — вырвалось у него, и качок за рулем удивленно вздрогнул.

— Братан, что случилось?

— Извини, друг, это я не тебе... Следи за дорогой.

Занятый своим горем и телефонным разговором, Ефрейтор не заметил переживаний Абрека.

— Женщину и ребенка не трогай. Пусть только волос упадет с их головы! Я заберу их у тебя в целости и сохранности.

— Почему ты не выполнил задание, Ефрейтор?

— Не твоего ума дело! Я достану тебя хоть из-под земли, если с ними что-то случится!

— Не напрягайся, они не у меня... — Речник явно блефовал, тянул время, подавая знак своему помощнику попытаться засечь номер телефонного аппарата.

Гнусный хохот резанул слух слишком поздно раскаявшегося замполита.

Абрек, который уже пришел в себя после недолгого припадка «угрызений совести», обернулся к Ефрейтору:

— Все, кончай связь, могут засечь...

Ефрейтор выкрикнул последнее предупреждение и, отключив аппарат, застонал, как раненый зверь.

ЧАСТЬ ТРЕТЬЯ

В отдельной больничной палате Лефортовской тюрьмы лежал под капельницей главарь рэкетирской бригады. Его оперировал профессор Эдуард Соломонович Либерман. На четвертые сутки после удачно проведенной операции Шах открыл глаза. Он испытывал ранее незнакомые ощущения. Ему казалось, что он заново родился на свет, и вместе с тем чувствовал что-то тяжелое, нависшее над ним, как дамоклов меч. Прекрасный мир забытья и жесткая реальность словно соперничали за право обладать им, но потом все исчезло и он провалился в блаженный, возвращающий утраченные силы сон.

Он лежал в палате, оборудованной современной медицинской техникой. На полированном столике с фигурными ножками стоял цветной японский телевизор с видеомагнитофоном, а в хрустальной вазе каждый день появлялись свежие пышные розы с длинными шипами.

«Зачем они раненому преступнику, который сделал всего лишь шаг к жизни после клинической смерти? — удивился бы обычный человек, заглянувший в эту обитель государственного милосердия. — И как попали сюда эти цветы?»

А ответ был один: Его Величество Деньги делают прозрачными непробиваемые стены.

Забота о Шахе после трагического для Монаха и Печника боя с акуловскими киллерами была возложена на Профессора Рутульца. Помогать ему вызвался вор в законе Профессор Самарский, чьи крадуны недавно участвовали в захвате «филадельфийской» группировки.

Как только Шаха привезли в тюремную больницу, к профессору Либерману пришли два матерых уголовника, один из которых был вором в законе, а второй набирал авторитет, чтобы получить этот титул.

Они поднялись на третий этаж «сталинского» дома на Тверской, спокойно открыли отмычкой два замка и, перекусив специальными кусачками цепочку на двери, вошли в квартиру.

Жена профессора Роза Арнольдовна, крупный пушкинист, преподаватель Литературного института, увидев, как перед ее носом упала цепочка, помертвела. Младшая дочь, актриса театра имени Островского, в ужасе закричала:

— Па-па!

— Что случилось, дочка, всемирный потоп? Зачем кричать, зайди в комнату и ска...

Но в комнату вошли два уголовника с солидными, как у профессоров, физиономиями. Нисколько не смутившись, Эдуард Соломонович предложил им присесть и вышел в прихожую.

— Не пугайтесь, это мои приятели, зашли по делу... — Профессор спокойно улыбнулся жене и дочери.

Роза Арнольдовна, вытаращив на мужа и без того от природы выпуклые глаза, побагровела от возмущения.

— Тогда зачем твои приятели, точно американские гангстеры, перекусили цепочку?! Нельзя было в дверь позвонить? Безобразие!

— Ну, у них страсть такая, цепи-цепочки перекусывать. И давайте без паники. Я занят — меня ни для кого нет дома.

Они прошли в кабинет. Книжные полки вдоль стен упирались в потолок, рабочий стол был завален книгами, рукописями, тут же, на столе, на книгах, в беспорядке стояли чашки с остывшим кофе, тарелка с недоеденным бутербродом, лежали ножницы, лупа, скотч...

— Так, молодые люди, я вас слушаю очень внимательно, чем обязан столь трогательному вторжению? Вы присаживайтесь, не стесняйтесь... — Он во второй раз указал им на стулья и посмотрел на женщин, которые с возмущенными лицами стояли в дверном проеме. — Ничего со мной не случится! Это мои жена и дочь... Очаровательные дамы, закройте, пожалуйста, дверь...

Дочь профессора негодующе взмахнула бархатистыми ресницами и неплотно прикрыла дверь, пригрозив незваным гостям, что вызовет милицию, если они посмеют обидеть ее отца. Но уголовники не обращали на женщин ни малейшего внимания.

— Эдуард Соломонович, — начал Самарский, — вы знаете, как вас уважает братва... И мы знаем, что по субботам вы не работаете и не отвечаете на звонки, поэтому...

— Понял. Давайте ближе к делу — кого оперировать? Я могу консультировать операции по телефону — как Кашпировский...

— Нам не до шуток, Эдуард Соломонович, погибает порядочный человек, его нужно спасти... — В голосе Самарского сквозили просьба и угроза одновременно.

Рутулец положил рядом с бутербродом пачку пятидесятидолларовых банкнот в банковской упаковке.

— Это аванс... — уточнил он.

— Помилуйте, господа уголовники, я хоть и профессор, но не Господь Бог, чтобы спасать раненых со стопроцентной гарантией, тем более что сегодня суббота. Но раз человек, вы говорите, порядочный... — Пачка долларов исчезла в кармане старого профессорского халата. — Только одно непременное условие: если я окажусь бессилен помочь — ко мне никаких претензий, согласны?

— Согласны, Эдуард Соломонович, машина ждет внизу, пожалуйста, поторопитесь.

Жене и дочери, уже успокоившимся и с любопытством разглядывавшим уголовников, профессор перед уходом сказал:

— Моя обязанность — лечить людей. Бог Израилев простит меня. Сегодня не ждите, я позвоню...

Операция прошла удачно, и Либерман получил еще одну пачку денег. Всего на лечение и охрану в первый же день братва истратила тридцать тысяч долларов.

С суммами в несколько раз больше с трех сторон подбирались люди Акулы Боцмана, но подкупить никого из медицинского персонала они не смогли: Либерман подчиненных держал под строгим контролем и предусмотрительно предупредил каждого, кто так или иначе имел доступ в палату рэкетира. Среди пациентов тюремной больницы Профессор Самарский имел гораздо больше власти, чем ссученные. Оставалось ждать киллера только из среды оперативников и следователей прокуратуры. Но здесь интересы Тарасова ограждали баловня судьбы от неминуемой смерти. Шаху решительно везло кругом.

Об отдельной палате, радиотелефоне и прочих удобствах позаботились друзья-уголовники, но к хрустальной вазе и цветам они не имели никакого отношения. Это Оля Блондинка приносила каждое утро к тюремным воротам букеты пурпурных азербайджанских роз и передавала их в палату через адвоката Гречкина. Некоторых оперативников это приводило в бешенство, но против демократии не попрешь... Розы благоухали в уютной камере грозного узника.

На пятый день он мог уже разговаривать, и следователи приступили к допросам. Сил хватало на пять-шесть минут, а потом Шах терял сознание. Когда следователи явились на третий допрос в течение одного дня, Либерман поднял скандал, грозил пожаловаться министру здравоохранения, президенту Ельцину и обратиться в Международный Красный Крест. И, как ни странно, на этот раз ему удалось их отогнать.

Узнав, что какая-то синеокая красавица каждый день приносит к воротам тюрьмы цветы, Профессор Рутулец с одним из бойцов перехватил ее и, еле уговорив сесть в машину, увез домой. Зайдя в квартиру, он в ультимативной форме потребовал от ее родителей не выпускать дочь из дому, потому что в любой момент она может бесследно исчезнуть... Родители Блондинки поблагодарили уголовника, и он тепло с ними попрощался, обнадежив красавицу, что через несколько дней Шах сам ей позвонит.

Рутулец не знал, что на хвост ему сели оперативники седьмого отдела РУОПа. Им было приказано задержать рэкетиров и любой ценой вытянуть из них информацию о местопребывании Абрека и Черняги.

Когда Профессор Рутулец вышел из подъезда, его напарник уже лежал плашмя около «вольво», лицо было залито кровью, а руки в наручниках завернуты за спину.

— Стоять, не двигаться! — неожиданно скомандовал за спиной оперативник. Сбоку подскочил второй, и два дула «макарова» уперлись в спину и под ребра. — При малейшем движении стреляю без предупреждения!

Рутулец не был бы Профессором, если бы не знал эти дешевые ментовские трюки. По их интонации он понял, что стрелять они не будут, а убить во время пыток могут вполне: им нужен Абрек, который силами Черняги и «филадельфийских» переворошил логово Цветочника. Но времени для раздумий не было, оставалось или рвануть вперед, под пули, или, как однажды сделал Шах, уложить обоих ментов... Однако необходимых навыков у него для этого не было, хотя духу хватило бы и на более дерзкие преступления. Оставалось только одно: подчиниться и победить третьим способом.

— Нормально, начальники, базара нет... — Профессор Рутулец улыбнулся, всем своим видом показывая блюстителям порядка искреннюю доброжелательность.

В следующую секунду на запястьях уголовника щелкнули наручники, на него набросились еще двое: один тянул вверх скрученные за спиной руки, другой схватил пятерней за волосы, чуть не сдирая скальп. Подтащив Рутульца к сверкающему темно-синим лаком «вольво», они бросили его на заднее сиденье и на протяжении всего пути били, как гремучую змею, не задавая при этом ни единого вопроса.

В милицейском участке окровавленных рэкетиров развели по разным комнатам и приступили к допросу.

— Так, господа уголовнички, даю ровно три минуты на размышление — будем говорить или в уркаганов поиграем?! — Высокий оперативник с бесцветными, холодными, как льдинки, глазами и бесчувственным лицом стоял перед Рутульцем.

Уголовник с трудом приподнял голову и огляделся. Но своего напарника он не увидел. Впрочем, дагестанцу Магомед-Хану Рамазанову предъявить ничего бы и не смогли: кроме охраны бригадного имущества и участия в символических разборках, бывший спортсмен не успел совершить еще ни одного преступления.

— Нам нужны имена и адреса тех, кто двадцать первого числа этого месяца участвовал в налете на фирму «Эврика»!

Профессор Рутулец несколько раз терял сознание. Его обливали водой, приводили в чувство нашатырным спиртом и снова пытали:

— Где находятся квартиры Абрека, Черняги и Савы? Номера их радиотелефонов? Выбирай: или ты колешься, или мы вывозим тебя за город и топим в болоте!

Номера радиотелефонов в объединенной группировке, которой теперь руководил Абрек, были самые разные. Некоторые менялись каждый день, некоторые сохранялись по нескольку лет, но были еще и «сюрпризные», чем и воспользовался Рутулец.

А спортсмену-рукопашнику повезло. В комнату, где его допрашивали не менее пристрастно, чем его уголовного наставника, вошел капитан Мельник. Он закончил допрос свидетельницы Мирошниченко и хотел поставить в известность об этом своих коллег.

— Нет, Валер, она нас тоже больше не интересует, отпускай ее.

Мельник хотел уже выйти, но лицо избитого парня показалось ему знакомым — он узнал Магомед-Хана, с которым несколько лет тренировался в одной команде, мечтая, овладев восточными видами единоборств, заработать на коммерческих боях приличные деньги.

— Сергей! — крикнул он коллеге. — Оставь его, отпусти!..

— Ты что, Валера?!

Оперативники смотрели на него удивленно, а Сергей Скворечников, тоже рукопашник, но армейско-чекистской школы, раздраженно бросил:

— Шел бы ты заниматься своими делами! — и схватил Магомеда за волосы, оттягивая назад голову и повторяя вопрос: — Где ночует Абрек?!

— Мать вашу!.. Прекратите сейчас же! — заорал капитан.

Оперативники отпустили жертву и снова вопросительно уставились на коллегу.

— Ну, слушаем тебя внимательно... — Скворечников приблизился к Мельнику, но тот обогнул его и подошел к еле живому уголовнику.

— Рамазанов! Ты, что ли?..

— Да, Валера, я... — Несколько зубов у него было выбито, из раскрытого рта текла кровь, волосы на макушке слиплись в багровый колтун. Под разорванной рубашкой — тело в ссадинах... — Как меня узнал? — попытался улыбнуться рэкетир. — Я, наверное, не очень хорошо выгляжу... — В голосе его была затаенная мольба о помощи.

Мельник понял его «юмор».

— Разберемся... — Впервые за семь лет работы в милиции это слово вызвало у него тошноту.

Бросив милиционеру, оставшемуся в кабинете для охраны задержанного: «Не трогай больше!» — Мельник с коллегами вышел, и, пройдя в другой кабинет, они принялись выяснять отношения.

— Ты бандита пожалел?! Он из той бригады, что двадцать первого устроила бойню! Пятнадцать человек изрешетили пулями!..

— Есть улики, подтверждающие его участие?

— Ты лучше скажи, откуда его знаешь?

— Тренировался в одной команде...

— Ну и на хрен он тебе нужен?!

— А вам?!

— Мы ведем дело по этой бойне. А ты с какого боку думаешь вклиниться? Наверное, «тренер» хорошо попросил?

— Скворечников, последний раз предупреждаю — полегче на поворотах! Я сейчас же подам рапорт начальнику отдела и заберу его у вас, если по-другому вы не понимаете...

— По-другому — это как? Мы его взяли вместе с известным авторитетом, может, ты и его заберешь?!

— Сначала гляну на него.

— Гляди-гляди, как бы потом локти не стал себе кусать. Анатолий Федорович лично заинтересован в результатах этого дела, понял, ты, умник?

Подполковник Анатолий Федорович Коровин — один из замов начальника седьмого отдела РУОПа, оперативник с более чем двадцатилетним стажем работы в сыскных подразделениях МВД, пользовался репутацией сурового чиновника, распутывающего самые сложные и опасные преступления, совершаемые не только уголовниками, но и сотрудниками милиции. И хотя в системе МВД есть специальные службы, занимающиеся контролем над личным составом, Коровин имел огромное влияние на сослуживцев. Естественно, Мельник знал об этом, но оставить на растерзание своего знакомого он тоже не мог.

Он забрал Магомед-Хана в свой кабинет. Когда тот умылся, Мельник прояснил ситуацию:

— Магомед-Хан, пойми меня правильно, вырывая тебя из лап своих коллег, я сам попадаю под удар, но если бы ты подписал вот эту бумагу, — он положил перед ним на стол бланк с двуглавым орлом, — я смог бы тебя завтра же отпустить...

Рамазанов медленно прочел:

«...обязуюсь содействовать правоохранительным органам в качестве личного агента оперуполномоченного РУОПа капитана МВД Мельника Валерия Валентиновича...»

— Нет, — покачал головой уголовник, — я никогда этого не буду делать.

— А я и не предлагаю. Мне это нужно для страховки, иначе возникнут проблемы.

— Ну, тогда другое дело! — Рамазанов взял ручку, мысленно сказав себе: «Плевать мне на эту бумажку, я же знаю, что никогда таких грешков за мной не будет, лучше подохну под ментовскими кулаками...» — и поставил подпись.

Мельник закрыл его в камере, рассчитывая завтра доложить обо всем своему непосредственному начальнику и освободить Рамазанова.

Скворечников устал допрашивать Профессора Рутульца. Кроме одного телефонного номера, им при всей своей «изощренности» не удалось вытянуть больше ничего.

Это был радиотелефон, зарегистрированный на имя Валентина Павловича Соловьева. Они быстро навели справки, но, кроме домашнего адреса и факта, что он бизнесмен, сотрудничающий с рядом фирм, ничего не узнали.

Люди из группы Скворечникова относились к фанатам правопорядка и денег от преступников никогда не брали, но, получив приказ от грозного и авторитетного в оперативных кругах Коровина, они, сами того не зная, стали работать на Акулу.

Скворечников набрал названный номер, и на другом конце сразу же ответили:

— Да, слушаю внимательно...

— Здорово, я от Профессора Рутульца. Надо встретиться, срочно...

— Хорошо, встретимся, какие проблемы?

Оперативник продолжал на безупречном жаргоне:

— Ну чё, блин, не по телефону же нам обсуждать делишки?!

А в это время абонент — крупный столичный адвокат, ехавший в черной «Волге» по Ленинскому проспекту, зафиксировал номер говорящего.

— Ну конечно, по телефону обсуждать серьезные проблемы не стоит. Где встретимся? Я сейчас на Ленинском проспекте в машине...

Договорившись о встрече, Скворечников нахмурился.

— Что задумался? — Коллеги ждали сообщений.

— Кажется, с этим номером что-то нечисто, а что именно — не могу понять. Ну да ладно, берем за рога этого бизнесмена. Он сказал, что будет ждать в черной «Волге», что одет в серый костюм и при шляпе, а место для встречи предложил выбирать мне...

— Черт! — выругался капитан Черных. — Что-то тут не так. По идее абонент не должен описывать себя и ждать, пока к нему подойдут...

— Вот именно! Но все же я поеду, а вы пока оставайтесь. Возьму с собой кого-нибудь из группы Левшинского.

Через полчаса в милицейский участок ввалился адвокат и поднял скандал, параллельно подкрепленный звонками из прокуратуры и коллегии адвокатов...

Доказательств, что его клиент участвовал в бойне двадцать первого августа, у руоповцев не было, и потому адвокат легко достиг компромисса: он со своим клиентом не подает на них в суд, а они немедленно освобождают задержанного.

«Вот, блин, до чего додумались, — злился подполковник Коровин, — личных адвокатов снабжают не только деньжатами, но и незасвеченными телефонами... Паскуды! Все равно удавлю эту мразь...»

На следующий день освободили и второго задержанного.

Уголовники встретились на квартире, где не появляются участвующие в боях, и дилетант рассказал матерому о подписанной им бумаге.

— Короче, мужик, дело прошлое, в бригаде тебе больше делать нечего, в Москве тоже, топай на вокзал и езжай домой. Дома тоже не влезай в блатные дела. Живи своей жизнью. Подписка стучать — не детская игрушка, из-за тебя может пасть тень на других, — объяснял Магомеду Рутулец.

Неудачник задумался. У него было накоплено около десяти тысяч долларов за те три месяца, что он провел в бригаде рэкетиров. На первое время хватит. А там видно будет. Но вот бумага... Он поднялся и стал собираться в дорогу, не зная, как его встретят на родине.

Рутулец, безошибочно угадав его настроение, успокоил:

— Если уедешь прямо сегодня, никто не посмеет показывать на тебя пальцем... Если бы я мог уйти от этой жизни — тоже ушел бы, но я повязан с братвой на всю жизнь. Так что не огорчайся — тренируй наших пацанов. Поверь, это не хуже, чем жить волчьей жизнью...

После того как группировка, которой стал руководить Абрек, обнаружила и уничтожила Цветочника-

Речника и освободила жену и трехмесячного сына Ефрейтора, Акула Боцман предпринял ряд ответных карательных акций.

В ресторане «Филадельфия» взорвалась бомба с дистанционным управлением. Погибли Сава и несколько парней. Леший, мечтавший, как бы повыгоднее себя продать, тоже оказался в числе жертв.

Началось расследование, ресторан на время закрыли. Газеты писали, что «Филадельфия» служила базой для преступных группировок и что помещение — двухэтажный старинный дом, в котором отдыхали уголовники еще с дореволюционных времен, — необходимо конфисковать у владельцев и отдать под дом для инвалидов.

Абрек ответил беспредельщикам гранатометным огнем по загородной вилле, где в это время Акула Боцман и Лесник вели с гостями из далекой Аргентины переговоры о купле-продаже золотого седла.

Многочисленная охрана заняла круговую оборону и ответила нападавшим автоматными и пулеметными очередями, но Черняга и яростно ненавидевший Акулу Ефрейтор косили их прицельно, по-военному. Однако им не удалось вытащить из горящего особняка ссученных воров, чтобы пристрелить или привести на суд воровского сходняка. В небе появились военные вертолеты, и рэкетиры, прихватив убитых в перестрелке товарищей, кинулись в лес.

Профессор Самарский решил отомстить за Монаха. Он собрал воровскую сходку и вместе с Профессором Рутульцем, хотя тот и не был вором в законе — ему разрешили выступить в виде исключения, — убедил высших авторитетов преступного мира, что Акула Боцман и Лесник — ссученные. На этой же сходке Профессора Рутульца короновали.

Акула Славик и Резо Кахетинский произнесли речи, которым позавидовали бы многие из нынешних политиков. Мир не должен скурвиться, говорили они, беспредел должен быть наказан, и честь неизмеримо выше самой жизни. Работяг нельзя обижать — они и кормят, и поят... А всякие там зажиревшие коммерсанты и бизнесмены должны знать, почем фунт лиха.

Впервые за столько лет беспредела Акула Боцман, Лесник и покойный Резо были принародно объявлены ссученными. Решили также, что будут объявлены суками, подлежащими смерти, все, кто их защищает. В течение трех дней они должны покинуть их окружение.

Абрек решил воспользоваться воровскими санкциями немедленно, увеличив бригаду почти вдвое ребятами из числа не раз испытанных в бойнях уголовников.

После взрыва в ресторане «Филадельфия» полковник Алексеев и подполковник Тарасов были вызваны в МВД в генеральский кабинет.

Пройдя несколько шагов по паркету, начищенному до зеркального блеска, руоповские волкодавы остановились в десяти сантиметрах от края ворсистого ковра, покрывавшего три четверти просторного кабинета. Вдоль стены стояли мягкие, обитые бордовой тканью стулья с высокими спинками.

Офицеры заметили портрет Ленина на дальней стене, над кожаным креслом у широкого стола, который красноречиво подчеркивал не столько убеждения, сколько психологию хозяина. А он, едва завидев их, вскочил с кресла и двинулся навстречу, как бодливый бычок.

Невысокого роста, коренастый, с лысеющей макушкой, генерал не скрывал своей враждебности.

— Здравия желаю, товарищ генерал-лейтенант, — по-солдатски бодро заговорил полковник, — по вашему приказанию прибыли...

— Здравия желаю, господин генерал-лейтенант, — в свою очередь вскинул руку к козырьку подполковник.

Генерал оставил этот тонкий выпад без внимания.

— Теперь мне ясно, — заговорил он, — почему на доверенном вам участке взрываются бомбы и бандиты расстреливают людей. А вы, значит, отстранив от этого участка Архипова, наблюдаете за театром военных действий... Почему, я вас спрашиваю, не арестован ни один бандит из «Филадельфии»? Чем вы там, черт возьми, занимаетесь?!

— Разрешите доложить, товарищ генерал-лейтенант?

— Докладывайте! — Бычков впился в лицо полковника бесцветными глазками, продолжая стоять напротив, словно собирался боднуть.

— За время оперативно-розыскных мероприятий по данному участку мы вышли на след очень крупной преступной организации, руководство которой прослеживается в самых разных инстанциях государственной власти...

— Например?! — Генерал заметно насторожился. — Излагайте конкретно.

— Конкретных фактов у нас пока еще нет... — сказал Алексеев, виновато заглядывая в глаза начальнику. Они с Тарасовым вели заранее продуманную игру. — Но нам удалось установить причину, из-за которой между преступными группировками разгорелась бойня. Все началось с убийства четырех дагестанцев в гостинице «Россия», где они предлагали израильским дипломатам какое-то золотое седло, якобы случайно обнаруженное в одной из пещер высокогорного Дагестана.

При этих словах генерал сконфузился еще больше, но через секунду, овладев собой, снова вошел в раж.

— А почему этой информации не было в ориентировках? Когда это происходило? — спросил он, хотя прекрасно знал, о чем шла речь.

— Одиннадцатого июля сего года, товарищ генерал-лейтенант.

— Мотивы?..

— Слишком большие финансовые и политические ставки. Речь идет о золотом седле, которое якобы было изготовлено по заказу прогитлеровской чеченской оппозиции кубачинским мастером-златокузнецом в подарок Гитлеру, на тот случай, если он победит...

Генерал выслушал доклад до конца, не перебивая. Он немного успокоился, хотя и начинал догадываться, что важные детали дела оперативники скрывают. Если это так, то почему? Какие у них могут быть здесь интересы? Кто может корректировать их деятельность?

Бычков не подозревал об установленной Тарасовым слежке за министерскими чиновниками и соответственно не знал результатов этого дерзкого мероприятия. Следы бойни вокруг золотого седла вели через глубоко засекреченный, не зафиксированный ни в каких государственных документах 113-й отдел КГБ к ныне действующим политическим блокам. Но кто именно из российских политиков стоит за этим, оперативники РУОПа не знали. И продолжать поиски концов не собирались. Обо всей имеющейся у них информации они докладывали другому генералу, которому верили и на чье покровительство рассчитывали.

Проделав великолепную комбинацию с докладом, руоповцы получили от Бычкова приказ приступить к захвату всех известных членов шаховской и «филадельфийской» группировок. Генерал придерживался версии, что бомбу в ресторане взорвали бандиты, которые пытались подмять под себя владельцев «Филадельфии». Оперативники не возражали, но, выйдя из одного генеральского кабинета, не скрываясь, завернули в другой и положили на стол микропленку с записью только что состоявшегося разговора.

Генерал-лейтенант Овчинников убрал кассету в сейф и пообещал им, что обломает рога Бычкову.

Бывший секретный агент 113-го отдела КГБ Ермолай, он же бывший вор в законе Акула Боцман, вместе с курьерами из Аргентины поспешно прыгнул в приземлившийся у горящей виллы вертолет и улетел в безопасное место. Лесник с уцелевшими боевиками остался на месте кровавого побоища. Везде лежали трупы.

Ни одна из припаркованных вокруг виллы дорогих машин не уцелела. Некоторые загорелись от прямого попадания в бензобак, другие были изуродованы пулями. Уголовников охватил панический ужас. Леснику с трудом удавалось руководить ими, но, получив строгие указания от своего шефа — спасти кассу, — он схватил автомат и, пригрозив расправиться с ними на месте, заставил боевиков войти в горящий дом.

Импортные огнетушители не годились для тушения крупных пожаров в отличие от отечественных, но все же бандитам удалось укротить пламя у парадного входа и пробраться в фойе виллы к дверям, ведущим в роскошные апартаменты подземного этажа.

Лесник назвал код потайного сейфа Максу, своему приближенному, и тот вынес наружу три массивных кейса.

— Уходим лесом! — закричал Лесник уцелевшим. Трое телохранителей взяли по кейсу и, блокируя с трех сторон своего шефа, стали отходить.

— Там остались ребята! Их надо вытащить! — заорал Макс, впервые за долгие годы работы позволив себе непочтительное обращение к боссу. Лесник, не теряя даром ни секунды, взвел десантный автомат и, ответив недовольному пулей в голову, заспешил к лесу.

Пройдя несколько сот метров, Лесник решил разделиться на две группы. Шестеро должны были добраться лесом до поселка Мичурка, а оттуда — в Москву, где ждать на конспиративной квартире дальнейших его указаний.

Сам Лесник с телохранителем и тремя кейсами, пройдя с километр, оказались у небольшого дачного массива, который только начинал застраиваться, и на старпеньком «Москвиче», заранее приготовленном для подобных отступлений, укатили в противоположную столице сторону. Телохранитель был преданным рабом Лесника. Его совершенно не беспокоило то обстоятельство, что в горящем доме остались тяжело раненные товарищи. Он был счастлив, что шеф предпочел именно его в качестве самого доверенного лица из оставшихся в живых шестерых боевиков.

Через пятнадцать минут Акула Боцман и курьеры аргентинского мультимиллионера приземлились на бетонной дороге, идущей к трассе от старого дачного поселка. Там уже ждали две черные «Волги» и микроавтобус «тойота». Подполковник Коровин и офицеры милиции, работавшие на Акулу, встретили вертолет. Пересев в микроавтобус, Акула уверенно распорядился взять курс на Орел. За рулем «тойоты» сидел капитан Кривоносов. Он был личным агентом Акулы Боцмана, агентом особого профиля, участвовавшим в течение многих лет в жестоких, выходящих за пределы традиционных уголовных понятий преступлениях.

Супермены-аргентинцы из частной спецслужбы, прошедшие подготовку в разведслужбах США, Англии и Израиля, были до крайности возбуждены. Казалось бы, ураганный огонь на поражение из автоматического оружия должен был поубавить им жизнерадостности: ведь и они вместе с их «клиентом» могли оказаться в числе жертв. Но аргентинцы сияли.

— Ну, друзья мои, — заговорил шпион-уголовник, — теперь вы убедились, что Акула не бросает слов на ветер? При необходимости я использую в своих целях полицейские службы. Теперь мы в безопасности.

— О да! Конечно! — широко улыбаясь, ответил брюнет с тонкими усиками, потягивая пиво из жестяной банки. Его акцент напоминал почему-то грузинский.

— Вашей оперативности и прозорливости можно позавидовать, — сделал Акуле комплимент голубоглазый блондин. — Если бы вы не подстраховались вертолетами, то нам всем наступил бы конец. Ваши конкуренты дрались отчаянно — как тысяча чертей. Санта-Мария!.. — Он хорошо говорил по-русски, хотя тоже с заметным акцентом.

Оба иностранца были хорошо сложены, одеты в классические дорогие, бежевых тонов костюмы. Третий резко отличался от коллег — серый простой пиджак, лысеющая голова. Хотя лысый редко вступал в обсуждение деталей дела, из-за которого они перелетели через океан, Акула подозревал, что именно он — главный. Именно от его доклада хозяину — нацистскому преступнику, который после разгрома гитлеровской

Германии обосновался в Аргентине, прихватив награбленное в Европе золото, — зависела сделка: купит мультимиллионер фальшивое седло или нет.

Акула Боцман выбросил окурок в приоткрытое окно и, достав из автомобильного холодильника мясные и рыбные закуски и бутылку виски, наполнил хрустальные стаканы. Микроавтобус между «Волгами» плавно мчался по широкой трассе.

— Пусть теперь все знают, что с Акулой нельзя конкурировать. Лес, в котором скрылись эти подонки, уже оцеплен, и я с минуты на минуту жду доклада своих агентов о том, что они уничтожены. — Он пристально посмотрел на лысоватого. «Кажется, они мне верят», — подумал он.

— Мы обязаны вам жизнью, сеньор Беляковский. Курьезы в нашем деле — обычное явление, вы же справились с непредвиденными обстоятельствами великолепно, — спокойно сказал лысоватый, бывший сотрудник МОССАДа. — Наш господин дон Серамонда будет вами очень доволен, он ценит людей, выполняющих обещания...

— Прекрасно, господин Багонда, и я человек слова и не люблю, когда другие не в состоянии выполнить своих обязательств...

Аргентинцы поняли его намек и заулыбались.

— Предлагаю тост за удачу в предстоящей сделке! — с пафосом произнес Акула. Если бы его собеседники обладали полной информацией о его жизни и деятельности, они бы не были сейчас столь беспечны.

Подполковник Коровин ехал за микроавтобусом, на первой «Волге» — его заместитель майор Бондаренко с тремя капитанами. За рулем «Волги» сидел молодой лейтенант, а справа от него — капитан Гибадулин, который и завербовал Коровина в преступную группу оперативников РУОПа. Несмотря на свой невысокий чин, он и возглавлял ее. Но подполковник Коровин был фанатом правопорядка. Он давно стремился проникнуть в эту группу. Несколько попыток оказались безрезультатными, но неожиданно капитан Гибадулин повязал своего начальника убийством бизнесмена и всей его семьи.

Бизнесмена действительно убил Коровин, и никакого нарушения закона при этом не было. Он выполнял свои служебные обязанности. Но Гибадулин подстроил так, что отвертеться от убийства женщины и детей Коровину не удалось бы, хотя он к этому и был непричастен. Затем последовал шантаж, и матерый волкодав сдался, втайне мечтая расквитаться с ними сполна. Но дальше вопроса «как это сделать?!» он до сих пор еще не продвинулся, а кровавые преступления оперативников не прекращались.

Куря одну сигарету за другой, он злился, что не может использовать подслушивающее устройство и узнать, о чем беседуют с ненавистным негодяем иностранцы, откуда вообще они взялись и что является причиной всех этих страшных событий.

На подъезде к небольшому городку на трассе Москва — Орел их остановили гаишники. Лейтенант с автоматом наперевес уверенно взмахнул жезлом, но, видя, что из автомобилей никто не выходит, сам направился к первой «Волге».

Майор через окно небрежно показал удостоверение, лейтенант козырнул, и бандитский эскорт продолжил путь.

Аргентинцы, видя, что и здесь все прошло без сучка без задоринки, пришли к выводу, что золотое седло — не подделка и пора доложить хозяину, что работа сделана. Теперь слово за искусствоведами и ювелирами.

— Скажите, господа, на какую сумму я и мои друзья можем рассчитывать?.. Вы сами видите, что это злосчастное седло стоит нам немалых расходов... — продолжил прерванный на посту разговор Акула.

Бандит говорил об этом так, словно не было предварительного предложения о сумме в пятьдесят миллионов долларов.

— Дон Беляковский, могу вас заверить, что оговоренная сумма может быть увеличена, в разумных пределах, конечно, — ответил Багонда.

— Это очень мило с вашей стороны, господа, но считаю своим долгом поставить вас в известность, что если израильтяне или немцы предложат мне больше... — Он многозначительно развел руками.

— Конечно, конечно! Дон Беляковский, бизнес есть бизнес, но позвольте уверить вас в том, что никто не заплатит больше, чем наш хозяин... — Лысый поднял стакан и предложил тост за успешное завершение сделки.

После воровской сходки, где Профессор Рутулец был признан вором в законе, он отправился с Профессором Самарским на базовую квартиру, скрытую на крупном овощном складе.

Абрек был подавлен последней неудачей. Из-за внезапно появившихся вертолетов пришлось отступить как раз тогда, когда заклятый враг был почти у него в руках. Тела трех погибших уже отправили в их родные края — в Дагестан, в Самарскую область и в Челябинск. Бац и несколько парней Черняги были ранены и лежали под наблюдением в надежной клинике.

Абрек, Черняга и еще два вора в законе, обсудив план уничтожения враждебной группировки, покинули свое логово на двух стареньких «Жигулях». Головорезы должны были пополнить оскудевшую кассу, а воры обеспечивали безопасность Шаха, который уже поправлялся и свободно разговаривал с ними по мобильному телефону.

Подробности своего последнего боя Шах изложил Профессору Рутульцу на одном из цунтинских наречий. Разговор был записан на магнитофон сотрудниками ФСБ и РУОПа. Но найти специалиста, знающего особенности этого наречия и способного расшифровать пленку, оперативникам было трудно. Среди дагестанских рэкетиров бригады Шаха тоже никто не знал этот язык.

Профессор Рутулец принес кассету с записью разговора Абреку. А тот поехал к одному знакомому сапожнику, который и перевел сообщение Шаха. И таким образом все, кому было положено, узнали о гибели Монаха, Печника и еще нескольких боевиков. А оперативники контрразведки и РУОПа метались по Москве, злые как черти, потому что не могли найти среди дагестанцев нужных людей, способных объяснить зашифрованное сообщение. Не оказалось необходимого специалиста и в республиканском МВД Дагестана. И пока оперативники добрались в самый отдаленный горный район и нашли человека, согласившегося за миллион рублей перевести магнитофонную запись (услышав голос Шахбана, односельчане приходили в мистический восторг, и от одной мысли, что они могут ему повредить, майор Сулейманов мог поплатиться жизнью), прошла целая неделя.

За это время Абрек и Черняга со своими подручными разгромили квартиру Лесника и несколько квартир Акулы Боцмана, но самих ссученных так и не нашли. Их просто не было в городе.

Прошла еще неделя, и рэкетиры стали приводить в чувство распустившихся за время «свободы» коммерсантов, бизнесменов и других темных дельцов, печатающих фальшивую валюту или накалывающих банкиров. Опустевшие было карманы рэкетиров снова наполнились дурными деньгами.

Начальник восьмого отделения РУОПа доложил министерскому генералу о проведенных после взрыва в ресторане «Филадельфия» арестах, где погибли четыре человека. Хотя по останкам опознать их было невозможно, имена погибших были установлены по показаниям официантов и директора, которые видели их за несколько минут до взрыва.

Генерала Бычкова эти аресты не радовали. Генерал-лейтенант Овчинников неожиданно для полковника Алексеева и подполковника Тарасова потерял интерес к дальнейшему ходу этого расследования, а через несколько дней и вовсе отошел от дел, ссылаясь на внезапную болезнь. Волкодавы сразу поняли, что произошло, и отчетливо осознали нависшую над ними опасность. Их могли не только лишить работы, но и привлечь к уголовной ответственности, сфабриковав дело...

Тарасов стремительно вошел в кабинет начальника отдела. Среди офицеров, ухмыляясь, сидел подполковник Архипов. Поздоровавшись, Тарасов почувствовал, что тот уже был в курсе министерских интриг. Это больно кольнуло подполковника.

«Грязный шпик, я достану тебя, чего бы мне это ни стоило», — решил Тарасов.

После совещания начальник отдела задержал его:

— Рома, плохи у нас дела. Бычков в любую минуту может добиться нашего увольнения или... В общем, ты понимаешь, о чем речь.

— Ну так что же мы медлим? Давайте немедленно задержим этих министерских подонков — Шелмаковского, Поливанова и Данкевича!.. — почти шепотом, на пределе нервного напряжения сказал Тарасов.

— Овчинников съехал в кювет. Мы даже не знаем, добровольно или его подтолкнули. А без санкций сколько времени мы их сможем продержать в своих «офисах»?..

— За два дня я их расколю!.. — На лице оперативника появилась жестокая решимость: он ставил на карту все, чего добился за двадцать лет службы.

— Вот-вот, это уже рэкет или даже хуже того...

— Тогда что, лапки кверху?!

— Хотя бы и так... — сказал Алексеев и украдкой взглянул на друга, который был моложе его на восемь лет. — Начальника второго отдела внутреннего контроля министерства полковника Рогова Петра Михайловича ты, конечно, знаешь?

— Слышал, но встречаться не приходилось...

— А мне приходилось. Но сейчас это не важно. Вот что, Рома, если до обеда он не позвонит и не подтвердит свою личную поддержку... — полковник тяжело вздохнул, — ...я подам в отставку. Тягаться с этой бодливой скотиной у меня нет больше сил...

«Сломался! — с горечью подумал волкодав, и от этой мысли его охватило отчаяние. — Неужели наши дела столь безнадежны?»

— Ты когда с ним виделся? — Тарасов лихорадочно полез в карман за «Беломором».

— Сегодня утром. Битый час беседовали в машине. Он говорит, что контакт с Овчинниковым, пока все не утрясется, нежелателен. Но если у нас с тобой действительно найдутся неопровержимые доказательства против министерских оперов, то, возможно, он сумеет убедить своего шефа обломать рога Бычкову. Он сомневается в прочности наших аргументов, Рома. Его можно понять, генералы не любят конфликтовать в открытую. Пойми меня правильно, Рома, давай подождем — до обеда...

Капитан Гибадулин — высокий, с кошачьими повадками и острым, коварным умом — работал в РУОПе с первого года формирования этого спецподразделения. Он был простым оперативником, ничем особо среди сотрудников не выделялся, а, наоборот, каким-то странным образом умудрялся всегда оставаться в тени. Контакт с Акулой он поддерживал через адвоката Якова Львовича Киселева и, получая большие деньги, сколотил в своем подразделении прочную преступную организацию, куда вошли четырнадцать офицеров.

Подполковник Коровин знал в лицо только семерых, тех, кто обеспечил безопасное отступление Акуле Боцману и его аргентинским клиентам. Доставив их в Орел, руоповцы вернулись в Москву.

Прошло две недели. Тридцать тысяч долларов, полученных Коровиным от Гибадулина, не примирили его с тем, что тот втянул «честного мента» в свою преступную деятельность.

Гибадулин, изредка встречаясь с подполковником, справлялся о самочувствии, но привлекать заместителя начальника отдела к новым преступлениям не торопился. А матерый волкодав, воспитанный в духе атеизма, неумело молился Богу, прося ниспослать ему шанс, чтобы расквитаться с замаравшими его душу и честь преступниками.

В тот момент, когда Коровин застрелил бизнесмена-уголовника, кто-то ослепил его газом. Неизвестные злоумышленники скрутили ему руки за спину и надели наручники. Когда он пришел в себя и стал различать окружающие его предметы, в квартире появились Гибадулин и пятеро подчиненных Коровина, в их числе и майор Бондаренко. Все они беспрекословно выполняли указания Гибадулина.

Коровин понял, что это ловушка. Домработница бизнесмена, нисколько не смущаясь, написала заявление о том, что видела, как этот гражданин из пистолета с глушителем застрелил всех членов семьи...

Начальник отдела полковник Салманов никогда бы не поверил, что Коровин мог совершить подобное. Но в случае огласки он был бы бессилен чем-либо помочь. На арену милицейских интриг стремительно выскочили бы министерские чиновники. И не ответственности боялся матерый волкодав, а позора. Позора, который падет на головы и его сыновей. Старший был уже чемпионом Европы по дзюдо, а младшему не было еще и четырнадцати. Что будет с ними? Вдруг они поверят, что их отец — преступник? Это приводило его в отчаяние. Он готов был перестрелять негодяев, сфабриковавших против него эти улики. Но, поразмыслив, решил бороться.

Просмотрев уголовные дела, возбужденные по фактам вымогательства, Коровин поставил резолюции — передать их в следственный отдел. Он убрал в сейф служебные бумаги, собираясь зайти к полковнику Салманову. Но не успел он потушить окурок, как в кабинет, по-кошачьи мягко ступая, вошел капитан Гибадулин. Улыбка и взгляд раскосых голубых глаз были зловещими.

— Здравия желаю, Анатолий Федорович... — Капитан снисходительно протянул руку для приветствия, и подполковник скрепя сердце пожал ее. — Что-то вы неважно выглядите, — вкрадчиво начал Гибадулин. — Поговорить нужно. Срочно. Бондаренко на улице ждет вас в «мерседесе»...

— Но меня шеф вызывает, не могу же я наплевать и уехать!

— Наплевать — нет, но молча уехать — да, — негромко, с нажимом сказал капитан и вышел из кабинета.

Коровину оставалось только подчиниться. Он вышел из здания РУОПа и сел на заднее сиденье «мерседеса». Майор Бондаренко молча нажал на газ и помчался по шумным осенним улицам столицы.

Коровин был в таком состоянии, что не то что разговаривать — смотреть на майора-оборотня не хотел. Но он опять пересилил себя и притворно беспечно хохотнул, словно вспомнил забавную историю:

— Василий, как ты думаешь, что быстрее подешевеет: золото или валюта?

— Не знаю, Анатолий Федорович, я бы хотел иметь и то и другое. Надеяться на государство — все равно что ждать у моря погоды.

Коровин смотрел в окно, ничего не замечая вокруг. И вдруг подумал: «Может, и его эти шакалы так же поймали в ловушку? Но уж слишком активен он был, когда я в той квартире как последний идиот проглотил наживку».

Коровин отбросил эти мысли. Любое откровенное слово могло стать для него роковым, и заклятые враги ушли бы от его мести. А месть была сейчас единственным смыслом его жизни. Она была избавлением от позора.

— Хотя, как я думаю, — продолжил майор после небольшой паузы, — государство само по себе, а мы сами по себе... Ведь кто-то должен следить за порядком. Только благодаря нам он и существует. Но и забывать о себе, о своих семьях негоже...

— Конечно, — Коровин подыграл ему, — само собой разумеется.

Через двадцать минут машина свернула с проспекта и направилась к жилмассиву, где беспорядочно громоздились одинаковые «спальные вагоны». За все это время майор не проронил ни слова о том, зачем и куда они едут. А Коровин, чтобы не вызывать лишних подозрений, тоже ни о чем не спрашивал.

«Мерседес» притормозил возле подъезда.

— На шестнадцатом этаже в 166-й квартире тебя ждут. — Офицер пристально посмотрел на своего начальника. Ничего хорошего этот взгляд не предвещал.

Подполковник молча вышел из машины и в лифте поднялся на последний этаж. В двухкомнатной квартире его встретили два амбала, которых он прежде никогда не видел.

— Анатолий Федорович, добро пожаловать, с вами будет разговаривать ваш шеф Акула Боцман. — Бандит изобразил на лице подобие улыбки, напоминающей оскал крокодила. — Оружие прошу на стол. Таков порядок.

Коровин выложил на стол пистолет и прошел в комнату. Следом вошли еще двое. Они тоже поздоровались с Коровиным и без всяких объяснений стали проверять его одежду специальными приборами.

— Все чисто, — сказал один из них и вышел из комнаты. Второй остался.

— Выпьете чего-нибудь? — Не дожидаясь ответа, бандит дотронулся до уголка бара, стеклянные дверцы раскрылись, и комнату заполнили звуки легкой музыки.

— Ну а где же мой шеф? — спокойно спросил волкодав. Малейшая оплошность могла стоить ему жизни.

— Он рядом, Анатолий Федорович, но прежде нам надо поговорить... Мое имя вы не знаете, и вам, по правде говоря, оно ни к чему. Я выполняю свою работу, а вы — свою. Каждый из нас хорош на своем месте. Так вот, вы получили от Гибадулина тридцать тысяч долларов? — Подполковник кивнул утвердительно. — Поймите меня правильно, Анатолий Федорович, у нас в таких случаях принято говорить в полный голос. Утечка информации полностью исключена. — Русоволосый преступник неопределенного возраста, с правильными чертами лица, выглядел слишком интеллигентно для примитивного уголовника, даже если он из той группировки, которая контролирует деятельность крупных финансовых компаний.

«Кто же он такой?» — соображал Коровин.

— Да, я получил от Гибадулина тридцать тысяч долларов и должен вам сказать на всякий случай, что уже потратил на свои нужды изрядную сумму... — четко выговорил подполковник.

— Вот и прекрасно. Шеф хочет предложить вам еще одно дело, на финансирование которого намерен выделить сто тысяч долларов. Ваш гонорар будет составлять шестьдесят тысяч. Конечно, если вы согласны...

Руоповец широко и искренне улыбнулся: ему еще предлагают выбирать! Черта с два тут возможен выбор. Будем пока играть по вашим правилам, господа негодяи!

— Суммы, конечно, привлекательны, но нельзя ли прежде поинтересоваться, что мне хотят поручить?

— Разумно, Анатолий Федорович, но сейчас случай особый. После нашей беседы вы будете говорить по телефону с шефом. Сами понимаете, о деталях не должно быть ни слова. Лишь общие, символические фразы... Потом вы получите задание от меня, и до полного его завершения ваши действия будут контролировать Гибадулин и Бондаренко. Деньги тоже будете получать через них. Если Гибадулин и Бондаренко выпадут из игры, с вами на связь выйдут другие. Нас интересует вопрос, — незнакомец посмотрел прямо в глаза Коровину, — насколько вы нам преданны? То, что ваша судьба в наших руках, вам должно быть хорошо известно.

— Если будете платить, за мной не заржавеет... — хмыкнул подполковник и отхлебнул виски из тонкого стакана.

— Прекрасно. Значит так, сейчас я свяжу вас с шефом. — Незнакомец быстро набрал номер на радиотелефоне. — Представьтесь Беркутом — отныне это будет ваш псевдоним.

Руоповец взял трубку.

— Алло, кто говорит?

— Беркут, здравствуйте...

— А-а! Здорово, здорово, ну как, ты доволен моим подарком?..

— Спасибо, очень доволен, не ожидал такой щедрости.

— Пустяки. Слушай, Беркут, у меня просьба к тебе...

— Слушаю. Сделаю что смогу.

— Вот и прекрасно. Я знал, что на тебя можно положиться. Остальное скажет тот, кто с тобой сейчас рядом... Я на тебя надеюсь. Счастливо.

— До свидания, — ответил волкодав, и Акула Боцман отключил связь. Неизвестный, развалясь в кресле напротив, прослушав короткий разговор, остался доволен руоповцем. По манере, с какой он попросил кофе и как его потом обслужили, было похоже, что эта птица недавно оказалась в стае уголовников. «Интересно, из какой он спецслужбы? Может, из политической? — размышлял волкодав. — Но какая связь между вором в законе Акулой Боцманом, этой уголовной крысой, и политическими интересами страны?»

Агент стал подробно излагать задание, время от времени отпивая из чашечки кофе.

— Необходимо до третьего октября устранить начальника восьмого отделения РУОПа полковника Алексеева и старшего оперативника подполковника Тарасова. Сценарий разработать в течение трех дней и представить Гибадулину на обсуждение.

— Хорошо... — Неимоверным усилием воли Коровин сохранил на лице спокойное выражение и, попрощавшись, взял свое табельное оружие. У подъезда его встретил Бондаренко.

— Ты не забыл, что тебя ждет Хасан Магомедович? — спросил он и, выжав газ, погнал машину в управление.

Восьмерых бойцов группировки арестовали на третий день после взрыва в «Филадельфии». Попались они по-глупому.

Двое лазутчиков, посланных бандитами на разведку, засаду, устроенную Тарасовым, не обнаружили. И когда парни Черняги подъехали к ресторану, чтобы допросить официантов и забрать ресторанную кассу, их мгновенно скрутили оперативники, переодетые рабочими.

У Тарасова рэкетиров забрали сразу. Генерал-лейтенант Бычков сам контролировал ход следствия. По нескольку раз в день их водили на допросы. Некоторые с переломанными ребрами, челюстями, отбитыми почками уже не могли вставать. Следователи сами приходили к ним в камеры, и допросы продолжались в обход всех мыслимых законов. Лучшее, на что могли рассчитывать рэкетиры, — это быстрая смерть. Но такой исход дела не входил в планы руоповцев, находящихся под пятой высокопоставленных милицейских оборотней.

Рэкетиры подписали протоколы допросов, признавшись во всех совершенных ими преступлениях. Но следователей интересовало другое. Им было приказано во что бы то ни стало получить сведения о конспиративных квартирах группировки, узнать, кто, помимо Профессора Рутульца, обеспечивает безопасность Шаха.

Команда высокопрофессиональных адвокатов безуспешно осаждала следственный отдел РУОПа. Несколько рэкетиров, не выдержав пыток, скончались. Телефон начальника следственного отдела раскалялся от угроз в адрес тех, кто допускает подобный беспредел. Милицейские чиновники и следователи, конечно же, боялись мести разъяренных рэкетиров, но еще больше они боялись гнева своих начальников. Начальников, которые были куплены подонками.

Тимоха и Саша Медведь, посвященные почти во все тайны шаховской группировки, не выдали ни одной конспиративной квартиры. Не раскрыли они и Профессора Самарского.

Тарасов и в этих условиях умудрялся выуживать информацию о ходе беспрецедентного, чудовищного по беззаконию расследования. Он знал, что подобные преступления не могут долго сохраняться в тайне. Но самое страшное, как он считал, в том, что правда обрастает легендами и люди — в который раз — будут думать: «Менты — это кровожадные звери, бесчувственные ублюдки, садисты, пьянеющие от вида чужой крови».

Как Тарасову, так и Алексееву угрожал бесславный конец милицейской карьеры. Опасность надвигалась с двух сторон: предательство генерала-преступника и расправа от киллеров Гибадулина. Но о второй угрозе они еще не знали. Они ждали обещанного звонка от начальника отдела внутреннего контроля над милицией.

Полковник, который давно бросил курить, взял со стола выложенную оперативником пачку папирос. Голову заволокло туманом, но он продолжал втягивать в себя дым, чувствуя, что тошнота отвлекает от мучительных мыслей.

Телефонный звонок заставил обоих вздрогнуть — откуда?

— Георгий Иванович, наша взяла... Если только вы уверены в надежности улик и если они окажутся, как вы утверждаете, достаточно вескими, то я, со своей стороны, ручаюсь...

— Спасибо, Петр Михайлович, — набирающим силу голосом произнес полковник Алексеев. — Приступаем немедленно.

Тарасов даже подскочил на стуле. С минуту два оперативника смотрели друг на друга, осмысливая услышанное.

— Господь нас пожалел, — сказал полковник.

— Воистину... — прошептал Тарасов и быстро вышел из кабинета.

Когда он прыгнул в служебный «форд» и стремительно выехал из двора РУОПа, была половина одиннадцатого — время, когда только открываются двери коммерческих учреждений. Кружа по центральным улицам, Тарасов вызвал по телефону майора Корабельникова, капитанов Красина, Карпенко и Васильева. В одиннадцать двадцать они уже собрались в одном из своих секретных офисов и, получив задания, разъехались по участкам. От своего друга из министерства Тарасов узнал, что подполковник Данкевич был в Лефортове. Он по-прежнему искал способы ликвидации Шаха. Подполковник Поливанов гонялся за Абреком и Чернягой. А полковник Шелмаковский с половины девятого находился в кабинете генерал-лейтенанта Бычкова и лишь недавно вышел от него, красный как рак, сваренный на медленном огне.

Группа Корабельникова пасла Поливанова от самой его квартиры. Наблюдали и за его личной охраной — честными, ни о чем не подозревающими ребятами. Поливанову была обещана полковничья звезда за арест или уничтожение Абрека и Черняги. Остальные члены группировки не представляли для хозяев Поливанова никакого интереса. Чин полковника и повышение в должности были обещаны и Данкевичу, а Шелмаковскому — генеральские погоны, как только Акула получит возможность свободно действовать в столице согласно плану «Золотое седло».

•

Как только Коровин вернулся в управление, он сразу же отправился в кабинет начальства.

Полковник Салманов был уроженцем небольшого чеченского аула. Ему исполнилось уже пятьдесят семь лет, голова и усы поседели, и множество шрамов от огнестрельных и ножевых ранений испятнали выносливое тело. Он хмуро посмотрел на своего заместителя.

— Прошу прощения, Хасан Магомедович, агент просил о срочной встрече... — Коровин замялся. Он презирал ложь и ненавидел себя за то, что до поры до времени вынужден ею прикрываться.

Салманов продолжал хмуриться, внимательно изучая лицо подполковника.

— Ничего особенного... — Коровин присел за стол, чувствуя, как деревенеют ноги, и боясь выдать внутреннее напряжение. — Он давал информацию по делу о вымогательстве. Боится расправы...

Начальник упорно буравил его взглядом. Седые брови сдвинулись — верный признак того, что Салманову стало что-то известно, хотя о вербовке заместителя он не мог знать.

Так прошло несколько томительных, напряженных секунд. Коровин мысленно проклинал себя за нерешительность. «Надо было еще тогда, во время сопровождения, открыть огонь на поражение...»

Наконец Коровин не выдержал и нацарапал на чистом листе бумаги: «Попал в капкан; против меня есть улики в убийстве семьи бизнесмена, пытаюсь исправить положение...» Протянув листок Салманову, он жадно затянулся сигаретой, и хотя полковник, в единомыслии которого Коровин никогда не сомневался, еще не сказал ни слова — половину тяжести с души как рукой сняло.

* * *

Красин, Карпенко и Васильев прошли на территорию тюрьмы. По кабинетам тюремной администрации с важной миной на лице слонялся подполковник Данкевич в сером шерстяном костюме, явно не отечественного производства. Ему удалось подкупить нескольких надзирателей, и они были готовы при первой же возможности добить арестованного главаря рэкетиров.

Но Эдуард Соломонович держал ситуацию под контролем. Медики ни на минуту не оставляли ценного арестанта. Шах уже мог самостоятельно передвигаться.

Тогда Данкевич стал добиваться, чтобы Шаха с первого октября перевели в следственную камеру на общих основаниях. А там, думал он, сработает привычный прием: надзиратели перережут ему горло лезвием бритвы, положат труп лицом вниз и, подобрав подходящих уголовников, переведут их в камеру с трупом. Через пятнадцать — двадцать минут надзиратель привычно заглянет в глазок и, «заподозрив неладное», обнаружит убийство...

Деталей этого плана капитаны из группы Тарасова не знали. Это им было ни к чему. В их задачу входило, не поднимая шума, арестовать, а точнее, быстро и незаметно похитить Данкевича. Двигаясь ему навстречу по обшарпанному коридору, трое руоповцев молниеносно сгребли министерского оперважняка и, втолкнув в один из кабинетов, защелкнули на его руках стальные браслеты.

Тот не успел даже пикнуть: рот ему залепили прочным лейкопластырем и дали под дых, чтобы знал, что самое ценное на свете — это воздух, которым хотят дышать все.

Красин набрал номер на радиотелефоне и, пользуясь конспиративным шифром, доложил Тарасову о проделанной работе.

Еще раньше взяли Поливанова, который уже давал показания, топя всех сообщников.

Оставался полковник Шелмаковский. Возможно, он до глубокой ночи будет протирать штаны в министерских кабинетах... Его следовало арестовать первым, но случилось так, как случилось.

Тарасов подогнал машину к секретному офису своей группы. Не причастных к делу оперативников, которых прихватили вместе с Поливановым, ребята уже успокоили, хотя покинуть комнату пока не позволяли.

Поливанов уже исписал кипу бумаги (в состоянии панического страха он писал крупным, размашистым почерком), рассказывая о преступлениях, которые он совершил под руководством Шелмаковского и Бычкова.

Тарасов смотрел на подонка, забившего до смерти старого вора. Этот вор со своими представлениями о чести, думал Тарасов, был не самым худшим членом российского общества по сравнению с оборотнями в милицейской форме, у которых не было вообще никаких убеждений. Хотя, конечно же, офицер милиции понимал, что так называемая воровская идея не имеет не только будущего, но и созидательного настоящего. Обворовывая богачей, не поможешь бедным.

— Кому ты должен звонить в случае обнаружения Абрека и Черняги? — сурово спрашивал Тарасов дрожащего от страха предателя.

— Шелмаковскому...

— Где находятся Абрек и Черняга, по твоим данным?

— Мои люди зафиксировали, как Черный Мага получал деньги от директора фирмы «РБ-Электроник». Он мог вывести нас на главарей банды...

— А сам-то ты кто, не бандит?!

— Я выполнял приказ! Я человек подневольный!.. — попробовал закатить истерику Поливанов, но резкая оплеуха Корабельникова заставила его отказаться от этой затеи.

— «Гонорар» — восемьдесят тысяч долларов за убийство Монаха — с кем разделил?!

— Половину у меня ваши забрали, — он показал глазами на Корабельникова, — остальное передал Шелмаковскому...

— Если поможешь следствию, у тебя есть шанс сохранить милицейский мундир... — Подобные пустые обещания Тарасов считал допустимыми в общении с такими оборотнями, как Поливанов. — У меня задание, в котором заинтересован сам министр Мерин. И замолвить о тебе словечко Петру Павловичу, если ты добровольно окажешь содействие, я смог бы. К тому же мне нужен свой человек в аппарате министерского сыска.

— Да, да, конечно, я согласен, — затрясся Поливанов, — я хочу написать рапорт...

— Вот и отлично. Считай, что все, что ты пишешь, — это не показания, а рапорт. А сейчас набери номер Шелмаковского и предложи немедленно встретиться. Скажи, что интересующие вас субъекты находятся в баре «Медвежонок» в обществе двух милицейских чинов Лужниковского райотдела и что необходимо обсудить вопрос с глазу на глаз.

Шелмаковский, получив сообщение, тут же выехал. Ситуация, когда можно арестовать нижестоящих чиновников и угодить своим хозяевам, казалась ему просто подарком. Он уже чувствовал себя генералом...

Полковника арестовали в фойе бара вместе с охраной. Оперативники из группы Корабельникова верили своим командирам, верили, что рискуют жизнью на благо общества и, стало быть, их действия соответствуют закону.

Салманов, скользнув взглядом по листку, отложил его в сторону и включил аппарат локализации магнитных систем звукозаписи и звукопередачи.

— Когда это произошло? — свирепо спросил он.

— В ночь с пятого на шестое октября.

— А почему я только сейчас узнаю об этом? Кто?!

— Гибадулин, Бондаренко... — Полковник назвал имена еще шестерых оперативников. — Я думаю, их больше. Не исключено, что в шайку входят и сотрудники других отделов. Я рассчитывал сам справиться. Теперь понял, что переоценил свои способности...

— Мало я тебя бил... — Это означало, что Хасан Магомедович верит подчиненному и полностью на его стороне.

Хотя рукоприкладство и запрещено «Законом о милиции», кавказский волкодав видел в этом древний испытанный метод воспитания воинов. Но это было давно, когда он и Коровин, еще молодые коммунисты, тренировались до изнеможения, изучая боевое самбо, и гонялись за жуликами по социалистической Москве. Хасана воспитывал офицер сталинской закалки — Александр Иванович Сергеев, ушедший на заслуженный отдых в чине майора за несколько месяцев до кончины пламенного борца за коммунизм Леонида Ильича Брежнева.

— И что ты успел натворить за это время?

— Лично сопровождал Акулу Боцмана... А сегодня, буквально полчаса назад, мне было предложено уничтожить Алексеева и Тарасова... — И подполковник рассказал Салманову о встрече с незнакомцем. Салманов вызвал в кабинет двух молодых оперативников, которым доверял и в которых был уверен.

Одному из них он поручил обеспечить охрану семьи Тарасова и своей пустующей квартиры. Две старшие дочери Салманова были замужем и жили в Махачкале, а жена с пятью сыновьями, которым после начала войны в Чечне угрожала опасность, жили в небольшом сибирском городке под надежной защитой начальника горотдела милиции, старого друга Салманова.

Второму оперативнику поручалось подготовить группу захвата для боевой операции на территории управления.

Через пятнадцать минут майор Бондаренко и еще пять офицеров РУОПа были арестованы. Капитана Гибадулина не оказалось на месте. Арестованные выложили все. Никто из офицеров не чувствовал к ним жалости.

В генеральских кабинетах Министерства внутренних дел России поднялся переполох. Начальники отделов спецслужб рыскали из отдела в отдел, как разъяренные львы.

Полковник Рогов из службы внутреннего контроля, получив от полковника Алексеева неопровержимые улики против уже арестованных министерских чиновников и генерала Бычкова, который курировал работу РУОПа, явился с рапортом к своему начальнику, генерал-полковнику Артамонову. Тот когда-то начинал службу в уголовном розыске небольшого райотдела столицы вместе с Салмановым.

В защиту Бычкова выступили два генерала, начальники безымянных спецслужб, но Артамонов арестовал их, не дожидаясь санкции министра, генерала армии Мерина. (Тот, впрочем, освободил их уже на следующий день.) Никто из высших эшелонов власти не смог предотвратить справедливого возмездия.

Но, к сожалению, история на этом не закончилась. Москву, этот новый Вавилон конца двадцатого века, лихорадило от коррупции. Все худшее в человеке вылезло наружу. Богатство затмило интеллект, разрушило человеческие души. Как будто именно золото, а не молитва, обращенная к Создателю, способно очищать общество от пороков. Преступные группировки появлялись, как грибы-поганки после дождя. На месте одного продажного чиновника МВД появлялись другие, еще более хищные. Беда сегодняшнего общества в том, что жить оно стало в беспределе и, кажется, стало к этому привыкать.

ЧАСТЬ ЧЕТВЕРТАЯ

Рэкетиры были в ярости, узнав, что сотворили с их товарищами следователи РУОПа. Но телефонные звонки с угрозами расправы помогли: в живых осталось больше арестованных. Правда, многие стали просто инвалидами. Да, каждый из них совершал убийства (на бандитских разборках, при излишнем усердии во время выбивания денег из должников), однако их судьбу должен был решать суд, а не самосуд.

Абрек и Черняга искали Лесника и Акулу Боцмана. Поймав парней, работавших на эту парочку, шаховская братва жестоко их избивала, пытаясь узнать местонахождение ссученных авторитетов. Но это им пока так и не удалось. Некоторых после избиения убирали, других отпускали с условием, что те уедут из Москвы и больше никогда не попадутся им на пути.

Рэкетиры наивно полагали, что после уничтожения Акулы и Лесника прекратится эта страшная война и они снова смогут начать сытую жизнь — разгуливать без страха по центральным кварталам столицы, катать в своих дорогих автомобилях красивых старшеклассниц, которых в сегодняшних общеобразовательных школах развращают сами педагоги, рассказывая девочкам не о высокой любви, а о безопасном сексе. И в четырнадцать лет после таких «уроков» дети становятся моральными калеками.

Однажды к Абреку пристала восьмиклассница, стройная, голубоглазая, очаровательная девчонка. Ее одежда и золотые побрякушки с настоящими бриллиантами говорили, что она не из бедной семьи. На вид ей можно было дать все восемнадцать, и Абрек уже посадил ее в «БМВ», собираясь вместе с ней появиться в ресторане, но, услышав, как она презрительно отзывается об одноклассниках, поинтересовался, где она учится. Узнав, что она еще несовершеннолетняя, рэкетир опешил, остановил машину и попытался, не обижая, избавиться от нее. Девочка, поняв причину, по которой ее отвергают, стала уверять его, что пошутила, что учится в одиннадцатом классе и вообще ей это не впервой, лишь бы партнер был стоящим... Пришлось сказать «пару ласковых» юной путане, из-за которой, возникни вдруг проблемы, его не поняли бы не только судьи, но и друзья...

Даже после убийств он не чувствовал себя виновным перед обществом. Его, как и остальных уголовников, мало интересовало общественное мнение. Ну сядет он на скамью подсудимых, ну и что? Абрек просто не представлял себе другого образа жизни. Каждый зарабатывает себе на жизнь как может — таков был его принцип.

Абрек и Рыжик, мотаясь на стареньком «Запорожце» по улицам города, переговаривались по телефону с Шахом. Они знали, что каждый звонок из камеры тюремной больницы прослушивается руоповцами с целью установить адрес абонента, а если это мобильный телефон, то и примерное местонахождение говорящего. Но Москва — огромный город, и если отъехать подальше, то шансы оперативников на поимку преступника сводились к нулю.

Аварцы Шах и Абрек были троюродными братьями и разговаривали на родном языке. Лишь для особых сообщений Шах использовал цунтинский диалект. Он говорил на языке селения Гинух, где, рискуя жизнью, майор МВД Дагестана за миллион рублей все-таки получил расшифровки записи. У руоповцев была теперь полная картина бойни, в результате которой погибли двенадцать человек. Шах был единственным, кого арестовали как участника этого преступления. Убийство восьмерых рэкетиров предъявлялось ему в качестве официального обвинения.

Получив указания по поводу наводчиков, Абрек помчался в Озерки, где оставил машину в гараже пенсионера Ивана Ивановича. Там стояли старенькие «Жигули», «Москвичи» и «Запорожцы», принадлежавшие общаку, за охрану которых старичок получал неплохую плату.

Фиксатый и Ромбик поправлялись быстро. Первый рвался в бой, обижаясь на Абрека, что тот слишком долго держит его в резерве. Второй сломался и не испытывал ни малейшего желания мстить не только за своего шефа — Саву, которого разорвало в клочья, но и за себя.

Переодевшись в элегантные костюмы на квартире у Ивана Ивановича, Абрек и Рыжик сели в белоснежную «ГАЗ-31» и поехали в больницу. После короткого разговора Ромбик, решивший отойти от уголовных дел, принял условие Абрека: уехать из Москвы и до окончания войны с Акулой Боцманом в первопрестольной не появляться. А Фиксатый укатил из больницы с рэкетирами.

— Братуха, — мягко заговорил Рыжик, сидевший за рулем, — дело прошлое, Шах хорошо отозвался о тебе, да и мы знаем тебя только с лучшей стороны. Сейчас расклад такой: половина «филадельфийских» разбежались, а наши устроили разборку между собой... Короче, сейчас много новых ребят, и всеми делами группировки банкует Абрек. Но даст Бог — отмажем Шаха и тогда...

— Базара нет, братуха, как все, так и я, буду слушаться его, — ответил Фиксатый.

Абрек сидел сзади, где под сиденьями лежали десантные автоматы. Кроме того, у каждого был пистолет — «стечкин», «вальтер» и «кольт». Рэкетир вел машину аккуратно, чтобы без надобности не нарушать Правил дорожного движения и не нарываться на милицию.

Фиксатый дал волю чувствам, обуревавшим его еще в больнице:

— Виноват я, братва, перед вами... Лоханулся в тот день. Думал, присяду минут на десять за столик, вмажу с ребятами по сто грамм за такое дело... Не леща пускаю, правду говорю: не ожидал я от Шаха такой справедливости, думал — все, конец мне, ребятам и Саве... Но теперь Шах стал для меня авторитетом. За Викингом, падлой, я еще раньше замечал странные движения, хотел при случае заикнуться Саве, но, сами понимаете, у меня в бригаде никакого положения, а Сава, царство ему небесное, во всем доверял Викингу. Насчет же Савы скажу одно: был он очень доверчивым, а ссученным фраерам только этого и надо. Короче, братва, я буду их мочить как гадов! Теперь они уже не застанут меня врасплох!

— Нормально, братуха! — Абрек внимательно слушал Фиксатого и одновременно обдумывал предстоящие дела на текущий день.

— Как там пацаны в ментовке, есть шансы отмазать?

— Тяжко, брат, — ответил Рыжик, хотя вопрос был обращен к Абреку, — полный беспредел, их там медленно убивают. Мы нашли адреса нескольких следаков. На день по десять раз предупреждали... Но уже не имеет смысла предупреждать — трое отдали Богу душу, да и остальные не жильцы... Малявы идут, что кровью харкают.

Фиксатый побледнел, глаза загорелись ненавистью, и он разразился проклятиями. Темно-русые волосы сильно отросли за то время, пока он лежал в больнице, лицо похудело и вытянулось, а в темных глазах была боль.

— Короче, в делюгах по следакам я тоже буду крушить... — тихим, зловещим голосом пообещал Фиксатый, и рэкетиры нисколько не усомнились в искренности его угроз. Они знали, что с ним делали в МУРе и почему он потерял все передние зубы. Знали они и о том, почему две милицейских семьи лишились своих кормильцев.

Белая «Волга» свернула с проспекта на старинную узкую улочку с высокими мраморными фасадами. В этих домах при советской власти появились коммуналки, но под лихим натиском «новых» все больше жильцов выселялось в скворечники на окраины столицы, а в барских особняках размещались коммерческие фирмы нуворишей разных национальностей.

В конце этой престижной улицы располагалось совместное предприятие «Мюнхен — Москва», которым заправляли... граждане Израиля. Московские родственники израильтян стали директорами и ответственными чиновниками этого СП, понятия не имея о том, что их родственники, столь любезно предоставившие им огромные деньги для открытия престижной фирмы, являются сотрудниками МОССАДа. Да их это и не интересовало. Они были рады, что зарабатывают себе на роскошную по московским меркам жизнь и набивают карманы на черный день, чтобы при малейшей опасности сбежать на Запад.

В середине квартала пристроилось АО «Белый парус», уже два года исправно платившее дань шаховской бригаде — пятьдесят тысяч долларов ежемесячно.

Перед входом в центральный офис «Белого паруса» с двух сторон вплотную к тротуару были припаркованы новенькие иномарки, так что встречные машины едва могли проехать по улице. Рэкетиры с трудом протиснулись в узкий коридор. Оставалось всего несколько кварталов до СП «Мюнхен — Москва». По встречной полосе полз микроавтобус «ниссан». Неожиданно «мерседес», оторвавшись носом от тротуара, дал задний ход. Рыжик резко затормозил, но удар оказался достаточно сильным: бампер «Волги» был помят, досталось и «мерседесу». Микроавтобус лишь замедлил ход и, не останавливаясь, проследовал дальше. А из «мерседеса» выскочили два парня с короткими стрижками и дерзкими физиономиями. Плечи и шеи выдавали культуристов.

— Ты чё, козел, ослеп?! — заорал водитель на озирающегося по сторонам Рыжика. — Пес рыжий! Будешь платить за ремонт!

— Ты чё, сука, не понял? Сейчас будешь платить или как?! — наезжал второй.

Фиксатый в ярости выскочил из машины, а Абрек, заметив милицейские «Жигули», успел бросить ему: «Спокойно». Затем выскочил сам и кивнул Рыжику. Увидев его страшное лицо со шрамами и налитые кровью тигриные глаза, парни запнулись на полуслове. Абрек парализовал их своим видом, у него на лице было написано, что он авторитет и любое столкновение с ним для таких, как они, чревато смертью.

Абрек обошел толстозадый «мерседес» и полоснул взглядом по номерам.

— Хотите, чтобы мы заплатили, — заплатим... — спокойно сказал он, и опасный огонь загорелся в его глазах. Парни поняли, что, пока не поздно, надо как-то сгладить конфликт, но не знали, с чего начать разговор.

Моментально образовалась толпа зевак, которая могла привлечь руоповцев и муровцев. Милицейские «Жигули» уже притормозили напротив места происшествия. И трое головорезов, не сговариваясь и не заботясь о десантных автоматах, оставшихся под сиденьями, смешались с прохожими.

Через сорок минут, попетляв по улицам и убедившись, что за ними нет хвоста, они поднялись на второй этаж четырехэтажного купеческого дома, где располагалось СП «Мюнхен — Москва». Бронированную дверь им открыл невысокий охранник в камуфляжной форме. На поясе висела кобура с итальянским газовым пистолетом.

— Вы к кому? — вежливо поинтересовался охранник, оглядывая незнакомцев умными черными глазами.

— Нам нужен Виталий Семенович Бергман, — сказал Фиксатый.

— Минутку, я узнаю, может ли он вас принять. — И слегка улыбнулся: — Извините, ребята, у нас такой порядок... — Он не спеша прикрыл железную дверь, и рэкетиры, сохраняя спокойствие, остались стоять на лестничной площадке.

Через две минуты дверь снова открылась.

— Пожалуйста, проходите, — сказал охранник.

Шагнув за порог офиса, рэкетиры оказались в скромно обставленном фойе, позади которого, раздваиваясь, тянулся длинный коридор. Высокий, крепкого сложения брюнет в добротном, но недорогом костюме поднялся с кресла.

— Здравствуйте, — закартавил он, — Виталий Семенович, к сожалению, сейчас занят, но он освободится буквально через несколько минут... Прошу вас, присаживайтесь. Чай, кофе?..

— Пожалуй, мне кофе, — сказал Фиксатый, оглядываясь на друзей. Они попросили чай, и стройная брюнетка с пушистыми ресницами поднялась из-за небольшого столика в дальнем углу фойе. Через две минуты она принесла поднос и поставила его на журнальный столик. Скромно улыбнувшись незнакомцам и плавно покачивая бедрами, она отошла к своему рабочему месту.

Абрек проводил девушку долгим взглядом. Потом переключился на высокого брюнета. Внезапно он увидел, что тот слегка изменился в лице. «В чем дело? — встревожился Абрек. — Неужели в РУОПе появилась моя фотография?»

— Я личный секретарь Виталия Семеновича. А с кем имею честь?.. — Этот еврей неплохо владел светскими манерами, хотя от проницательных глаз рэкетиров не ускользнули незаурядные боксерские данные вежливого «секретаря».

— Дело прошлое, братан, — начал Абрек, — мне приятно беседовать с умным человеком... — Это был своеобразный ответ. — У нас небольшое дело, которое уже давно интересует Бергмана... Никаких гнилых ходов с нашей стороны быть не может, поэтому можешь не беспокоиться, а говорить мы будем только с ним.

«Секретарь» соединился с шефом по радиотелефону, коротко доложил ему на иврите о разговоре с незнакомцами и, выслушав распоряжения, отключил аппарат.

— Пожалуйста, он готов вас принять немедленно, но предупреждаю — только не обижайтесь — служба безопасности фирмы работает на высоком уровне...

Но слова «секретаря»-телохранителя рэкетиры пропустили мимо ушей.

В небольшом кабинете коммерческого директора стояла обычная офисная мебель, не было ничего, что могло бы сразу броситься в глаза. Рабочий стол, заваленный деловыми бумагами и справочниками, в том числе и на иностранных языках; диван, кресла, журнальный столик, сейф, несколько шкафов. Хозяин кабинета сразу понял, что главный в посетившей его компании — Абрек, и, задержав на нем на несколько секунд изучающий взгляд, поднялся навстречу с широкой улыбкой:

— Здравствуйте, господа, здравствуйте! Присаживайтесь, пожалуйста, чем могу быть полезен?..

— Речь пойдет не о нашей пользе, а о вашей... — сказал Абрек, ответно улыбаясь. — Но мы не против, чтоб и нам была польза, только об этом после. Мы хотели бы поговорить с вами без лишних ушей. — Рэкетир кивнул на «секретаря», и директор жестом попросил того выйти из кабинета.

— Насколько я знаю, — начал Рыжик, — у вас этим летом, в июне, была обворована квартира...

— Да-да! Совершенно верно... — Крупное лицо еврея застыло в ожидании.

— Ваши друзья из МУРа не нашли воров?

— Начнем с того, что в МУРе у меня никогда не было друзей, а что касается вопроса, то я боюсь в вас разочароваться. Если вы владеете информацией, то, вероятно, сами должны знать ответ...

— Нормально, — небрежно вставил Абрек. — У вас хорошо подвешен язык, с такими не в падлу иметь дело... Короче, у нас есть парни, которые сделали слепки с ваших замков и дали на вас наколку домушникам. Кроме вас, еще и ваши знакомые пострадали от них. Например, Адамович... Так вот, у нас такой к вам вопрос: интересуют вас эти чмыри-наводчики?

— Конечно!!! О чем речь! Сколько вы за это хотите? Я заплачу. Конечно, в пределах разумного.

Рэкетиры невольно ухмыльнулись, сдерживаясь, чтобы не рассмеяться. Они подумали примерно одно и то же: «Еврей есть еврей, где сядешь на него — там и слезешь, не заметив, что обговоренный маршрут он так и не отышачил».

Абрек первым погасил улыбку на лице.

— Вы, уважаемый, не за тех нас приняли, подобного рода плата нас не интересует.

— Виноват, не понял? Какие еще проблемы?

— Ничего страшного, мы ведь пока незнакомы... — снисходительно сказал Абрек, чем еще больше насторожил хитрого еврея. — Мы можем передать в ваши руки наводчиков, из-за которых вы лишились коллекции орденов и картин. Кстати, во сколько вы оцениваете эти коллекции?

— Ой! Страшно сказать. Свыше трех миллионов долларов! — страдальчески произнес Бергман.

Фиксатый сконфузился, но еврей этого не заметил. Откуда ему было знать, что перед ним сидит один из тех, кто бомбанул его коллекции! На аукционе за них можно было выручить не более миллиона баксов. Но эти нюансы мало интересовали уголовников, они брали все, что плохо лежит. А обчистить таких типов, как Бергман, считали просто удовольствием, зная, что тот сам вор, только непойманный.

— Я знаю совершенно точно, что они располагают материальными средствами как раз в пределах названной вами суммы. Мы отдаем вам этих негодяев, вы возвращаете себе то, что считаете нужным, и потом, когда убедитесь, что вас не обманывают, мы встретимся и обговорим дело, интересующее нас.

— Вы, уважаемый, — хозяин хитро прищурился, — все говорите правильно, но я не могу принять предложение втемную.

— Как хотите, это наше окончательное решение. И если даже я немного темнил, вы ничего не теряете, а только приобретаете... — Абрек поднялся с кресла, за ним встали и его друзья. — Это был ваш единственный шанс заполучить наводчиков.

— Подождите, подождите, разве я отказался? Меня очень интересуют эти мерзавцы. Дайте подумать несколько дней...

— Не получится! — отрезал Абрек. — А вводить вас в ситуацию я не считаю нужным. Все, что касалось вас, мы изложили точно.

— Хорошо, господа, я согласен.

Рэкетиры снова вернулись к полированному столику и расселись в креслах.

— Если я не ошибаюсь, они евреи?

— Евреи, — усмехнулся Абрек. — А это имеет для вас значение?

— Только в том плане, если речь идет о каких-то моих знакомых, но в принципе наводчики есть наводчики: им брат родной или враг заклятый — все едино...

— У них есть деньги в коммерческих банках и недвижимость в Москве. Сумеете вы выколотить из них капитал?

— Ну, это уж мы сами как-нибудь решим... — пробурчал коммерческий директор. Именно этого ответа и ждали от него рэкетиры.

— Конечно, это ваше дело, но если вы рассчитываете на людей Лесника, которые держат вас под крышей, то вам, наверное, будет интересно узнать, что эти чмыри-наводчики — как раз его люди...

Холеное лицо Бергмана стало белым; он дрожащими губами прошептал что-то невнятное, скорее всего на иврите.

— Ну-ну, успокойтесь, вам бояться нечего. Мы не ведем против вас гнилой игры. Вы скоро убедитесь в этом. — Рыжик взял со стола жестяную банку колы, сорвал ушко и поднес к самому носу хозяина кабинета. Тот жадно сделал несколько глотков.

— Вы, как я понимаю, из шаховской группировки? — Бизнесмена трясло.

— Ну и что? Вы же нам не враги? — вкрадчиво заговорил Фиксатый. — Тут простая арифметика, прикиньте хрен к носу. Лесник имеет с вас за «крышу», а его люди втихаря бомбят вашу квартиру. Если вы испугались Лесника, то совершенно напрасно. Вы, вероятно, в курсе его теперешних проблем?

Бергман кивнул утвердительно:

— Шаховские парни, говорят, несколько сот лесниковских перестреляли...

— Ну, это явное преувеличение... — бросил Абрек.

— Его люди разбежались, так что опасаться вам некого. — Рыжик почти дружелюбно улыбнулся.

— Теперь мы — ваша «крыша», согласны? — Абрек жестко взглянул на Бергмана и странно усмехнулся.

— Какая мне разница, эти вопросы решаю не я...

— Мы знаем, кто у вас решает эти вопросы. — Абрек встал. — Доложите вашему шефу Курдюкову об этом разговоре и ждите нашего звонка. Готовьте людей, которым мы передадим наводчиков и видеозаписи с полным на них досье. Думаю, Адамович будет вами доволен, они ведь и его крупно накололи. И последнее: день или два подождите, не светитесь с этой информацией перед людьми Лесника, а за это время мы их всех перещелкаем, — завершил переговоры Абрек, и рэкетиры покинули кабинет.

В коридоре стояли наготове охранники, но уголовники не удостоили их вниманием. О том, что одна из бригад Лесника, подмявшая под себя службу безопасности фирмы, могла подслушать только что состоявшийся разговор, рэкетиры не беспокоились. В кармане Абрека был мощный локализатор магнитных систем звукозаписи и звукопередач.

Через пятнадцать минут вызванные Абреком машины остановились в нескольких кварталах от СП «Мюнхен — Москва». Ничего подозрительного вокруг не было. Глядя на авторитета, который остался доволен «подходом» к богатой фирме, для чего-то понадобившейся Шаху, Рыжик и Фиксатый тоже заметно приободрились. Они сели в «Жигули», за рулем которых был Черный Мага, и укатили на секретную квартиру Профессора Самарского. Абрек с Валерой и Серым поехали на частную овощную базу, где временно располагалась их главная квартира.

А между тем их искали по всему городу. Опергруппа полковника Тарасова потеряла рэкетиров из виду, и теперь почти во всех злачных заведениях, в гостиницах и казино, где появлялись обычно члены группировки, дежурили личные агенты Корабельникова, Красина и Карпенко.

Тарасов раскуривал дорогую сигару в кабинете своего начальника, попутно высказывая замечания по поводу деловых качеств владельцев фирмы «Филипп Морис», которые засыпали весь мир своей продукцией и набили золотом швейцарские банки. На его лице блуждала хитроватая ухмылка. Алексеев просматривал уголовные дела по факту вымогательства. Они еще не успели распухнуть. Их пополнением предстояло заняться следственному отделу. Наконец, покончив с делами, полковник вызвал Архипова. Архипов был его проклятием, но избавиться от него он не мог: пока еще не удалось поймать его на чем-нибудь за руку. А тупость и некомпетентность, к сожалению, не всегда являются вескими причинами для отстранения от работы. Тем более что у Архипова были покровители в министерстве.

— Передай дела следствию, — не глядя на заместителя, распорядился полковник.

— Слушаюсь, — ответил Архипов, бросив ревниво-ненавидящий взгляд на старшего оперуполномоченного, который, будучи его подчиненным, пользовался огромным авторитетом среди сотрудников. — Я пришлю Петрова...

— Да что ты, едрит твою, надорвешься, если сам отнесешь пачку бумаг?! — Впервые полковник позволил себе подобное обращение с бывшим кагэбэшником. — Ну-ка, схватил в охапку и понес в следственный отдел! Потом доложишь, какие у них будут рекомендации и претензии. Тоже мне, барин!

Подполковник побагровел, молча взял папки и с перекошенным от злости лицом вышел из кабинета.

— Бьюсь об заклад, что скоро мы его скрутим. Чует мое сердце, что есть ниточка между ним и Акулой Боцманом, — сказал Тарасов, внимательно наблюдавший за поведением Архипова во время нагоняя.

— Давно следовало заглянуть к Салманову. Если бы не он, не удалось бы нам прижать нашего «бычка». — Полковник презрительно скривил губы при одном упоминании о генерале Бычкове.

На окраине города в четырехэтажном доме, подлежащем не то сносу, не то капремонту, на четвертом этаже в просторной комнате за круглым столом сидели два воровских авторитета, у которых были одинаковые прозвища. Один был родом из Самары, другой был по национальности рутульцем. Монах был их «крестным отцом». Этот вор остался в их памяти героем, идеалом чести и человеческого достоинства. Старого вора с любовью и уважением еще долго будут вспоминать и ослепительные красотки в разных городах России.

А министерского важняка, опозорившего честь мундира, все, кто его знал, презирали как предателя и подлого убийцу.

Неизвестно как и отчего, но третьего октября Данкевич и Шелмаковский тихо скончались в следственном изоляторе. Наверное, их просто никто не охранял так, как охраняли Шаха преданные рэкетиры и бдительные руоповцы.

Рыжик представил ворам Фиксатого. Уголовник, сознательно вступивший на большую бандитскую дорогу, в подобных случаях испытывает трепет, похожий на трепет воина, который удостоился чести пожать руку своему полководцу, или мистика, получающего благословение от суфийского шейха.

Но история убедительно доказывает, что и шейхи, и полководцы, и воры в законе подвержены человеческим слабостям, а потому свят только Бог, чьи замыслы непостижимы.

Воры в законе — христианин из Самары и мусульманин из высокогорного Дагестана — были людьми верующими, хотя среди подобной публики нередко встречаются и совершенные безбожники, но не о них речь. Как эти двое приспосабливали религиозные заповеди к своим убеждениям? Знали ли они, что за все свои страшные грехи будут держать ответ перед Господом? Знали — и все равно грешили.

И сейчас за круглым общаковским столом они обсуждали свои воровские, жестокие проблемы.

— Даже самому хорошему менту один глаз надо выколоть только за то, что он мент, а если еще и хиппует — второй глаз долой... — сказал Профессор Самарский, глядя на Фиксатого из-под полуопущенных век. — Так нас учил Монах... Царствие ему небесное, да будет земля ему пухом. Но трогать ментов без крайней надобности — паскудное дело. На то они и менты, чтобы власть над работягой держали и хитрожопым политикам дармовщину обеспечивали. А наше дело правое — крадем, пока везет, попадемся — отвечаем, но не о том речь, за беспредел спрос катит что с ментов, что с ссученных фраеров — одинаково. Их надо валить! — Тридцатипятилетний вор выглядел на все пятьдесят. Черный велюровый халат поверх белой рубашки и черных отутюженных брюк подчеркивал бледность чисто выбритого худощавого лица, тронутого оспой, а его друг Профессор Рутулец, напротив, отпустил густую траурную бороду и был в обычной одежде серых тонов.

Рыжик разлил водку по рюмкам.

— Помянем еще раз, — поднялся Самарский, и уголовники выпили.

Пятеро подручных находились на лестничной площадке, а в квартире две молоденькие мурки хлопотали на кухне. Их вежливо попросили покурить на лестничной площадке с парнями: воры приступили к обсуждению деталей предстоящего дела.

— Вот адреса следаков-беспредельщиков. — Профессор Самарский протянул Фиксатому листок бумаги. — Под их прессом скончались путевые пацаны: Валек

Рыба, Паша Руль и другие. Неизвестно, выживут ли остальные. Малявы идут каждый день... Короче, ты парень путевый, Фиксатый, поэтому я и братан Рутулец даем тебе добро, чтобы ты собрал разбежавшихся по Москве «филадельфийских» и начал банковать делами бригады. — Вор в законе повернулся к Рыжику. — Не в падлу будет сказано, если тебе не трудно, вон бабки в дипломате, возьми сто штук...

Рыжик вскочил со стула и открыл дипломат, набитый долларами, достал из него десять пачек стодолларовых купюр и с улыбкой подошел к столу. Вор кивком показал, что с ними делать, и рэкетир протянул их Фиксатому.

— Это для общака твоей бригады, и чем выше ты его поднимешь, тем лучше для всех нас. Из него ты будешь по возможности подпитывать наш главный общак. Но сейчас речь не об этом. Выбери надежных бойцов, продумай варианты и поручи им разобраться со следаками-беспредельщиками...

— Братан, да я их сам замочу! — возбужденно воскликнул Фиксатый, но вор в черном халате сурово одернул выскочку.

— Подожди, Самара... — Другой вор успокаивающе посмотрел на товарища, поглаживая густую черную бороду. — Мы выбрали тебя, Фиксатый, не для того, чтобы ты пошел «торпедой», а чтобы ты подготовил хороших бойцов, сам обмозговал ситуацию и наказал ментовскую сволочь. И желательно, чтобы они провернули эту делюгу чисто, врубаешься? Прямо на хатах, чтоб их семьи знали, за что... Чтоб другим неповадно было.

— Да, братаны, базара нет, теперь врубился. Как скажете, так и сделаю.

— Добро. Ну, теперь на посошок... — заключил Профессор Самарский.

Коммерческий директор СП «Мюнхен — Москва» после неожиданного визита рэкетиров направился в кабинет шефа — генерального директора Курдюкова. Владимир Евгеньевич внимательно выслушал сбивчивую речь Бергмана и, лишь когда родственник стал повторяться, вежливо перебил:

— Виталик, ты же не дилетант, не надо объяснять дважды... — Он нажал кнопку селекторного аппарата на огромном, как бильярдный, рабочем столе.

Через несколько секунд в кабинет вошел стройный сорокалетний мужчина в синем английском костюме. Коротким кивком он поздоровался с Бергманом и молча встал у стола в ожидании распоряжений шефа, который и не подозревал, что сотрудник этот, имеющий израильское подданство, — разведчик МОССАДа.

— Когда мы должны выплатить очередную дань за так называемую «крышу»? — спросил Курдюков с чуть заметным раздражением.

— Восьмого, то есть через три дня, в понедельник... — «Секретарь» прекрасно говорил по-русски. — Но, как вы знаете, они могут заявиться или раньше, или позже...

— Отправь кого-нибудь за Адамовичем и подготовь бойцов, человек восемь — десять, микроавтобус и две легковушки для сопровождения. Остальные инструкции получишь позже. Никому ни слова. Все.

«Секретарь» кивнул и энергичным шагом вышел из кабинета.

— Не вешай носа, Виталик, — сказал генеральный директор предприятия своему родственнику. — Я думаю, что это для нас приятная неожиданность. Насколько мне известно, Лесник и Акула носа не покажут в Москве. Головорезы этого кавказского бандита, который сейчас в Лефортове лечится, разгромили их.

— Я, кажется, знаю, о каких наводчиках идет речь. Ставлю свой бакс против твоего рубля, что их зовут Эдик и Леня... Но это не так важно. Ты знаешь, кто лечит этого страшного бандита — Шаха? Эдуард Соломонович — звезда нашей хирургии...

— Что ты говоришь! — неподдельно изумился Бергман.

— Я тебе говорю! — многозначительно подтвердил Курдюков. — Рассказывают, что уголовники вошли к нему в субботу, перерезав кусачками дверную цепочку. Его жена и дочь чуть в обморок не упали. Представляешь? Они кинули ему на лапу пятьдесят тысяч долларов, чтобы он спас того бандита. Это кошмарные люди, Виталик! Но что поделаешь: они владеют искусством рэкета, приходится, хочешь не хочешь, платить дань, как в средневековье...

— Все тебе мало, Володя! А мне вот хватает, и дети обеспечены. Нельзя быть таким жадным. Государство тоже дань собирает с бедных коммерсантов, и вообще меня это не интересует, пойду к себе...

Когда за родственником закрылась массивная дверь, Курдюков запустил в соседнее кресло массивной пепельницей и выругался:

— А какого же ты черта, старый дурак, так внимательно слушал? Я тебе что, бюро бесплатной информации?.. — Потом, несколько успокоившись, подумал:

«Небось в гости помчится к хирургу. Что за люди! Никому нельзя душу открывать...»

«Крупнокалиберный» адвокат, как в шутку называли его знакомые после статьи в центральной газете, где о нем говорились не очень лестные и по большей части правдивые слова, торопливо вышел из адвокатской конторы. На нем были серый импортный плащ и темно-коричневая шляпа. Полное лицо гладко выбрито. Выглядел он, конечно, гораздо моложе своих пятидесяти четырех лет. Высокий, с офицерской выправкой и незаурядными актерскими способностями, он с блеском выигрывал уголовные дела и, как правило, защищал клиента, не заботясь о его человеческой сути и нравственном облике. За последние годы он не проиграл ни одного процесса. Это именно он вытащил из пасти руоповских волкодавов Профессора Рутульца, но метод, который он при этом использовал, был придуман Монахом.

Адвокат выяснил у своих приятелей в ГАИ, кому принадлежит «мерседес», врезавшийся в бампер белой «Волги», а у оперов МУРа — данные о владельце. Потом он зашел в бар «Южный сад», передал бармену записку с этими данными и получил взамен пятьсот долларов. На этом его миссия закончилась. Он опять занялся делами оставшихся в живых рэкетиров из группы Шаха, которых после победы Тарасова усердно лечили в тюремной больнице и не беспокоили пока допросами.

Бармен, в свою очередь, передал записку мурке по прозвищу Римма. Той самой Римме, которая раскола оперативника Красина. Со времени, когда адвокат встретился с барменом, а ловкая мурка добралась до условленного места, прошло всего два часа, и Абрек еще не успел закончить обед в частном, скрытом от любопытных глаз ресторане.

Мир, как известно, тесен даже в таком громадном городе, как Москва. Владельцем «мерседеса» оказался охранник АО «Белый парус», в прошлом мастер спорта по тяжелой атлетике. Его лучший результат в весе до девяноста килограммов был сто шестьдесят пять в рывке и двести в толчке. Сейчас он занимался рукопашным боем и вместе с ребятами из охраны время от времени промышлял рэкетом, благодаря чему и купил на пару с другом злополучный «мерседес». Столкнувшись с «Волгой» и не зная, что ее пассажиры обеспечивают «крышу» той самой фирме, где они работают охранниками, они наехали на них в расчете содрать деньги. Но когда владельцы «Волги», бросив машину, исчезли, а гаишники нашли под сиденьями три десантных короткоствольных автомата, парни поняли, в какую историю они вляпались... До самого вечера их продержали в здании РУОПа, измучили вопросами о внешности водителя и пассажиров «Волги», а когда они наконец добрались домой, одного из них уже ждали посланные Абреком бандиты. Его взяли у самых дверей. Он безропотно подчинился, когда ему сказали: «Пойдешь с нами и не вздумай дергаться».

До полуночи он просидел в «Жигулях», подробно рассказывая, о чем их спрашивали руоповцы. Потом привезли второго, адрес которого дал сам Виктор Савельев. Чуть позже на «Запорожце», тарахтя форсированным мотором, подкатили Абрек и Рыжик.

— Узнаешь?! — сверкнув глазами, спросил Абрек.

И дилетанты рэкета поняли, что если на этот раз судьба их пощадит, то ничего страшнее этой ночи в их жизни уже, наверное, не будет.

— Да, братан, узнаю. — Виктор вздрогнул.

— Виноваты, братан, мы не знали, кто вы такие... — заговорил второй.

— А теперь откуда знаете?! — В голосе Абрека звучала зловещая ирония.

— Мы и тогда уже догадались, когда вы вышли из машины, хотели извиниться... — ответил Виктор, так опрометчиво оскорбивший тигров рэкета.

— Извинениями хочешь отделаться?!

— Нет, мы заплатим за ущерб... Заплатим за машину и за стволы...

— Чем будете платить?! — В вопросе Абрека парни уловили грозный намек. — Обычно беспредельщики расплачиваются задницей... Вы как на этот счет — согласны?

Головорезы заржали.

— Это к нам не относится, братан, я лично на смерть пойду, но человеком как был, так и останусь, — ответил владелец «мерседеса», и второй подтвердил его слова.

Потом проверкой на прочность занялись другие. Они задавали каверзные вопросы, имитировали удары ножами, угрожали, что изрешетят пулями, но захваченные выдержали испытание. Бандиты остались довольны. Абрек уже готов был забыть о причиненном ущербе. Крепкие парни, не лишенные понятий о мужской чести, стоят гораздо дороже, чем автомобиль и три автомата.

И Абрек поставил условия.

— Если врукопашную побьете этого парня, — он показал на Рыжика, — считайте, что мы с вами в расчете, если нет — с вас две новеньких «волжанки» и шесть десантных «АКС». Согласны? Кроме того, если плохо будете драться, платить придется втрое больше... Хоть квартиры продавайте — меня не интересует!

Смерив взглядом рыжеволосого парня, которого они днем обозвали псом, козлом и сукой, штрафники настороженно согласились, и Рыжик встал в круг. Он был на голову ниже ростом и килограммов на двадцать легче обоих противников. Но на его лице играла холодная, не предвещавшая ничего хорошего ухмылка.

— Все, начали, входите в круг! — скомандовал Абрек, и штрафники нерешительно стали ходить вокруг Рыжика.

Чтобы помочь им побороть смущение, Рыжик крутанулся вертушкой в два оборота и влепил каждому по звонкой оплеухе. Это сразу привело противников в боевое настроение. Конечно, Рыжик не считал себя непобедимым и знал, что в случае проигрыша его друзья вмешаются и не дадут его искалечить. И тогда штрафники, не возместив ни материального, ни морального ущерба, отправятся на все четыре стороны. Абрек, хоть и бандит, знал, что такое мужская честь, и свои удачи в кровавых разборках объяснял тем, что за ним не числятся гнилые грешки — нарушение данного слова. Впрочем, уголовников, придерживающихся таких понятий, не так уж мало на бескрайних просторах России.

Светло-русый, подстриженный ежиком парень, на чье имя был зарегистрирован «мерседес», получив оплеуху, подскочил и довольно ловко нанес правой прямой удар в голову, но промазал, и Рыжик саданул его кулаком в печень. Здоровяк захрипел и согнулся от боли.

Второй стремительно ринулся на соперника, чтобы достать его ногой. Рыжик, шагнув влево, спрятался за скорчившегося противника. Ногу, уже поднятую для бокового удара «моваши», штрафнику пришлось опустить, что очень развеселило взыскательных зрителей. Штрафник погнался за Рыжиком. Но тот увернулся и отвесил новую оплеуху все еще не пришедшему в себя после удара противнику и отскочил на несколько шагов. Штрафник в ярости бросился на Рыжика и сделал несколько выпадов ногами с растяжкой от бедра, но ни разу не попал в цель. Рыжик вернулся к уже оправившемуся от боли парню и, неожиданно присев, мощно развернулся на носке левой ноги и правой ударил по ноге противника. Удар этот назывался «хвост дракона». Русоволосый грохнулся на спину. Второй, не останавливаясь ни на мгновение, преследовал Рыжика, бешено атакуя. Но на ближней дистанции Рыжик ответил серией мощных ударов.

Абрек потерял интерес к «мероприятию» и уже начинал жалеть о потраченном впустую времени. Но еще надеялся, что штрафники окажутся полезными в роли таранных бойцов, которые могут пригодиться на самых опасных операциях. Он уже использовал в бою с Цветочником его же киллеров, попавших в плен после неудачного покушения на Саву. Все они погибли от пуль своих же дружков. Только Ефрейтор, воевавший в Афганистане, бывший замполит батальона, дважды выходил живым из труднейших бандитских переделок. Кадром он оказался ценным, и поэтому Абрек берег Ефрейтора для особого случая. А эти двое пришлись бы очень кстати. Абрек был большим спецом по использованию «торпед».

А Рыжик между тем нанес последний мощный удар в лоб — «уракен». Противник рухнул, потеряв сознание.

— Ты, ежик! Если хочешь, можешь отказаться, — крикнул Абрек второму штрафнику, — твой кент уже коньки отбросил...

— Я не люблю сдаваться! — Он налетел на противника, пытаясь обманными движениями схватить его в тиски и раздавить.

Рыжик легко пошел на борцовский контакт (он был еще и мастером спорта по дзюдо), хотя и знал, что попасть в лапы к штангисту и вырваться без переломов рук, шеи, а то и хребта не так-то просто даже заслуженному мастеру спорта. Но штрафник уже три года не занимался тяжелой атлетикой, и прежней силы в руках у него не было. А Рыжик, худо-бедно, имел четвертый дан по карате-до и в начале девяностых годов со своим учителем Семеном Васильевичем Ивановым зарабатывал в Европе деньги на коммерческих боях. Наибольший успех им сопутствовал в Риме, где темпераментные сицилийцы делали огромные ставки на своих любимцев. Но им оттуда пришлось сматываться после нескольких вынужденных убийств...

Рыжик внезапно сделал захват на удушение. Вырваться не было ни единого шанса, язык у побежденного вываливался, но, к восторгу Абрека, он не сдавался.

Наконец Абрек не выдержал:

— Хватит!

Рыжик поднялся, оставив побежденного противника в полубессознательном состоянии.

— Черт! Хоть раз должны же были они тебя ударить, — разочарованно пробурчал Абрек и, бросив парням: «Развезите их по домам!», сел в «Запорожец». Потом подозвал Рыжика: — Если согласятся — готовь как «торпед», еще будут у нас жаркие бои с ссученными...

Черняга, собрав очередную дань с коммерческих фирм и с орудующих в одиночку теневиков, ждал Абрека на овощной базе. Ефрейтор находился здесь же, в небольшой комнате, вполне пригодной для жилья, если не считать характерного запаха гнили. Но к запаху за несколько дней они притерпелись, а вот друг к другу испытывали взаимную неприязнь.

Ефрейтор смыл клеймо насильника кровью — он был ранен при нападении на загородную виллу Акулы, да и уничтожение бригады Цветочника, как считал Абрек, было в немалой степени его заслугой. Теперь молодая жена Ефрейтора с ребенком на руках была во власти Черняги. Но он и мысли не допускал мстить тому, отыгрываясь на беззащитной женщине. Он ненавидел только Ефрейтора.

Черняга лег на диван и включил видик. Эротические шоу вызывали в нем отвращение. Порывшись в стопках видеокассет, он нашел то, что искал: хронику тренировок и боев Майка Тайсона.

— Малик Халил... — задумчиво проговорил Черняга, глядя на экран телевизора. Боксер работал на полужестком мешке, отрабатывая свои пулеметные удары. Каждый четвертый и шестой удары были акцентированными. Казалось, кожаный мешок стоимостью пять тысяч долларов плачет. Неповторимость его ударов, технические комбинации приводили в восторг профессионального рукопашника.

Впрочем, боксерскими качествами Майка Тайсона, или Мохаммеда Али, как его стали называть после принятия им ислама, восхищался весь мир.

Внезапно картины двенадцатилетней давности опять возникли перед ним. Он вновь слышал крики своей жены-афганки, хохот негодяев... Но они свое получили. Черняга уничтожил их, как бешеных собак. Все же один из них остался жить...

«Все равно я его замочу как суку...» — приняв твердое решение, успокоился наконец Черняга и, проглотив залпом полстакана виски, незаметно уснул.

Новый шеф московского регионального Управления по борьбе с организованной преступностью генерал-майор Жуков, однофамилец прославленного полководца, занялся неизбежными при смещении руководителей кадровыми перестановками. И естественно, в такой обстановке оперативники несколько расслабились. А бандиты получили возможность перегруппироваться, залатать дыры в общаковских кассах, набрать в бригады новых бойцов, подготовить квартиры на черный день, новые гаражи, отремонтировать машины.

Через три дня Рыжик пришел на вещевой склад, под прикрытием которого Фиксатый устроил базу для своей бригады. Он хотел познакомиться с парнями, которых Фиксатый приблизил к себе. Их было четверо, и при каждом — до двадцати бойцов. Всего в бригаду Фиксатого входило чуть более ста человек. Коммерсантов, плативших дань «филадельфийской» группировке, теперь доили другие, и Абреку было просто некогда ими заняться. Фиксатый азартно потирал руки, ожидая момента, когда сможет заявить о своих правах и вернуть себе утраченные «станки».

После аудиенции, которую воры в законе дали Фиксатому, они ночью переселились на другую квартиру.

Куда — Фиксатый не знал. С ними связался Рыжик и получил последние наставления.

В четыре часа утра в разных концах города уголовники отмычками открыли двери и вошли в квартиры руоповских следователей, которые в это время сладко спали в объятиях жен.

Через час поднятые по тревоге оперативники оцепили оба района, хватая спешивших на работу москвичей. Тот, кто возмущался грубым обращением милиционеров, получал прикладом автомата по голове. Обыскивали личный транспорт, выворачивая его наизнанку, граждан оскорбляли и унижали. Обозленные жители грозились пожаловаться в высшие инстанции. Но это нисколько не пугало милицейских громил в бронежилетах и с автоматами наперевес.

Генерал-майор Жуков снял оцепление после обеда и направил бригады во все злачные заведения, расположенные в этих районах. Из ресторанов, баров и казино были доставлены в изоляторы управления свыше тысячи человек. Но убийц следователей РУОПа так пока и не нашли. Зато были искалечены невинные люди, и не только морально, но и физически. Теперь они испытывали патологическую ненависть к милиции.

Начальники отделов РУОПа полковники Алексеев и Салманов, не боясь потерять свои довольно жесткие кресла, выразили генералу Жукову недовольство подобными методами работы.

— Что вы мелете?! Гуманистами стали? Демократии захотелось?! А где же ваша профессиональная солидарность, черт возьми?! — вскочив с кресла и размахивая руками, заорал министерский чиновник.

Он явно не усматривал принципиальной разницы между младшим офицерским составом оперативников и этими двумя начальниками отделов — настоящими асами. Генерал не знал, что такое настоящая оперативно-следственная работа, и карьеру себе сделал на партийно-хозяйственной службе в системе МВД.

— Сотрудники, о которых вы сокрушаетесь, настоящими «чертями» и были! — пробасил Салманов, выдерживая злобный взгляд начальника.

На столе зазвонил телефон, но генерал не стал отвлекаться. А Салманова прорвало:

— Разве вам не докладывали, что они занимались фабрикациями дел? Вместо того чтобы раскрывать действительно совершенные этими рэкетирами преступления, они вели допрос по заданному бандитами курсу... Если вам, Дмитрий Николаевич, это ни о чем не говорит, то вы не свое место занимаете! У меня есть неопровержимые...

— Слушай, ты, полковник, — вне себя от злости зашипел генерал, — поезжай к себе на Кавказ и там будешь указывать, кому какое место занимать — и то, если мы отсюда позволим!..

Салманов вскочил, его глаза сузились, и генерал невольно попятился.

— Ну-ка скажи мне, конторская крыса, сколько бандитов ты за свою жизнь поймал? Ни одного! А про меня знают оперативники МУРа и РУОПа... Ты — шестерка коррупционеров. И вообще, как ты попал в РУОП — ты же администратор, завхоз!

Все это время, пока задетый за живое Салманов бушевал (генерал от страха потерял дар речи), Алексеев стоял между ними, боясь, что не в меру горячий кавказец заедет генералу по физиономии. Но ничего подобного не случилось. Салманов, выпалив на одном дыхании все, что думал о вновь назначенном начальнике, вышел из кабинета. Следом за ним Алексеев, добавив «пару ласковых», пошел за полковником.

Через пять минут они были в кабинете начальника отдела внутреннего контроля МВД полковника Рогова. Они рассказали, что убитые бандитами майоры были связаны с группой Гибадулина и вели следствие по заданному преступниками курсу, то есть выбивали у арестованных информацию для бандитов. Вывод напрашивался один — генерал связан с преступным центром.

Через час генерал Жуков стоял в кабинете полковника и давал показания. После этого он был арестован. В министерских коридорах с новой силой вспыхнул скандал.

Генерал-полковник Артамонов яростно отбивался от начальников милицейских спецслужб и следователей Генпрокуратуры, которые обложили Рогова со всех сторон.

Наконец конфликт разрешил сам министр МВД России.

Генерала Жукова, к сожалению, упрятать за решетку не удалось: слишком неравными были силы. Но из органов его все же уволили. А бойцы за справедливость и закон — Артамонов, Рогов, Алексеев, Салманов и Тарасов — получили возможность честно выполнять свой долг перед Родиной.

ЭПИЛОГ

Компромат на полковника Коровина — копии отпечатков пальцев на пистолете и свидетельские показания «домашней прислуги» бизнесмена — Гибадулин успел разослать в прессу, прокуратуру, ФСБ и МВД: оружие, как вещественное доказательство, без которого показания «свидетельницы» не имеют большой силы, подкинули следователю по особо важным делам Генеральной прокуратуры страны Дегтяреву.

Истерическим воем разразились некоторые центральные газеты, получив эту «клюкву».

Полковник Салманов ожидал этого подлого удара и заранее подготовился. Он горой стоял за своего заместителя. Рогов пока отмалчивался, хотя знал от Салманова правду. Оперативники ФСБ из отдела по борьбе с бандитизмом и следователи прокуратуры крутились возле Коровина, как учуявшие запах свежей крови беспощадные акулы. Но Салманов держал круговую оборону и не позволял арестовать одного из своих лучших оперативников. И пока генерал-полковник Артамонов не принял решения, ни прокуратура, ни ФСБ не могли ничего сделать. Салманов их просто предупреждал:

— Две сотни наших ребят ищут «свидетельницу» и бандита Гибадулина!

Он показывал им папки с уголовными делами, возбужденными против преступной шайки Гибадулина. Там были подробные доказательства того, как на самом деле были совершены эти убийства. Ослепленного газом, а затем оглушенного ударом по голове Коровина преступники оттащили в сторону и, вложив в его руку пистолет с глушителем, нажали на спусковой крючок...

— Этот пистолет — вещественное доказательство не против Коровина, а против известных вам лиц! — с кавказской горячностью доказывал Салманов. — Смотрите, как бы вам не пришлось отвечать за укрывательство.

* * *

Дни летели с неимоверной скоростью. Абрек наконец вышел на след Лесника благодаря информации, которую ему подкинули сотрудники МОССАДа, работающие в СП «Мюнхен—Москва». Конечно, Абрек и понятия не имел, что наводчики, которых они продержали в подвале почти два месяца, попадут в руки израильских шпионов. Впрочем, его это и не интересовало. Он был уголовником, для которого политика — «сучье» дело.

Выйдя на след своего заклятого врага, Абрек с головорезами окружили двадцатичетырехэтажный дом в районе Крылатского и под покровом ночи перебили всю охрану; трупы в микроавтобусах вывезли в удаленные от жилых районов лесные массивы и, облив бензином, сожгли. В шикарной квартире на двадцатом этаже нашли Лесника и скрывавшегося с ним милицейского преступника Гибадулина.

Лесника рэкетиры насмерть забили ногами, а Гибадулина надежно спрятали и позвонили в восьмой отдел РУОПа.

Тарасов, как и было оговорено, пришел на встречу один. Разговор был нелегким. Абрек враждебно, немигающим взглядом смотрел на известного в уголовных кругах оперативника.

— Вы, менты, считаете нас бандитами независимо от масти, и лучший из бандитов для вас тот, кто продался вам с потрохами, и поэтому слово чести между нами не катит...

— А вы, уголовники, — в тон ему заговорил Тарасов, — считаете, что даже самому хорошему менту один глаз надо выколоть только за то, что он мент... Так что ты зря говоришь о слове чести...

— Может быть, но речь не об этом. Капитан Гибадулин интересует вас?

— А зачем бы я согласился на встречу?..

— У вас в ментовке сейчас идут крупные разборки. По нашим прикидам, он не просто как «сука» вас интересует, а кое-кто из ментов может крупно пострадать или выиграть, если он попадет вам в руки.

— Я понял намек. Скажи, что ты или вы за него хотите?

— Шах!!! — не задумываясь ответил рэкетир.

— Это не так просто, им занимается Генеральная прокуратура...

— Это ваши трудности.

— Шестеро ваших числятся за нашим отделом, я могу их всех освободить... — схитрил, хотя это и было правдой, Тарасов.

Абрек нехорошо усмехнулся:

— Их мы и без вас освободим, для этого все уже сделано, причем на вполне законных основаниях. А ты хитрый опер, я начинаю жалеть, что с тобой встретился. Дешево хочешь купить.

— Не так уж и дешево, если малявы твоих друзей не врали...

— Знаю, знаю. Как только вы повязали ссученных ментов, наших уже никто не трогал. Спасибо, базара нет... Но нам нужен Шах.

— Мне надо посоветоваться. Если не возражаешь... — Оперативник показал глазами на джип, стоявший рядом. — Я приехал без радиосвязи...

Абрек подал рукой знак, и Рыжик вышел из салона с телефонной трубкой, которую протянул оперативнику. Тарасов разговаривал с Алексеевым минуты три, а потом, отключив трубку и выждав десять минут, снова связался с ним. На этот раз Тарасов произнес лишь одну фразу: «Ну как, получается?» — и расплылся в победной улыбке. Рыжик молча взял трубку и удалился.

— Нашлись люди и в прокуратуре... — сказал Тарасов. — Мы согласны. В течение двух месяцев, до семнадцатого декабря, освободим Шаха.

Выбирать Абреку не приходилось. Может быть, через два месяца Гибадулин не представлял бы для руоповцев такого интереса, чтобы менять его на главаря особо опасной группировки, за которой тянулось множество кровавых следов.

— Ты, наверное, знаешь, чьих рук дело — убийство двух ваших следаков? Так вот, если ты не сдержишь слова... — Бандит сделал паузу, давая понять, что с Тарасовым расправятся так же, да еще и в присутствии семьи, чтобы родственники и близкие знали, за что их постигло возмездие.

— Вы прямо как народовольцы, — жестко улыбнулся Тарасов. — Но ничего, я вас понимаю по-своему и слово свое сдержу...

Абрек, не прощаясь, направился к джипу, вытащил оттуда за шкирку Гибадулина, который был в наручниках, снял их, сунул в карман пиджака и ударом кулака в голову сшиб Гибадулина с ног. Затем сел за руль автомобиля и, рванув с места, умчался.

Тарасов подбежал к преступнику и снова надел на него наручники. Гибадулин был в глубоком нокауте. Пришлось девяностокилограммового бандита поднимать на руки, чтобы погрузить в машину.

— Каков Абрек! — произнес подполковник, садясь за руль «форда». — А железяки зажал...

На Кольцевой трассе его уже встречали оперативники.

Как только показания бывшего капитана милиции Сергея Романовича Гибадулина легли на стол Артамонова, акулы Генпрокуратуры и ФСБ оставили в покое Коровина и его не в меру горячего начальника Салманова.

Но, к сожалению, история на этом не закончилась. Акула Боцман — бывший особо секретный агент КГБ и параллельно вор в законе — все еще оставался на свободе. Хотя уголовники его пощипали и чуть было не сожгли заживо, он представлял собой очень серьезного противника не только для уголовников, но и для государственных силовых ведомств. Под его контролем была обширная агентурная сеть. Но оказавшись зажатым между разъяренными рэкетирами и оперативниками, оборотень проиграл несколько боев подряд, кровавых и жестоких, и, уйдя на дно, готовился к такому, от которого, как он думал, содрогнется земля.

Но для этого Акула Боцман должен был реализовать проект «Золотое седло», то есть продать изготовленное в Москве седло нацистам, и как можно дороже, а потом время от времени подбрасывать в европейские и американские газеты информацию об этой сделке. Кто и в каких аналитических центрах будет разрабатывать эту информацию, Акула не знал. Его хозяева требовали пока одного: как можно дороже и в кратчайшие сроки заключить сделку с аргентинцами — агентами частной спецслужбы нацистского преступника, после окончания Второй мировой войны осевшего в Аргентине.

Это был особо опасный международный преступник. Чтобы избежать судебного преследования, он сделал пластическую операцию и химическим раствором изувечил ладони обеих рук. Он финансировал десятки неофашистских организаций в Германии, Италии, Англии и Америке. Его огромное состояние (основа которого — награбленное во время войны в европейских странах золото) росло год от года. Купив седло, он хотел упрочить легенду, что чеченцы во время гитлеровского нашествия на Советский Союз, ожидая крушения коммунистического строя, приготовили Гитлеру подарок. Ажиотаж среди почитателей гитлеровской идеологии усиливался, достигнув апогея после убийства дагестанцев, предлагавших это седло израильским дипломатам за миллион долларов.

Один из убитых приходился Шаху троюродным братом по материнской линии. Он не посвятил своего грозного родственника в эту авантюру, рассчитывая заработать не по пятьдесят тысяч долларов, а, наколов «работодателей», ухватить сразу миллион. Но эта четверка с самого начала была обречена. Согласно плану Акулы Боцмана, их должны были убрать, как только они покажут седло израильским дипломатам — делу нужно было придать серьезный характер. В поисках убийцы своего родственника и земляков Шах вышел на Плистовского, Гошу и Ювелира, которые под страхом смерти выложили ему тайну золотого седла. Но Шах их пощадил. Опираясь на воровской авторитет Монаха, он решил подмять под себя «филадельфийскую» группировку и разоблачить авантюру с седлом, которая ему не понравилась «по содержанию». Так он вышел на Акулу Боцмана.

А весть о золотом седле уже достигла ушей спецслужб многих стран, и, что вполне естественно, между ними началась игра — не менее жестокая, бесчеловечная и кровавая, нежели война между уголовниками.

Из Тель-Авива в московскую резиденцию шли одна за другой шифрограммы с жесткими приказами во что бы то ни стало раздобыть точную и полную информацию об этом седле. В свою очередь этим седлом как реликвией заинтересовались финансовые тузы — американские евреи и немцы, и даже один арабский шейх примчался на своем личном самолете в Москву, чтобы купить седло и хвастаться потом перед нефтяными магнатами мусульманского Востока.

Шейх Сулейман Ибн-Саид аль-Хусейн остановился в роскошных апартаментах самой престижной московской гостиницы «Метрополь» и отправил своих суперменов на поиски московского Шаха. И каково же было его удивление, когда он узнал, что этот «шах» — обыкновенный уголовник-убийца, обкладывающий данью столичных коммерсантов. Но это обстоятельство не повлияло на намерение шейха заплатить за седло десять миллионов долларов. По-настоящему он удивился лишь тогда, когда ему назвали минимальную сумму за этот «раритет». Он со своим состоянием в миллиард долларов в Москве почувствовал себя просто бедняком и, раздав в мечети десять тысяч долларов, укатил из России в свою знойную пустыню, объясняя свите, что он еще не выжил из ума, чтобы выкладывать за какую-то там штучку двести миллионов.

А история злосчастного седла между тем шла своим ходом. Опергруппа полковника Тарасова оказалась в беспощадных тисках политиков и уголовников.

А тигры московского рэкета искали Акулу Боцмана, чтобы вырвать у него золотое седло и набить свои и без того тугие карманы зелеными, как ядовитые ящерицы, долларами.

Но Шах, лежа на больничной койке, решил, что найденное седло следует передать властям. Ведь вклад в победу над фашизмом во Второй мировой войне наряду с другими народами внесли и чеченцы. Один только Хан-паша Нурадилов, отважный пулеметчик, уничтожил около тысячи немецких солдат и офицеров. И хотя он родился в дагестанском городе Хасавюрте, по национальности он был чеченцем.

«Но как посмотрят на это ребята?» — думал Шах. Он уже самостоятельно передвигался по своей тюремной, но персональной палате. Питался тоже не из тюремного котла. Да и спиртное ему доставляли. С помощью радиосвязи он продолжал руководить и своими головорезами. И главное, он уже знал, что Абрек, его верный помощник, договорился с властями, что до семнадцатого декабря, то есть до выборов в парламент, его должны освободить. Но настораживало другое.

Побывав в лапах смерти, Шах сильно изменился. Сейчас он совершенно по-другому относился к жизни и многим своим прежним принципам. Уголовная жизнь опротивела. Хотелось убежать на край света или забраться в пещеру в своих родных горах, чтобы никого и ничего не видеть. Убивать он больше не мог. Он понял, что не для этого Всевышний оставил ему жизнь. Надо было делать выбор.

А между тем шло время, и Тарасов сдержал свое слово. Шах в начале декабря 1995 года вышел на свободу...

РЭКЕТИРСКАЯ БАЛЛАДА

Глава I

ГОРОД ДЕТСТВА

Московский даг Юрик Хонда колесил на серебристом «мерседесе» по кривым улочкам Пятигорска. Волею судьбы он вернулся в город своего детства и перед тем, как покинуть его еще раз, хотел хоть на миг ощутить то беззаботно-сладостное чувство покоя и свободы, которого не испытывал давным-давно. И вот теперь он с жадностью всматривался в знакомые и незнакомые места, пытаясь отыскать в уголках своей памяти хоть что-то, напоминающее ему о безвозвратно ушедших днях.

Казалось, мало что изменилось с тех пор. Все так же стремится ввысь Машук, на склонах которого, словно жемчужинки в темной зелени садов, рассыпались белые хатки старого города. Так же синеет на горизонте рваная кромка Кавказского хребта с двумя белоснежными шапками Эльбруса, словно плывущего над городом в прозрачном мареве сентябрьского утра. Правда, в те далекие годы и Машук, и Эльбрус, и пятиглавый Бештау казались ему такими высокими, что, сколько ни задирай голову, сколько ни вглядывайся, сколько ни три кулачками слезящиеся от напряжения глаза, все равно не увидишь, что там, за сизой дымкой облаков, ненароком зацепившихся за горные вершины. В своих детских мечтах он не раз воображал себя сказочным героем, бесстрашно вступающим в битву с каменными великанами, похитившими прекрасную принцессу, и всегда выходил победителем.

Хонда усмехнулся: «Бабушкины сказки». И тотчас воспоминания воскресили единственного близкого ему человека — бабушку.

Родителей Юрик не помнил. Его мать умерла от болезни, названия которой он по малости лет не знал, когда ему едва исполнилось два года. Заботы о воспитании внука легли на плечи бабушки — маминой мамы. Об отце своем он никогда не слышал. В их семье все разговоры на эту тему сразу пресекались. Когда Юрик подрос и осознал, что наличие отца обязательно для каждого ребенка, он стал приставать к бабушке с расспросами, но она либо отмалчивалась, либо отмахивалась: подрастешь, мол, узнаешь. В конце концов вопрос об отце потерял актуальность, и Юрик решил, что у него отца не было вообще.

Бабушка была родом из старинной московской семьи и приехала в Пятигорск перед самой войной, чтобы поклониться местам, где бывал Лермонтов, поэзию которого она страстно любила. Именно здесь ее и поджидала судьба. Бурный, скоротечный роман с молоденьким лейтенантом-артиллеристом, часть которого дислоцировалась недалеко от города, закончился свадьбой в офицерской столовой, а первая брачная ночь — зачатием единственной дочери, которая впоследствии и стала матерью Юрика.

Налетевшая черным вихрем война отобрала мужа. Молодая вдова совсем было засобиралась домой, в Москву, но директор школы, где она преподавала русский язык и литературу, упросил поработать, пока не подберет ей подходящую замену. Замены все не находилось, и бабушка осталась, постепенно привыкая к своим ученикам, к соседям, к этому чудесному курортному городу, окруженному горами.

Юрик хорошо помнил ее белую хату неподалеку от дома-музея Лермонтова, разноцветные мальвы в палисаднике, цветущие ветки черешни весной и тяжелые желтые груши — осенью. Бабушка водила его по лермонтовским местам, рассказывала о жизни и ранней гибели поэта, а когда на город, минуя сумерки, опускалась вечерняя тьма, она зажигала уютный ночничок и проникновенным голосом читала внуку стихи.

Второй ее страстью, которую она сумела передать и Юрику, была любовь к Москве. О московских улицах, музеях, театрах, о знаменитых людях, которые когда-то жили в этом прекрасном городе, она могла говорить часами. Уже засыпая, Юрик спрашивал:

— Ба, а мы поедем в Москву?

— Обязательно, — отвечала бабушка, задумчиво улыбаясь и поглаживая шелковистые волосы внука.

Разумеется, бабушка никак не предполагала, что из ее впечатлительного, жадно впитывающего каждое слово мальчика с пытливым взглядом серых глаз вырастет не сказочный рыцарь и даже не благородный разбойник Робин Гуд, а самый настоящий бандит, если уж судить строго юридически. Но человек предполагает, а Бог располагает...

Беда пришла нежданно-негаданно. Бабушка умерла от сердечного приступа, оставив семилетнего внука совсем одного на свете.

Хонда непроизвольно стиснул руль так, что побелели косточки тонких, как у пианиста, пальцев, и скрипнул зубами, словно давняя боль вновь вернулась к нему. Он хорошо помнил завешанные черным по русскому обычаю зеркала, полумрак пустых комнат, тревожное перешептывание каких-то людей, одетых во все черное, и косые, настороженно-сочувственные взгляды в его сторону.

Так уж случилось, что в качестве нагрузки к бабушкиному дому и саду Юрик перешел под опеку дальней родственницы. Что означает слово «опека», он тогда не знал, но своим детским умом понял, что такой счастливой жизни, как с бабушкой, больше никогда не будет.

Юрика поместили в летней кухне, где днем обычно толклись хозяйка или ее хмельной муж и вечно голодные дети, но зато ночью, когда семья укладывалась в доме и наступала тишина, Юрик вытягивался на своей раскладушке за плитой, закидывал руки за голову и начинал мечтать. Он мечтал о большом и красивом городе Москве, где по улицам ходят добрые и ласковые люди и угощают его пряниками и конфетами.

Однажды опекунша приказала ему присмотреть за козой, чтобы та не забежала в огород, и Юрик с готовностью согласился. В это время в противоположном конце двора хозяйские сыновья затеяли игру в расшибалочку, и как-то само собой получилось, что Юрик, наблюдая за игрой, так увлекся, что совсем позабыл про козу, которая, кося красным глазом, все ближе и ближе подступала к калитке, ведущей в огород. Один миг — и она уже с аппетитом уплетала свежие стебли укропа, предназначенного на продажу. Юрик опомнился только тогда, когда услышал визгливый крик женщины. До него не сразу дошло, что брань, извергавшаяся из брызжущего слюной рта, относилась к нему. Потом она схватила с земли хворостину и, размахнувшись, огрела ею мальчика. Кожу будто огнем обожгло. От боли и обиды из глаз брызнули слезы. Он, как волчонок, вцепился зубами в ненавистную руку.

— Ах ты, дрянь! — заголосила опекунша, норовя еще раз хлестнуть его по спине, но он извивался в ее руках и, наконец вырвавшись, бросился прочь от этого дома.

Юрик бежал изо всех сил, боясь, что его догонят и вернут обратно. Он примерно знал, в какой стороне находится вокзал, и сейчас думал только об одном: как забраться в вагон московского поезда и дождаться, пока он тронется. А там — будь что будет...

А было вот что. Юрик незаметно проник в общий вагон стоящего у перрона поезда, влез на самую верхнюю полку и забился в угол.

Поезд то замедлял, то ускорял ход, останавливался на каких-то станциях, в вагон входили и выходили пассажиры, а он все дрожал в своем закутке, как маленький зверек, который еще не научился защищаться.

Поздно вечером поезд прибыл на конечную станцию. Но не в Москву, а в Махачкалу. Юрик об этом, конечно, не знал. Проводник, обходя опустевшие вагоны, обнаружил спящего мальчугана и сдал его дежурному милиционеру, а тот, в свою очередь, передал беглеца в детский приемник.

Дежурным воспитателем оказалась невысокая толстуха в круглых очках; седые волосы, собранные в пучок, поддерживались пластмассовой гребенкой. Она не стала приставать к нему с расспросами, а, с участием глядя на мальчугана, который изо всех сил боролся со сном, налила ему стакан полуостывшего чая, вытащила из клеенчатой сумки бутерброд с сыром и, пока он ел, смотрела на него добрыми подслеповатыми глазами, время от времени покачивая головой.

Потом она взяла Юрика за руку и отвела в большую комнату, где стояли раскладушки. Эта комната, как потом узнал Юрик, называлась спальней. Примерно треть раскладушек была занята: мальчишки-побегушники всех возрастов нашли здесь временный приют. Кое-как раздевшись, он юркнул под одеяло и сразу же заснул, уже не чувствуя, как добрые мягкие руки укрыли его поплотнее и погладили по голове.

Он проснулся оттого, что кто-то дергал его за ногу. Резким движением он сел в постели, и раскладушка жалобно скрипнула. Он натянул одеяло почти до подбородка и огляделся. Несколько пацанов обступили его полукольцом, с интересом разглядывая, как диковинное животное.

— Ты кто? — спросил длинный и тощий мальчишка года на два старше Юрика. Его темно-рыжие волосы в беспорядке топорщились на голове, словно старая швабра, а нос, щеки, лоб и подбородок покрывала густая россыпь веснушек. Вылинявшая и продранная в нескольких местах тельняшка, явно с чужого плеча, висела на нем, как на вешалке. — Ты откуда взялся?

— Я ночью приехал из Пятигорска. Моя бабушка здесь жила, а потом она умерла, а опекунша — злюка, я и подался в Москву...

— Где, где жила твоя бабушка? — словно бы не расслышал Рыжий.

— В Москве...

— А ты куда приехал?

— Да в Москву же!..

Дружный хохот прервал его объяснения.

— Ой, ребята! Я сейчас лопну! — Коренастый крепыш с льняной челкой повалился на соседнюю раскладушку. — Да он же Рассеянный с улицы Бассейной. Ехал в Москву, а приехал в Махачкалу!

— Как в Махачкалу?! — Юрик чуть не заплакал, но очень уж не хотелось показывать свою слабость перед этими незнакомыми мальчишками. Он стиснул зубы и крепко зажмурился.

— Слышь, ты, Москвич, а пожрать у тебя нету? — Рыжий перестал смеяться и вплотную придвинулся к Юрику; вслед за ним придвинулись и другие.

Юрик отрицательно покачал головой.

— А что есть? Надо тебя прописать! Так ведь? — Рыжий обернулся к товарищам, и те дружно поддержали:

— Без прописки никак нельзя! А за прописку платить надо!

— Вот ремешок у тебя ничего! Он вполне сгодится. Как думаешь, Леший, сколько за него на толкучке дадут?

Черноволосый и черноглазый пацан, которого Рыжий назвал Лешим, до сих пор не принимал участия в разговоре. Он презрительно сощурил глаза, оценивая брючный ремень Юрика, подаренный ему бабушкой незадолго до смерти.

— Много, конечно, не дадут, но на киношку хватит...

Он не успел закончить: Юрик одним прыжком перемахнул через постель и впился зубами в веснушчатую руку Рыжего, державшего бабушкин ремень. Тот истошно заорал и отбросил ремень, словно гремучую змею.

— Да ты что? Да я тебя сейчас!..

Он бросился на Юрика, и они покатились по заплеванному полу, сдвигая в кучу легкие раскладушки и отчаянно молотя друг друга кулаками. Кто знает, чем бы закончилось первое знакомство Юрика Хонды (кличку он получил позже, когда верховодил шпаной в Махачкалинском детском доме № 8) с «уголовным миром», если бы не громкий окрик воспитателя, призывающий строиться на завтрак.

После завтрака Юрика вызвали в кабинет, где молодая и красивая тетенька в милицейской форме долго расспрашивала его о том, кто он, где его родные, как он попал в поезд. Юрик сначала отмалчивался, но когда милиционерша, подбадривающе улыбаясь, пообещала, что его не отдадут ненавистной опекунше, он рассказал все.

В детприемнике Юрик прожил почти месяц. Он подружился со своими недавними недругами, быстро понявшими, что этому пацану палец в рот не клади — откусит и не поморщится, и очень переживал, когда за Рыжим приехал отец, чтобы в который раз увезти его домой, в Воронеж. Прощаясь, Рыжий крепко пожал Юрику руку и, сплюнув на пол, пообещал:

— Все равно убегу, с этими алкашами не жизнь, а полный беспредел.

Юрик уже привык к тому, что одних пацанов уводили, отправляя кого домой, а кого — в детские учреждения, других приводили. Он уже и сам «прописывал» новеньких, уважая сильных и презирая слабых.

Однажды утром его вызвали в кабинет заведующего, где уже поджидал милицейский сержант. Ему сообщили, что документы наконец-то из Пятигорска прибыли и по решению детской комиссии он направляется в детский дом № 8, поскольку его родственница против этого не возражает.

В первый класс Юрика провожала не мама и не бабушка. Он шел в колонне таких же детдомовцев, как и он, одетый так же, как и они, с таким же ранцем за плечами и с таким же букетом осенних астр.

Может быть, для кого-то школьные годы и чудесные, но Юрик Хонда (ему нравилась эта кличка, которая ассоциировалась у него с могучей и бесстрашной южноамериканской змеей; лишь много позже он узнал, что так называется известнейшая в мире японская автомобильная фирма) вспоминал эти восемь лет как постоянную борьбу за честь и достоинство. Одноклассникам он доказывал, что он такой же человек, как и они, учителям — что он не умственно отсталый дебил, а развитой и умный ребенок, заслуживающий по многим предметам, особенно по литературе, высшей оценки. Но уже тогда, в самом начале экономического кризиса, государство не могло позволить себе тратиться на обучение и содержание даже одаренных подростков, поэтому после окончания восьмилетки Юрика Хонду, как и всех его «братьев» и «сестер» по детскому дому, ждало ПТУ машиностроительного профиля.

Подчиняясь течению жизни, Хонда продолжал страстно мечтать о Москве. Она даже снилась ему — эта белокаменная красавица в золотой короне куполов, и хотя он ни разу там не был, ему казалось, что он знает все ее улицы и переулки, площади и проспекты, парки и скверы. Он стремился туда всей душой, твердо веря, что именно там его будущее. Но помня свой детский опыт, не рисковал срываться с места без денег и документов. День получения паспорта стал для него особенным. С внутренним трепетом он держал в руках красную коленкоровую книжицу, удостоверяющую, что он, Юрий Николаевич (отчество в метрике было записано по имени бабушкиного мужа, павшего смертью храбрых в боях за Советскую Родину) Хондышев, по национальности дагестанец (на этом настоял он сам), является гражданином Союза Советских Социалистических Республик. Стипендию в училище не платили, но зато выдавали форменную одежду, которую он толкнул на барахолке совсем недорого, лишь бы хватило на билет до Москвы в общем вагоне. Друзья снабдили его «рекомендательными письмами» московским дагам, и вот с этим необременительным багажом Юрик Хонда вышел из экспресса Махачкала — Москва и оказался в столице на площади Курского вокзала.

Закинув за плечо тощую спортивную сумку, он растерянно стоял среди бурлящей толпы, зажав во влажном от напряжения кулаке несколько листочков с адресами. Затем, с трудом узнав у спешащих прохожих, как добраться по одному из адресов, отправился навстречу своей судьбе.

Первые два адреса оказались пустыми, а вот по третьему располагалась общаковая малина. Там новичка обогрели, накормили и к делу приставили.

Так началась для Хонды новая полоса его биографии, его жизненные университеты, где он изучал не законы государства и права, а воровской закон, не понятия и категории формальной логики, а уголовные понятия. В науке этой он во многом преуспел благодаря наставнику — вору в законе Серому, которому пришелся по сердцу смышленый и бесстрашный парнишка.

Перестройка, рыночные реформы и разгул демократии укрепили организованную преступность. Бандитизм и вооруженное вымогательство теперь называлось звучным иностранным словом «рэкет». Трудно сказать, почему Хонда отошел от воровских традиций, хотя связей с общаком и своими учителями не порывал. Видимо, увлекла его романтика риска, то чувство уверенности, которое неизменно испытывал он, беря в руки свою «береточку», как ласково называл он «Беретту М-92Ф» — мощный автоматический пистолет военного образца 9-го калибра с самовзводным ударно-спусковым механизмом и магазином на 15 патронов. Он любил ее, как любят женщину, берег и холил, зная, что в нужную минуту она его не подведет. Для более серьезных дел в специально оборудованном тайнике в днище «мерседеса» хранился тридцатидвухзарядный мини-«узи».

Оружие было доставлено контрабандно по специальному заказу Хонды из Аргентины и обошлось ему в кругленькую сумму, но он не жалел денег, так как оно не раз помогало ему в серьезных переделках.

На случай неожиданного милицейского шмона он всегда носил в бумажнике всевозможные фальшивые справки (уважительное отношение к документам сохранилось у него еще с детских лет) и заявление в милицию (без даты), что им, Юрием Николаевичем Хондышевым, найдено оружие и он готов сдать его властям.

Хонда не примкнул ни к одной банде, предпочитая действовать в одиночку. Никто не знал, где он живет, да он и не жил подолгу на одном месте (прописка была липовой), меняя хазы и конспиративные квартиры. Ни один авторитет или даже вор в законе из тех, кто знал его лично, не мог точно сказать, где он находится в эту минуту. Хонда появлялся всегда неожиданно, но как раз в тот момент, когда в нем наиболее всего нуждались заказчики. Он безупречно выполнял свою кровавую работу и исчезал опять. Он был неуловим и неуязвим. Ему просто везло. «Везунчик», «счастливчик», «заколдованный малый» — так скупые на добрые слова матерые уголовники отзывались о нем. «Везение» его объяснялось умением заранее просчитать все ходы противника, принять правильное решение и точно выполнять план, на ходу перестраиваясь и корректируя его в соответствии с обстоятельствами. Именно поэтому он участвовал в самых сложных разборках, и его услуги очень высоко оплачивались. Поручения законников и авторитетов, входивших в общак, пригревший его в первые московские дни, он выполнял в первую очередь и бесплатно. Вот и сейчас он приехал в Пятигорск по их заданию. Требовалось разобраться с одним местным барыгой, который обещал продать несколько килограммов рыжья по цене лома, но беспардонно кинул их: деньги получил, а с доставкой товара тянул. Задание оказалось несложным. Барыга, конечно, сослался на свою «крышу», но братва оказалась с понятиями и, вникнув в суть дела, возражать против справедливости не стала. А справедливость, по ее меркам, состояла в том, чтобы барыга вернул московскому общаку деньги со стопроцентным штрафом, а «крыше» за разводку — двадцать пять процентов от общей суммы.

Уже вечером, когда спадет жара, он надеялся двинуться в обратный путь. Конечно, самолетом было бы быстрее, но Хонда не любил самолеты, да и пронести оружие в салон — дело безнадежное, а вот прокатиться по дорогам России с ветерком — куда приятнее.

Глава II

ИСПАНСКАЯ ШАЛЬ

«Мерседес» плавно катил по асфальту, плавящемуся под горячими лучами южного солнца. Иногда машину подбрасывало на выбоинах, но мощные амортизаторы принимали удары на себя, мягко покачивая водителя. А он думал о своей полной опасностей и риска и в общем-то, при определенном раскладе, никому не нужной жизни. Ему было двадцать девять лет, и он был совсем один, ему не о ком было заботиться, не за кого волноваться, не перед кем обнажать душу — у него на целом свете не было ни одного близкого и родного человека. А он — дерзкий и хладнокровный убийца — мечтал о большом и светлом чувстве. Он хотел любви... Но среди окружавших его в избытке женщин не было той, которую он знал из снов, способной возбудить в нем это чувство. Он сходился с ними на короткое или продолжительное время, не испытывая при этом никакой радости. Хонда усмехнулся. Ему вдруг вспомнилось событие, происшедшее месяц назад.

Поздно вечером, возвращаясь с очередного «дела», на Кутузовском проспекте столицы он заметил одинокую женскую фигуру, плавно размахивающую чем-то черным, как выяснилось потом — шалью. Хонда не имел привычки подвозить голосующих, но сейчас, сам не зная почему, остановил машину. Позже он пожалел об этом.

Женщина устало опустилась на сиденье рядом и, зябко поежившись, провела рукой по тонкой шелковистой ткани.

— Это испанская шаль, настоящая, — пояснила она и добавила: — Старинная... — И, поскольку Хонда даже не взглянул в ее сторону, быстро назвала адрес.

Ехать было недалеко. «Стоило столько времени торчать у светофора и размахивать, как тореадор, своей тряпкой? Проще дойти», — подумал Хонда. Она, будто прочитав его мысли, пояснила:

— А, нагулялась уже. Целый день по Москве бродила. — И, помолчав, по слогам произнесла: — Ус-та-ла.

Ей было за сорок, в одежде — ничего вызывающего, длинные, немного растрепанные волосы она постоянно откидывала назад и искоса, каким-то рысьим взглядом всматривалась в его лицо.

— Вы князь? — спросила она вдруг.

— Вряд ли, — не желая вступать в разговор, коротко отозвался он.

— Да вы ничего про себя не знаете!.. А я вам скажу — вы князь. И не спорьте со мной. Я все вижу и знаю, прямо как вещая Сивилла. — Она снова откинула черные пряди.

— Я бандит, — усмехнулся он, бросив на женщину короткий взгляд.

— Я знаю. — Она ничуть не удивилась. — Сейчас все или бандиты, или жертвы, а так как на жертву вы не похожи, то... Зато у меня есть шаль... — повторила она без перехода.

— Я рад за вас, — прервал ее Хонда. — Где остановить? — Он посмотрел на нее как на блаженную.

— Да хоть здесь. Все равно. Мне уже все равно. Я, знаете, сваливаю отсюда. За рубежи. Не потому, что хочу. А просто я перестала понимать мою страну, а страна перестала понимать меня. Упаковала чемоданы, а жаль... Знаете, я бы хотела поработать с вашим лицом, князь... — Она продолжала сидеть. — Я скульптор, а вы прекрасный материал...

Слово «князь» стало раздражать его. «Князь», — усмехнулся он про себя, вспомнив убогую детдомовскую жизнь, первую затяжку сигаретой, первое хулиганство...

— Я детдомовец с семи лет. Родителей не помню.

— Без роду без племени? — с готовностью подхватила она. — О, гены — великая вещь. Уж поверьте мне. Да вы сами посмотрите на свое лицо — вылитый князь. Не растут на дубе апельсины... Жаль, что не встретила вас раньше. Впрочем, еще какое-то время я буду в Москве, хоть на чемоданах. — Она протянула свою визитку с телефоном и адресом мастерской. Фамилия была ему известна, эта дама, видимо, была знаменита, раз даже он слышал о ней. — Страшно, страшно жить в этой стране. Не за себя. Я дочь тороплюсь увезти и внучку. Пусть там в безвестности, на пособии, но без страха... Одни бандиты и жертвы кругом, и все это видеть...

— Я тороплюсь, — сказал он, чтобы как-то остановить этот поток беспрерывно льющихся слов.

— Мне нечем расплатиться. — Голос ее был грустен и глубок. — Да вам и не нужны деньги. Возьмите эту шаль, князь. За вашу красоту и породу. Это не простая шаль, она принесет вам счастье, только обязательно подарите ее своей радости.

Он не успел отказаться, она уже стояла на тротуаре и вдруг, поманив его пальцем, нагнулась к приспущенному тонированному стеклу и прошептала:

— Знаете, что меня привлекло в вашем лице? Смерть. Вы умрете, князь! — Рысьи глаза не выражали ничего, кроме усталости.

Он равнодушно пожал плечами.

— Вы умрете, потому что вам незачем жить... Вам пусто, страшно и одиноко... Как и мне, впрочем.

Она еще какое-то время смотрела на него не то с сочувствием, не то с сожалением, а потом, медленно повернувшись, растворилась в темноте.

Повертев визитную карточку в руках, Хонда порвал ее на мелкие клочки, которые тут же выбросил в окно. Точно так же он хотел поступить и с шалью, но раздумал едва прикоснулся к ней. Что-то магическое было в этом платке, заставляющее вспомнить, что и его когда-то родила женщина. Он скомкал изящную вещицу и сунул в вещевой отсек: пусть полежит пока.

С тех пор, кочуя с места на место, он часто думал об этой шали, как бы при случае кому-нибудь подарить ее. Но дарить кому попало почему-то не хотелось. Не было в его жизни радости. Вот и сейчас шаль была с ним, ждала своего часа.

Медленно, словно кадрики диафильмов, которые когда-то в детстве показывала ему бабушка, выплывали из глубин памяти картины прошлого. Этот город был единственным местом на земле, где его любили и где ему было хорошо. Хонда в последний раз окинул взглядом домики старого города и погнал машину в сторону центра.

Он ехал по улице, названия которой не знал, а прочитать надпись сквозь плотную садовую зелень было невозможно, и его поразили дома, даже не дома — дворцы и замки, выстроенные по индивидуальным проектам. Тут и знатоку трудно было бы определить, к какому архитектурному стилю относится то или иное строение. Пандусы, арки, башенки, иногда с бойницами, стрельчатые, круглые и полукруглые окна — здесь смешались и стили, и эпохи.

«Здесь Пушкина изгнанье началось, и Лермонтова кончилось изгнанье», — откуда-то из глубины всплыли строки, абсолютно не подходящие ни к месту, ни к действию.

Хонда переключил внимание на дорогу, тем более что он выруливал на довольно многолюдный проспект с четырехполосным движением, застроенный современными типовыми зданиями. Поток машин, и попутных, и встречных, заметно усилился. Притормозив у светофора, Хонда бросил равнодушный взгляд в сторону тротуара и в разноликой пестрой толпе мгновенно выхватил тоненькую фигурку в светлых джинсах и голубой футболке. По прямой, как у балерины, спине струилась толстая светло-русая коса, небрежно перевитая узкой синей лентой.

Хонда давно забыл, как выглядит это чудо природы — девичья коса. Все знакомые ему женщины носили модные стрижки, в детдомовском детстве большинство девчонок были стрижеными, чтобы легче мыть голову. Лишь некоторые сохранили тоненькие, похожие на крысиные хвостики, косички, за которые мальчишки с удовольствием таскали их, выражая симпатию или антипатию.

Он едва дождался сигнала светофора и, прибавив скорость, поехал вслед за девушкой. Та, ни о чем не подозревая, шла очень быстро и почему-то все время оглядывалась. Но выражение тревоги на ее красивом — хоть сейчас на обложку модного журнала — лице было связано явно не с ним. Рядом с девушкой, еле поспевая, семенила другая. Хонда подрезал красную «шестерку», шедшую справа, и, не обращая внимания на истошные сигналы и ругань перепуганного водителя, выехал в первый ряд. Он догнал девушек, а потом проехал чуть вперед и остановился. Перегнувшись через сиденье, он приоткрыл дверцу и стал ждать, пока они поравняются с ним.

— Привет! — улыбнулся Хонда. — Вы, я вижу, торопитесь. Садитесь, подвезу.

Девушки остановились, но лишь на секунду. Русокосая, скользнув взглядом по незнакомому лицу, ринулась было вперед, но ее подруга, оглянувшись, схватила ее за руку и потащила к машине.

— Тань, это выход! — И обратилась к Хонде: — Нам только до четырнадцатой школы.

Он взглянул на ту, которую звали Таней. На него настороженно смотрели зеленые, как крыжовины, удивительного разреза глаза. Тонкие ноздри небольшого носа чуть вздрагивали. Она уже пыталась возразить, но Хонда не дал ей этого сделать. Он открыто и доброжелательно улыбнулся, обнажив ровные белые зубы, и повторил приглашение, одновременно открывая заднюю дверцу. Подруга тут же юркнула на сиденье.

— Садитесь, Таня! — Он распахнул переднюю дверцу.

Кто знал, что именно эта встреча перевернет одну из кровавых страниц кавминводовского бандитизма.

Таня показалась ему феей из бабушкиных сказок. «Надо было надеть зеленую рубашку, — почему-то подумалось ему, — зеленый цвет — любимый цвет фей...» Хонда любил одеваться красиво, модно и удобно. На нем были черные слаксы от Армани и свободная серо-голубая куртка той же фирмы под цвет глаз. Шелковая сероватая сорочка со стоячим воротничком мягко дополняла костюм.

— Ну, Тань, что же ты? Садись! — торопила Лариса.

Таня нерешительно села в машину с подругой. Хонда чувствовал, что ей не нравится затея бойкой Ларисы. Он усмехнулся и захлопнул переднюю дверцу, которую все еще держал открытой.

— Вы только дорогу показывайте, я не знаю, где ваша школа, — предупредил Хонда, поглядывая в зеркальце.

— Не местный, что ли? — удивилась Лариса, явно желая привлечь внимание интересного незнакомца. — Нашу школу каждая собака в городе знает.

Хонда, наблюдая за Таней, отметил, что она продолжает время от времени оглядываться. С чего бы это? Он настолько увлекся мыслями о русокосой красавице, что чуть было не попал в переделку: какой-то местный лихач нарушил правила и, проскочив перед самым носом, умчался в сторону кемпинга.

— Козел! — выругалась Лариса и повернулась к Тане: — Ну, теперь успокоилась?

Таня грустно улыбнулась и кивнула, а Лариса продолжала беседу:

— И откуда же вы к нам приехали?

— Если скажу, что из Парижа, не поверите?

— Отчего же? У нас знаменитые места, целебные источники, красота. Но только летом. Летом много туристов! Бывают и из самого Парижа...

— Ну, не совсем чтобы из него, но примерно так, — улыбнулся Юрик.

— Обожаю заезжих парижан! — У Ларисы был явно веселый характер, и за словом в карман она не лезла. Ей доставляло удовольствие это случайное знакомство. — Может, ну ее, эту школу, Тань? Может, покатаемся, а? Про Париж послушаем... А, Тань?

— Нет, я только до школы.

У Хонды даже дыхание перехватило: настолько глубок и богат оттенками был ее голос.

— Не боись, Танюшка, если что, я тебя выручу! — не унималась озорная девица.

Но Хонда не обращал внимания на легкомысленную кокетку, хотя Бог и ее не обидел внешностью. Таня явилась в его мир из снов и фантазий.

Юрик остановил машину в указанном месте и молча смотрел вслед уходившей школьнице, ругая себя, что не смог удержать ее.

Лариса осталась сидеть в машине. Он повернул ключ зажигания, и они помчались по памятным местам Пятигорска. Молчаливый в присутствии Тани, с Ларисой он легко перебрасывался остротами, впрочем, ловко наводя разговор на интересующую его тему. Через полчаса он уже знал о них почти все: Таня, как и Лариса, учится в одиннадцатом классе, отец — бизнесмен, владеет собственной фирмой, двоюродный брат полторы недели назад попал в тюрьму — «в багажнике нашли оружие», — и вообще в ее семье возникли какие-то серьезные проблемы. Нет, Лариса не знает в точности какие, но Пятигорск — город маленький, всякие слухи, сплетни... Таня сама толком ничего не знает, но боится. Ей кажется, что за ней с недавних пор следят.

— Помнишь «опель», который обогнал нас? Это он Таньку пасет, мы его уже не один раз примечали. Прямо как в детективе, да? — щебетала Лариса. — Танька делает вид, что все хорошо, а сама не на шутку боится... И брат в тюрьме, и у отца не все гладко... Отец у нее золото, души в ней не чает, да и мать... Но о своих проблемах они молчат, конечно. А Танька нутром чувствует, что что-то не так. И машина еще эта... Вдруг ее похитить решили? Или еще что? Столько криминала вокруг, страсть! Недавно ювелира грохнули. А три дня назад заместителя мэра... Вот мы и пытались от «пастуха» своего оторваться — мы с ней всегда вместе: и в школу, и из школы, и вообще дружим... А тут ты... Классно мы от них сегодня отделались... Правда, может, мы зря паникуем? Может быть, показалось? — Она взглянула на него с надеждой, словно он мог бы внести ясность в ее страхи и сомнения. Но Юрик смотрел на нее с интересом и не более.

— И к какому же выводу пришел первоклассный детектив? — посмеиваясь, спросил он, хотя в душе пожалел, что, залюбовавшись Таней, не запомнил номер машины лихача и не разгадал причины напряженности девушки, а ведь видел же, видел страх в ее глазах, но отнес это на свой счет — испугалась крутого на «мерсе»...

— Да, конечно, показалось. Никто нас не преследует. Если бы он ехал за нами, не стал бы обгонять и светиться, верно? У страха глаза велики, знаешь? А я вообще-то отчаянная, ничего не боюсь и в судьбу верю: чему быть, того не миновать.

— На всякую поговорку есть своя отговорка, — возразил Юрик.

— Какая же?

— Кто чего боится, то с тем и случится. — Он невольно вспомнил московскую Сивиллу.

Но Лариса не была настроена на серьезную беседу, она сразу поскучнела и минут через пятнадцать попросила отвезти ее в школу.

— Как раз к третьему уроку притащусь, скажу, что была в поликлинике, что горло болит. — И, уже входя в роль, чуть ли не шепотом попрощалась с ним: — Спасибо за чудесную прогулку. — А выйдя из машины, обычным голосом игриво спросила: — На Таньку глаз положил, да?

Он промолчал, а Лариса, вырвав из блокнота листок, быстро что-то черкнула и протянула ему.

— Вот телефон ее. Звони, если еще когда-нибудь прикатишь из Парижа...

— Обязательно прикачу, — улыбнулся он.

Лариса кивнула:

— Давай! Покатаемся еще. С Таней вместе, разумеется. Она у меня всегда самых лучших ребят отбивает. Невольно, конечно, но факт: все мои симпатии тут же влюбляются в нее, хоть не знакомь. Но я не огорчаюсь. Мне тоже скучать не приходится, особенно летом!..

...Он позвонил ей вечером из номера гостиницы «Интурист», решив еще на один день задержаться в городе детства. Она подняла трубку после второго сигнала, словно сидела у телефона и ждала его звонка.

— Але-о, — послышался голос, снова повергший его в смятение.

— Здравствуйте...

Она узнала его мгновенно:

— Это вы, Юра?

— А вы меня узнали? — удивился он.

— Конечно. Я ждала, что вы позвоните.

— Почему?

— Не знаю. Просто ждала, и все.

От неожиданности он растерялся. Ее наивная доверчивость потрясла его.

— А я тебя... вас сразу не узнал, — соврал он, — такой голосок... Думал, что это ваша младшая сестренка...

— А вам разве Лариса не сказала, что у меня нет младшей сестренки?

Намек девушки на болтливость подруги он понял.

— Лариса меня не интересует.

— А кто вас интересует?

— Вы.

— Юра, а сколько вам лет? — внезапно спросила она.

— Двадцать четыре, — не раздумывая солгал он опять и почему-то разозлился на себя за эту ложь. — А что?

Голос в трубке дрогнул:

— Вы обиделись, я не имею права задавать вам вопросы. Но мне просто интересно.

— Я не обиделся, — пробормотал он и неожиданно для себя предложил: — Давайте встретимся завтра. Только без Ларисы...

В трубке затянулась пауза, а потом девушка отозвалась тихим желанным голосом:

— Хорошо...

Они договорились о свидании и распрощались. Да и о чем, собственно, им было разговаривать? Абсолютно чужие люди, едва знакомы. Но их тянуло друг к другу, хотя чуть заметная искра, проскочившая между ними во время этого случайного знакомства, еще не успела разжечь любовного пламени.

Несколько минут Хонда сидел с закрытыми глазами, странно улыбаясь и откинувшись на спинку кресла, затем вышел, запер дверь номера, сдал ключ и отправился разыскивать местных дагов.

Глава III

ДАГИ

Только неопытные журналисты да скороспелые писатели-детективщики делят преступников по национальному признаку: армянская, грузинская, российская, дагестанская, чеченская, украинская мафии. На самом же деле в этом странном объединении под названием мафия, национальность играет лишь относительную роль. Мафии неведомы границы, национальности, она намертво впивается своими цепкими щупальцами в жертву, пока не выпотрошит до зияющей пустоты, и тогда, как у насытившегося крокодила, слабеет хватка на некоторое время — до следующей охоты. Мафия интернациональна, сильна, алчна, ненасытна и, как давно отмечено, — бессмертна. И если бы вдруг нашелся чудак исследователь, который отыскал бы все точки пересечения, братания и объединения бандитских группировок разных национальностей, их взаимопомощи и взаимоподдержки во имя общих преступных интересов, пришлось бы ему не раз изумиться, развести руками в недоумении — все эти точки незаметно, непонятно каким образом, сливаясь на глазах исследователя, превратились бы в огромное черное зловещее пятно, разрастающееся, как чернильная клякса на промокательной бумаге, и поди разберись — с легкой руки чеченской ли, украинской ли, еврейской ли или какой иной мафии переброшены за кордон миллиарды долларов, эшелоны оружия, ценного металла, леса и ювелирных изделий...

Бригада дагов, состоящая из сорока человек, занималась в Пятигорске разной уголовной мелочью: рэкетирствовала, громила квартиры, не брезговала вмешиваться в чужие разборки в качестве третейских судей, урывая сиюминутную прибыль за разводки, то есть решения проблем. Разумеется, не совсем малую, но в сравнении с той, которую имеют настоящие минводовские мафиози, довольно скромную.

Руководил дагестанской бригадой Кащей, который мечтал со временем развернуться и выбить себе как можно больше места под ласковым солнцем курортного города Пятигорска. К его сожалению, почти все места тут уже были заняты более умелыми, предприимчивыми и сильными. Чтобы конкурировать с ними, Кащею приходилось изо всех сил доказывать свою крутизну: он отчаянно ввязывался в любые схватки, урывая свой кусок. Бригада росла как на дрожжах, крепла под недремлющим оком главаря, но вот тут-то его, что называется, и обогнали на повороте. Однажды, когда он, разнежившись под ласковыми пальцами молоденькой массажистки Танцовщицы, рисовал в мечтах заветную картину, как все барыги города ходят под ним, Кащеем, случилось неожиданное. За ним пришли и самым банальным образом арестовали...

Зацепили главаря дагов крепко, и знающие свое дело оперативники быстренько упрятали его за решетку «за хранение огнестрельного оружия», а следователи великодушно «забыли» в обвинительном заключении о нескольких убийствах и ограблениях с его личным участием, а также что он, Рамазанов Курбан Ахмедович по кличке Кащей, — злостный вымогатель. Запамятовали, разумеется, за очень кругленькую сумму, а не за красивые глаза. Тем более что глаза у Кащея были такими страшными, что, встретившись с ним случайно взглядом, даже отпетые отморозки торопились как можно скорее слинять, втайне мечтая когда-нибудь, при случае, загасить их зловещий огонь навсегда...

Но пока эти страшные глаза светились живой, дьявольской силой и знакомились с достопримечательностями колонии строгого режима. «Грев» на зону из его общака, исправно подпитывающегося от одной из автозаправок города, десятка ларьков и маленьких магазинчиков, не считая поступлений от «свободных» коммерсантов и кучки домушников и карманников, поступал солидный, что давало возможность Кащею жить, ни в чем не нуждаясь.

Хромой Мага, младший брат Кащея, возглавлявший теперь бригаду дагов, мягко говоря, был обременен интеллектом не более чем он, к тому же еще слабо владел методами работы на рэкетирском поприще. По поводу себя у Хромого не было иллюзий — выше лба уши не растут, как ни старайся, и Мага это понимал, но надо было как-то изворачиваться и скрывать свою беспомощность от братвы, и особенно от конкурентов. После того как Кащей отправился за колючую проволоку, Магу заботило одно — не сдать завоеванных братом позиций. И как можно скорее вытащить Кащея с нар, выяснив, кто, а главное, за что подставил главаря дагов и упек его в места не столь отдаленные. Но мысли в голове Маги ворочались очень медленно. И он не придумал ничего лучшего, как вызвать и допросить Танцовщицу, на глазах у которой загребли брата, да еще с таким нелепым «диагнозом» — хранение оружия! Разве мало-мальски уважающий себя человек ходит сегодня безоружным? Разве в милиции не знают об этом? Знают и закрывают глаза, но опять-таки не без личной выгоды. А тут вдруг открыли, подняли веки, прямо как гоголевский Вий, ткнули пальцем именно туда, где он обычно держал автомат Калашникова. Но главное, кто-то шепнул операм, где Кащей хранит свой «калаш». Значит, это кому-то было нужно. Но кому?

Танцовщица была маленькая, как куколка, гибкая и подвижная, как ртутный шарик, с прекрасным, отзывчивым на ласки телом, искренне благоволящая ко всем браткам, если искренность вообще присуща проституткам... Умелая массажистка и опытная, знающая толк в любовных утехах, Танцовщица страшно удивилась, узнав, зачем ее призвал Хромой, и захлопала круглыми янтарными глазами.

— Мага, моя профессия — не подставлять, а подставляться. О чем это ты? Ты что, не знаешь меня, орел?

Мага знал. Безобидную Танцовщицу знали в бандитском мире Кавминвод все. Как-то так сложилось, что не было у нее сильного покровителя, не было сутенера, не было Хозяина — она принадлежала сразу всем и никому в отдельности, и каждый, как умел, заботился о ней. Она была чем-то вроде городской достопримечательности, вроде дочери преступного полка. Посмеиваясь, переходила она из рук в руки. А секрет ее популярности был прост: каждому, кто с ней общался, казалось, что именно его Танцовщица любит, именно его считает лучшим и желанным. Скорее всего так оно и было, но с оговоркой на ее развратную натуру. Просто она «работала» вдохновенно, с удовольствием, жила нараспашку, не таясь, и частенько ворковала на ушко очередному разнежившемуся на ее груди братку: «Хоть и любы вы мне все, хорошие мои, хоть и дорог ты мне, сокол ясный, но поднакоплю деньжат, и придет тот день, когда куплю себе роскошную виллу на каком-нибудь золотом или красном побережье и стану жить изысканной дамой...» Все знали об этом заветном желании Танцовщицы — заиметь виллу и стать «изысканной дамой». Это трогало, умиляло даже, но в основном смешило братву. Танцовщица, связанная с Пятигорском сотнями невидимых нитей, — и вдруг оставит город? И станет жить «дамой»? На каком-то там побережье? Да скорее рак на горе свистнет!

Мага, долго молчавший после ответа Танцовщицы, вдруг выдал:

— А почему менты тебя ни разу не тронули?

— Как это не тронули? Что ты имеешь в виду? За что им меня трогать — делишек за мной нет...

— Ну, не скажи. Они тебя берут, а потом отпускают. Чем ты с ними расплачиваешься? Может, стучишь на кого?

Она опять рассмеялась:

— Что ты, сокол! Менты не мужики разве? Тем самым и расплачиваюсь, дорогой. Что имеем, то не прячем! — Она кокетливо помахала ножкой, туго обтянутой черным ажурным чулком. Потом, серьезно и даже печально обведя теплым янтарным взглядом собравшуюся на допрос братву, добавила: — Кабы я стучала, то давно бы вы все на нарах сидели, ненаглядные мои! Смотри, Мага, обидишь еще раз подозрением — не видать тебе больше моих объятий! Я его ублажаю по высшему классу, а он вон что задумал: стукачку из Танцовщицы сделать! Или я не на глазах у всех живу?

— Плевал я на твои объятия, проститутка вонючая! Пошла на хер отсюда! — заорал он под хохот братков и хитрая Танцовщица быстренько засеменила из хазы.

На этом бандитское расследование не закончилось. А Танцовщица как ни в чем не бывало принялась вновь копить деньги на виллу...

Нет, не бедствовал Кащей за колючей проволокой — ел и пил получше, чем иные законопослушные граждане на воле. Но вот хвастать ему перед уголовными авторитетами было ровным счетом нечем. Ничего выдающегося за ним не числилось. А хотелось, черт побери, утереть носы этим долбаным, как он выражался, авторитетам. Особенно задевало Кащея то, что держались они с ним подчеркнуто надменно, близко к себе не подпускали, словно он принадлежал к низшей масти. Правда, вступать с Кащеем в прения и споры по каким бы то ни было вопросам тоже опасались. Уголовники — народ во многом суеверный, а имя Кащея было окутано мистическим ореолом. Все знали: Кащей остался жив, когда менты, запинав его до полусмерти в тамбуре поезда, выкинули на полном ходу — мол, одним ублюдком меньше. Выжил он и после страшной, жестокой поножовщины в ресторане; даже истекая кровью, умудрился своими цепкими костлявыми руками задушить противника, не успевшего удрать перед налетом группы захвата, вызванной в суете кем-то из испуганных официантов. На допросе Кащей, честно глядя в глаза следователю, заявил, что задушенный был его другом и дрался на его, Кащея, стороне, и если бы ему попалась под руку та сволочь, которая посягнула на его лучшего кореша, он бы глотку ей перегрыз! Словом, и это убийство сошло с рук бессмертному Кащею.

Однажды враги взорвали его автомобиль, потом стреляли из припаркованной к дому машины — и всегда, отлежавшись в больнице и зализав раны, он появлялся снова, живой и невредимый, что поневоле заставляло многих думать, что он заговоренный... Так что погоняло свое «Кащей бессмертный», он вполне заслужил, и хотя поначалу гордому дагу оно пришлось не по душе, но потом он так вжился в этот сказочный образ, что на имя даже не откликался. Он любил говорить: «Смерть Кащеева в хрустальном яйце, а яйцо то драгоценное так надежно упаковано и спрятано за тридевятью земель, что ни одному козлу не разыскать...»

Слыл Кащей дерзким рэкетиром, а то, что не было у него должного авторитета (для этого как в преступном, так и в политическом мире необходимы огромные деньги; впрочем, в последнее время политика так переплелась с преступностью, что их еще трудно отделить друг от друга) — так это всех вполне устраивало. Беспредельщик в авторитете — все равно что марксист у власти. Потому матерые, видавшие виды уголовники, тянущие свои сроки в той же зоне, что и Кащей, не спешили выйти к нему с «предъявой». Зато Кащей, казалось, просто жить не мог, не балансируя ежедневно на острие ножа...

Матерые выжидали, пока зоновская семейка Кащея, которую он сколотил из таких же отъявленных бандитов и лихих голов, распадется сама по себе. Конечно же, если бы к делу подключились воры в законе, а главное, если бы было за что, Кащея со всей его братией порешили бы мигом. Но в том-то и дело, что воры в законе Кащеем не интересовались.

Пока же Кащей слал на волю бесконечные малявы с указаниями и требованием поскорее его вытащить да «колол» на досуге опытных картежников. Он играл со смертью, как ребенок со спичками, и был вездесущ как сущий дьявол.

Как-то один рэкетир в разговоре с мелким домушником имел неосторожность бросить: мол, знаю, что это ты кинул хату Павлика Сержанта. Об этом тотчас стало известно Кащею, и, изображая поборника справедливости, он заставил домушника при всех уголовниках открыто выразить недовольство рэкетиром: тот не имел права делать предъяву за обчищенную на воле квартиру. Уголовную этику Кащей, как всегда, использовал с блеском. Для начала он публично сделал рэкетиру замечание, чем и вызвал ответное, а затем, запутав его в бурном диалоге, прицепился к фразе, которую тот бросил сгоряча: «Ты кто такой, чтобы учить меня?» Тут уж Кащей был мастак! Его черная софистика проглотила бедолагу-рэкетира, как удав кролика! Ухмыляясь, Кащей «конфисковал» все деньги, которые бедняге передали с воли, избил его и прилюдно опустил в разряд обиженных...

В зоне отбывал наказание прожженный картежник, блатарь до мозга костей по прозвищу Марьяж. Достигнув небывалых высот в карточной игре, он возомнил себя чуть ли не Наполеоном на этом «поприще» и в итоге завалил одно тщательно спланированное авторитетами дело. От Марьяжа требовалось увлечь игрой крупного чиновника, сыграв для начала с ним «в поддавки». Но азартный картежник так зарвался, что после трех партий не оставил на чиновнике даже трусов — в результате очень выгодная операция провалилась, а сам он через пару недель сел на нары. Не зарывайся! Спасибо, на куски не разорвали.

В зоне Марьяж, разумеется, продолжал оттачивать свое мастерство: руки картежника, как и руки пианиста, нуждаются в постоянном тренинге. В один прекрасный день подсел к нему и Кащей. С необыкновенной легкостью и присущим ему артистизмом обыграв Кащея, Марьяж вдруг почувствовал, что выигрыш-то остался не за ним, а за этим зверем. Предчувствия его оправдались, когда Кащей с дьявольской ухмылкой и адским пожаром в глазах заявил:

— Лады! Ставлю свою левую руку на весь банк! — И, видя некоторую растерянность на лице Марьяжа, добавил: — Мечи банк, не то отстегну тебе прямо щас свою руку топором. Поезд пришел — вокзал уходит!..

Имей Марьяж, уже много лет живущий за счет карточных выигрышей и многое повидавший на своем веку, надежную защиту, он мог бы так же свирепо ответить: — «А чё только левую руку, ставь в придачу еще и свою задницу!»

Но Марьяж промолчал, поскольку понял, что дерзнул бы он такое вякнуть — растерзали бы его на месте, и следящий за порядком в зоне авторитет, выслушав иезуитский доклад Кащеевых людей, признал бы их действия правильными — никуда бы не делся.

Разумеется, Марьяж мог бы еще раз метнуть по три карты и с той же легкостью выиграть предложенную карточным партнером левую руку, но каким-то нутряным чутьем понял, что за этим последует: его обвинят в мухлевке, хотя ни разу ни Кащей, ни дружки его, во все глаза следившие за игрой, так и не заметили, как это Марьяж умудряется сдавать себе больше очей, чем противнику. Не заметить-то они не заметили, но теоретически об этом знали, и этого было довольно. Марьяжу здесь просто перерезали бы горло. И потому, просчитав все возможные комбинации, блатарь сдал три туза Кащею и три шестерки себе... Пусть, сука, забирает банк! Семьдесят миллионов не ахти какие большие деньги, чтобы из-за них лишаться жизни... Кащей сгреб деньги в кучу, удовлетворенно рыгнул и царственно вышел из каптерки в сопровождении дружков. Когда страшный эскорт удалился, Марьяж вытер пот со лба и трижды перекрестился...

В общем, было много такого, за что матерые уголовники ненавидели Кащея и, как охотничьи псы, преследующие добычу, терпеливо ждали случая, чтобы разделаться с ним и его кодлой. Кащея же это обстоятельство, казалось, только воодушевляло на новые дикие и дерзкие шаги.

Глава IV

КИТАЙСКИЕ КУРТКИ

Еще в начале лета владелец фирмы «Углов и К°» Иван Иванович Углов пребывал на вершине рыночного Олимпа. В прошлом тяжелоатлет, он распрощался с тренерской работой и занялся бизнесом, совершенно не нуждаясь в бандитской «крыше». На первых порах сам отбивался от наездов вымогателей, потом взял в охранники двух своих племянников, мастеров спорта по боксу, и их пятерых товарищей по рингу. Влиятельных друзей было много — и в прокуратуре, и среди омоновцев, и среди оперов. В соседнем доме жил его приятель Костров, бывший следователь прокуратуры, а ныне один из функционеров городской администрации, через дорогу — начальник пятигорского УВД. В общем, бандиты к нему лезть опасались.

В один из обычных летних вечеров, не предвещавших ничего худого, Углову позвонил Володя Снегирев, водитель «КамАЗа», и сообщил, что вернулся из Ставрополя и что ему необходимо срочно с ним встретиться.

Надо сказать, что Иван Иванович был человеком добрым. Он знал все семейные радости и горести своих сотрудников и был доволен, если мог чем-то помочь. Он получал истинное удовольствие, заботясь о людях, хотя преданные ему сослуживцы, и особенно прежний главбух, которая вот уже полгода тяжело болела и которую, разумеется, Иван Иванович считал своим долгом регулярно навещать и поддерживать материально, неоднократно предупреждали его, что подобная филантропия до добра не доводит. Он соглашался, внимательно выслушивая каждого, но на следующий же день неожиданно давал отгул уборщице, выплачивал солидную премию сотруднику, чтобы сыграл сыну пышную свадьбу.

Снегирев между тем попросил разрешения приехать к Углову домой, чтобы, как он выразился, «рассказать кое-что важное».

Володя работал у Ивана Ивановича уже второй год, работал старательно, хорошо. «Настоящий трудяга», — отзывались о нем коллеги-водители, и это радовало директора не только потому, что хороший работник всегда нужен хорошей фирме, но и потому, что он, Иван Иванович, лично принял участие в судьбе Володи и взял его к себе без всяких рекомендаций.

Однажды, подъехав к офису, он увидел на скамейке своего племянника Толю, который служил у него старшим охранником, и рядом парня с огромным кровоподтеком под глазом и распухшим носом. Пройти мимо он не мог, подсел к ребятам, чтобы разобраться. Оказалось, что Толя подошел предупредить неизвестного, что посторонним здесь сидеть не полагается. Незнакомец, а это и был Володя Снегирев, отрешенно взглянул на Углова и печально произнес:

— Я сейчас уйду, извините. Вот отсижусь немного и уйду. Ноги не держат...

Углов с укоризной посмотрел на Толю: надо же понимать ситуацию! Потом обратился к пострадавшему:

— А идти-то тебе есть куда?

Тот отрицательно покачал головой.

— Пойдем-ка ко мне. — Углов хлопнул парня по плечу. — Попьем чайку, и ты мне все расскажешь, как дошел до такой жизни...

Они поднялись в кабинет Углова, где его помощница Нина Петровна (он никак не хотел называть ее секретарем), женщина средних лет и с отменными деловыми качествами, наливала в фарфоровые чашки «Майский чай». Остро пахло свежим лимоном. Друзья и коллеги советовали ему обзавестись молоденькой длинноногой секретаршей: мол, и партнерам услада, и самому будет приятно. Но Углов отшучивался: он человек пожилой, ему лишние волнения ни к чему, а с Ниной их связывает нелегкая в прошлом работа, он привык полагаться на ее жизненную мудрость и нередко советовался с ней в самых сложных делах. Вот и сейчас он благодарно кивнул ей, когда она поставила на приставной столик две чашки, сахарницу, блюдечко с лимоном и вазочку с домашним печеньем, которое, кстати, сама и пекла.

Володя сбивчиво рассказал, что родом он из Армавира, сюда попал по распределению после окончания техникума, женился, нажил двоих детей — двух девочек-погодок. Но случилась беда — получил срок за «мелкое хулиганство»: защитил на улице женщину от бандитов, да сам же и загремел под фанфары... На зоне работал честно, за что и освободили досрочно. Вернулся домой, а у жены — любовник. Видно, у них давно уже было все слажено, а он, Володя, оказался третьим лишним. Плюнул, конечно, и ушел куда глаза глядят, да детей жалко. Неделю назад не выдержал, пришел детей повидать, а там компания у нее...

— Квартиру-то разменять можно? — участливо спросил Углов.

— Двухкомнатная у нас. Может, и можно. Но не захочу я детей притеснять. Заработаю для себя-то. Одному ведь легче.

— Правильно, — поддержал его Иван Иваныч, — жилье дело наживное. А детей, конечно, жалко...

Володя еще не успел до конца рассказать свою бытовую историю, а директор-филантроп уже принял решение.

— Они ведь там все уже спланировали, чтоб избавиться от меня! А что? Посадят в машину, вывезут в лес... Был человек и нет. Мне и лейтенант то же самое сказал... — не замечая, что директор уже не слушает его, продолжал Снегирев, выпрашивая к себе жалость владельца фирмы.

— Ты, говоришь, таксист?

— А? Я-то, да... Но больше на грузовых работал... Ребра, кажись, они мне все-таки переломали, болит все...

— Толик, — позвал племянника из приемной Углов, — свози его в травмпункт, проверь, что там ему сломали. А потом отведи в отдел кадров — посадим на «КамАЗ». Хочешь работать у меня? — обратился он к Володе. — Месяц-два поживешь в гараже, там есть комнаты отдыха, ну типа гостиницы для своих, а потом деньги появятся, квартиру снимешь. И не лезь в огонь, хорошо?

Так Володя оказался в фирме. Иван Иванович получил исполнительного и всегда готового к сверхурочной работе трудягу. А Володя, перекантовавшись пару месяцев в гараже, снял квартиру где-то на окраине, у старушки, которая готовила ему и обстирывала. Он приосанился, принарядился, и теперь никто не узнал бы в нем того растерянного, затравленного, избитого и униженного человека, каким присел он на скамейку перед офисом год назад.

Вот и сейчас Углов с удовольствием смотрел в открытое лицо парня. Он радушно усадил шофера за стол, налил из электросамовара чаю (самовар на углях в доме ставили лишь по праздникам, когда некуда торопиться) и повторил вопрос:

— Ну так какие проблемы?

— Машин на стройбазе много скопилось, никак было не загрузиться плиткой...

Фирма Углова, помимо торговли продуктами и одеждой, занималась еще и оптовыми поставками в Пятигорск строительных материалов. Дело это оказалось весьма прибыльным, так как оптовые партии стоили значительно дешевле, поэтому строительным предприятиям — и государственным, и частным — было выгодно покупать их у Углова, который устанавливал вполне терпимую наценку. Кроме того, потребителям не нужно было тратиться на дорожно-транспортные расходы, что давало им значительную экономию в бюджете. Керамическую плитку для мелких строительных предприятий города Иван Иванович закупал на свои деньги, а те расплачивались за заказ по мере возможности.

— Я уже думал обратно пустым ехать, — продолжал Володя, — но потом... Не знаю даже, как и сказать, как сознаться... Я каюсь, конечно, но хотелось как лучше... Христом Богом прошу, не губите, Иван Иваныч! Хотите, на колени встану?

— Ты что это вздумал? — удерживая за плечи готового рухнуть на колени парня, растерянно проговорил директор. — Задавил кого? Или убил?

— Ничего такого я не хотел, вот клянусь вам, Иван Иванович! Я ж порожняком назад, сами понимаете... Уже собирался ехать, а там, на стройбазе, встретил своего старого знакомого... Он и попутал меня. То есть предложил заработать... Я ж понимаю, как вы ко мне относитесь, я бы сразу по приезде деньги в фирму, не себе единолично в карман...

— Да не мямли ты, рассказывай толком, я понять ничего не могу. В чем трагедия?

— Приятель предложил сделать рейс во Владикавказ с его товаром, — без запинки, как по писаному, затараторил Володя. — За пять лимонов. Я согласился. Делов-то — сегодня к полуночи справились бы и разошлись. Но как выехали на дорогу, так его «Москвич» столкнулся с «Волгой» — чурка какой-то летел, то ли кореец, то ли ногаец, на бешеной скорости...

— И что, твой товарищ погиб? — с неподдельной тревогой спросил директор.

— Да нет, легко отделался. Что-то с левой ногой, и бок повредил — его к правой двери швырнуло... Похоже, переломы...

— Переломы — дело заживное. — Директор начинал терять терпение. — Твоя-то проблема в чем?

— Товар, которым он загрузил мою машину, оказался ворованным. Пять тысяч китайских кожаных курток по самым бросовым ценам на полтора миллиарда тянут...

— Ты с ума сошел, Володя! Зачем же ты связался с криминалом? Владельцы ведь искать товар будут...

— Да не знал я, что это криминал! Это уж когда ГАИ да «скорую» ждали, он мне рассказал, что так, мол, и так, ворованные, взяты со склада по фальшивым накладным...

— Кто хозяин курток? Кого он, твой приятель, так наколол?

— Этого он не сказал. Он отдал мне эти поддельные накладные, товар-то уже в машине моей был, и укатил на «скорой»... Что мне теперь делать? Вот я к вам и пришел... Не выбрасывать же добро!

— Но это же чужое добро, то есть я хочу сказать, не в смысле, что ворованное, а — добро твоего приятеля.

— Мы с ним поладили. Он сказал: продашь товар — половина твоя.

— Ты согласился?

— А что было делать?

— Получается, ты теперь с ним в доле?

— Выходит, что так, — опустив голову, выдавил Володя.

Директор встал со стула и медленно заходил по просторной кухне. Впервые столкнувшись с криминалом, преподнесенным ему водителем, он совершенно растерялся и не знал, что предпринять. «Надо бы посоветоваться, — подумал он. — Но с кем? С Костровым? Но он больше этими делами не занимается. С Ватниковым? Он следователь прокуратуры, старый приятель, когда-то вместе выступали за сборную края и России... Но что он, собственно, может посоветовать? Вернуть куртки законным владельцам? Но кто эти законные владельцы?.. Правильно, вернуть на склад, откуда они получены по фальшивкам...»

— Вернуть куртки законным владельцам, — произнес он вслух.

— А я? Как же со мной будет? — испуганно спросил шофер.

— Откуда вы их загрузили? — Углов словно не слышал вопроса Снегирева.

— Со склада СП «Экспресс-механика». — Голос Володи дрожал, а глаза по-собачьи преданно смотрели на директора. — Вы знаете, какая у них там «крыша»?

Директор коротко кивнул.

— Они не пощадят, Иван Иваныч! Пусть у меня жена стерва, но дети... Они и детей не пощадят! Не губите Христа ради!

— Да что ты заладил «не губите»! Почему я должен тебя губить? Давай лучше мозгами пораскинем, как нам теперь из этого выпутаться.

Совместное предприятие «Экспресс-механика» было широко известно среди коммерсантов и предпринимателей края. Иван Иванович лично знал некоторых бизнесменов и коммерсантов, которые сильно пострадали от «Экспресс-механики». Вместо честных сделок тамошние дельцы при малейшей возможности подставляли партнеров под бандитские молотки в прямом и переносном смысле. «Но кто же мог отважиться таким образом кинуть их? — опять мелькнула мысль. — Кто обладает такой силой, чтобы бросить вызов этой конторе?» Подумав еще немного, Углов вдруг почувствовал, что ему эта «интрига» начинает нравиться... В самом деле, у бандитов по липовым накладным увезен товар — не возвращать же его назад! Много чести! Дело сделано, да как просто и чисто! «Нет, не все чисто, — возразил он сам себе. — Они же станут искать вора. Куртки-то где? В машине у Володи...»

— Собственно, чем я могу тебе помочь? Зачем ты мне об этом рассказал? — уточнил он, пытливо глядя на Снегирева.

— Я подумал... Иван Иваныч, разрешите мне выгрузить товар на какой-нибудь склад, пусть отлежится пока что... А потом я куртки те распродам, а вам — пятьдесят процентов от моей доли...

Углов вдруг ощутил, как его личность странным образом начала раздваиваться. Один внутренний голос говорил: «Не вздумай прикасаться к ворованному! Не бери грех на душу! Пусть Володька сам выпутывается... И сгружать на склад не разрешай — обнаружат, тогда что?»

Другой, какой-то чужой, выползающий из тайных уголков души и сознания, нашептывал: «Не глупи, не отказывайся от удачи, которую судьба принесла тебе на блюдечке... В чем проблема? Неужели боишься? Боишься кого? Чего? Не хочешь наказать подонков, от которых столько порядочных людей пострадало? Неужели ты трус, Углов? Решайся!»

То же самое говорили открытые, с надеждой и мольбой глядящие на него глаза Володи... И он решился.

Володя разгрузил ворованный груз на одном из отдаленных от центра складов фирмы. Сторожей, что там работали, перевели на другой склад, а сюда директор лично приставил своих племянников, приказав сторожить денно и нощно, докладывать о малейших подозрительных происшествиях, а главное — чтобы ни одна живая душа не узнала, что хранится на складе!

Племянники не скрывали радости: за какой-нибудь месяц огрести по пятьдесят лимонов, и это при их-то зарплате в три миллиона! Володе, помимо «КамАЗа», выделили еще новый «газон» с фургоном, на котором он успел сделать два рейса — один в Кизляр, второй в Махачкалу, и с каждой поездки он привез директору по двести миллионов рублей.

Прошло десять дней. На складах все было спокойно. По докладам племянников, «комар мимо не пролетал». Володя занимался своей обычной работой, мотаясь по ближним и дальним городам, между делом сбрасывая куртки оптовикам. Иван Иванович постепенно забыл о своих страхах — в фирме хватало и других проблем. На одиннадцатый день (когда Володя с двумя охранниками укатил в Махачкалу с очередной партией курток) Углову позвонили. То ли ему сразу показалось, то ли уже потом, припоминая, он решил, что звонок был каким-то зловещим. Звонил такой же, как и Углов, владелец коммерческого предприятия Погонян. При коммунистах он дважды отбывал срок за хищение соцсобственности с использованием служебного положения. С наступлением демократии он уже не сидел, хотя воровал теперь не в пример больше.

— Привет, Иван, — раздался в трубке небрежный голос. — Разговорчик имеется...

Что-то липкое, противное подкатило к горлу. Углову очень не понравился этот голос. Однажды, еще в девяносто пятом, Погонян пытался наколоть его на довольно крупную сумму. После двух предварительных переговоров с предупреждениями Углову пришлось применить свою недюжинную силу и кое-какие навыки в системе восточных единоборств. Потом с помощью ведра холодной воды он привел в чувство незадачливого кидалу и заставил расплатиться по счетам. С тех пор пути их не пересекались. Конечно, Углов слышал, что Погонян процветает, ходили о нем и кое-какие слухи с душком, но о ком сейчас слухи не ходят? Поговаривали, что не коммерсант он вовсе, а настоящий бандит, помогает отмывать грязные деньги, держит подпольный цех по изготовлению водки, приторговывает наркотой и ворочает миллиардами. И еще много чего говорили шепотом, озираясь, — все-таки не о ком-нибудь, а об уважаемом человеке Илье Арменовиче Погоняне говорят...

— Что тебе нужно? — спросил Углов. Он знал, что Погонян не любит быковать, но серьезные дела решает не откладывая в долгий ящик.

— Встретиться нужно. Не телефонный разговор.

— Ну, раз тебе встретиться нужно, так и приходи ко мне завтра на работу часов в десять. Устраивает?

— Э, Ванюша, тебе эта встреча гораздо больше нужна, чем мне. Я, можно сказать, лицо потерпевшее и в некотором роде из-за тебя в непонятке... Короче, через час в Малиновом переулке, рядом с бывшим моим автосервисом. — И, не дожидаясь ответа, повесил трубку.

Минут десять взбешенный Углов ходил по мягкому ковру домашнего кабинета, ругая себя за то, что не держит в записной книжке телефонов неприятных ему людей. Знал бы номер этого Погоняна, перезвонил бы ему и послал куда подальше это «потерпевшее» лицо... Или узнать номер у общих знакомых? Но что-то удержало его от этого шага.

С тяжелым сердцем он вышел из кабинета на внутреннюю террасу и облокотился о резные перила. Внизу, в зале, на огромном ковре резвились внук и три внучки, его потомство, его отдых и отрада. Это были дети сына и старшей дочери. Младшая, любимица, заканчивала школу и наверняка уже убежала гулять с подружками по вечернему Пятигорску. Глядя на внуков, в которых он души не чаял, Углов немного успокоился. Вздохнул, вернулся в кабинет и позвонил племяннику Толе, велев взять с собой ребят, исключая Александра, второго племянника, заступившего в эту ночь сторожить куртки.

— Неприятность? — коротко спросил Толя.

— Разберемся, — так же коротко ответил Углов.

Он натянул на грузнеющее тело ремни импортной кобуры и, засунув под мышку газовый ПМ, на ношение которого имел специальное разрешение, с грехом пополам полученное в УВД края (грех заключался в тысяче долларов США, которыми пришлось отблагодарить за «помощь»), стал ждать свою команду. Он лихорадочно обдумывал сложившуюся ситуацию: неужели Погонян прознал о куртках? Ведь не имей он веских оснований, не посмел бы так разговаривать. Тут-то и вспомнил Углов, что Володя как раз сегодня отправился с ворованным товаром в путь... «Застукали парня...» — сокрушенно подумал он.

Охрана приехала быстро.

— Дядя Ваня, я «АКС» прихватил на всякий случай, правильно? — спросил племянник, поднимаясь по внутренней лестнице на второй этаж.

— Какое «правильно»? Я разрешил тебе носить его на случай непредвиденной войны, а не для разборок.

— Так ведь разборки и есть самая настоящая война: кто кого! — беспечно улыбнулся Толя.

— Я сказал — нет! У вас на что разрешение? На газовики? Вот и берите их! Чтобы все было по закону.

— Да какие, к черту, теперь законы? — вдруг вспылил племянник. — Чистоплюйством занимаемся, на одной былой славе выезжаем. Пока выезжаем! — сделал он ударение на слове «пока» и нервно рассмеялся. — Никто, слава Богу, не знает, что вы запрещаете нам носить настоящее оружие...

— А то что было бы? — побагровел Углов.

— А то бы у нас уже давным-давно возникли проблемы! Смешно: вокруг сплошь криминал, а мы в белых перчатках!

— А тебе, сопляк, белые тапочки надеть захотелось?

Толе ничего не оставалось, как умолкнуть и в который раз скрепя сердце подчиниться. По-кавказски жестким было воспитание в семье Углова. Всю дорогу к Малиновому переулку Толя молчал. Только когда подъехали к небольшой площадке перед автосервисом, он полуутвердительно спросил:

— Кажись, здесь?

Две легковушки остановились, и парни Углова вышли на площадку. И вот тут Толе пришлось еще раз пожалеть, что они не захватили с собой боевого оружия. Не вытаскивать же газовые пистолеты, когда противник бряцает боевым оружием — их быстренько скрутили в бараний рог. Получив по голове рукояткой «стечкина», Иван Иванович стал медленно оседать на капот «вольво». Толя успел лишь крикнуть:

— Не трожь дядю, сука, базар будет серьезный!

Но его тут же перепоясали какой-то железякой поперек туловища, и он распластался на асфальте. Потом двое верзил, схватив его, как куль с сахаром, швырнули в салон микроавтобуса. Туда же отправили и других охранников Углова. Пришедший в себя директор замыкал процессию, послушно двигаясь в указанном направлении, и уже через пару минут на площадке не было ни единой души.

Окажись на месте Ивана Ивановича человек, умудренный соответствующим опытом, за минуты, пока микроавтобус мчался по улицам города, он сделал бы несколько небесполезных для себя выводов. Во-первых, Погонян сидит рядом с водителем и, хотя пока ни во что не вмешивается, имеет отношение к этому нападению. Во-вторых, выглядит он уверенно, значит, либо он с этими бандитами заодно, либо они попросту его люди. Наконец, будучи барыгой, он не имел права держать вооруженную бригаду для разборок — это было вопиющим нарушением сложившегося в уголовных джунглях города, да и всей России, порядка. Стало быть, понял бы умудренный опытом человек, внезапно возникшая пренеприятнейшая ситуация не так уж и безнадежна. Следует только найти людей, которые бы смогли остановить этот беспредел. Но Углов не был сведущим в подобных делах человеком, поэтому и смотрел на все происходящее как на трагическую неизбежность. Он сидел между двумя бугаями, которые, чувствуя немалую силу бывшего штангиста, держали пистолеты наготове, уперевшись стволами ему под ребра и сопровождая сию предосторожность недвусмысленными замечаниями. Наконец в каком-то темном переулке машина остановилась. Плешивый брюнет, сидевший за рулем, — Иван Иванович понял, что он здесь за главного, — зажег в салоне свет, развернулся всем телом к Углову и гнусаво произнес:

— Ты, мерин! В натуре, хотел объехать нас? Не понял, барыга, с кем дело имеешь? — Плешивый подал своему бойцу незаметный знак, и сидевший справа от Углова коротким взмахом всадил рукоятку пистолета директору в грудь. Бил он со знанием дела, потому что угодил точнехонько в кость. Острая боль пронзила тело, но Углов, стиснув зубы, даже не вскрикнул.

— Что вам от меня нужно? Где мои ребята? — медленно спросил он.

— Я твоих пацанов перемочу, как щенков! Не понял еще, с кем дело имеешь? — повторил плешивый.

— Вы что, в самом деле такие кровожадные или прикидываетесь? Зачем вам мои пацаны? Да я всю милицию на ноги поста...

Ему не дали договорить. На этот раз бил тот, который сидел слева. И угодил прямо в солнечное сплетение. Углов хватал воздух открытым ртом, стараясь не потерять сознание. Погонян внимательно следил за происходящим, не вмешиваясь, не подавая никаких знаков, будто сидел в театре и смотрел спектакль.

— Так что, перещелкать твоих ребят, как семечки? Упрямиться будешь — я так и сделаю. — Плешивый сплюнул в открытое окно.

— Их-то за что? — с трудом произнес директор, в душе кляня себя за то, что запретил племяннику взять автомат.

— Если ты, мерин, будешь и дальше артачиться, мы найдем за что. А с тобой... Ты не догадываешься, что мы с тобой и с твоей семьей сделаем? С женой, детьми и внуками? Видно, башка твоя точно опилками набита, и я впустую время трачу на этот базар...

— Чего вы хотите? — подавленно прозвучал голос Углова. Он уже догадывался, что именно они хотят от него.

— Твои барыги у кого купили куртки? — Этот вопрос плешивый адресовал Погоняну.

— У его шофера Володи.

Углов вздрогнул, услышав ненавистный голос «потерпевшего», и обреченно выдохнул:

— Ваша взяла, я согласен на ваши условия...

— Ты, видно, не совсем въехал в тему... Отвечай конкретно, где ты, собака, куртки взял?

Директор подумал, что, вероятно, так же тяжело отвечать на вопросы следователя. Язык не поворачивался объяснить им, что куртки украл не он и даже не Володя, а какой-то приятель шофера. От этого простого объяснения он сразу почувствовал бы себя изменником. «Что же это такое? Прикрыл Володю, дал ему базу для товара, сознательно вошел с ним в долю, а теперь предать его? Нет!» — пронеслось у него в голове.

Плешивый увидел его растерянность.

— Не вздумай крутить! Твой шоферюга сидит у нас в подвале, крыс развлекает. Мы уже выбили из него правду, выбьем и из тебя, если не заговоришь сам...

...Через два часа директор был у себя дома. Превозмогая боль и тяжесть в душе, он обзвонил всех ребят, которые вместе с ним и, главное, по его вине попали под молотки. Все ребята, как и обещал плешивый, тоже оказались в своих домах, все живы-здоровы, но угрюмы и подавлены. Говорить было не о чем. Главное — живы. Раньше Углов всегда жестко подавлял любые попытки племянников и их друзей «усовершенствовать» охрану фирмы, полагая, что никто не имеет права нарушать юридические законы, а он и подавно. А сейчас, слушая их угрюмые голоса, он впервые подумал: «Они были правы?»

Он поднялся на балкон мансарды и бессильно опустился в кресло. Сюда он обычно приходил, когда хотел побыть один и поразмышлять. И было над чем. Ситуация складывалась критическая.

Ему было мучительно тяжело. Он чувствовал себя опозоренным. Ведь знал он, слышал не раз, как бандиты, используя различные приманки и уловки, накидывали на бизнесменов смертельные петли и потом медленно и безжалостно затягивали их. «Но тут же совсем другое, — пытался он найти себе оправдание, — эти бандюги спасают меня от других, идущих по пятам похитителей проклятых курток». Но понимал, что все бесполезно. «Как жене в глаза смотреть? А дети? Что с ними будет? С внуками? Что люди теперь подумают обо мне?»

Он посмотрел вокруг. Слева высился трехэтажный замок из огнеупорного кирпича, принадлежащий его приятелю Кострову. Двухэтажный особняк напротив — дом начальника УВД города — приветливо сиял всеми окнами. Обратись он к ним, и они не откажут ему в помощи — в этом Иван Иванович был уверен. Поговаривали, что милицейский начальник почти всемогущ и имеет огромные связи на самом верху. «Действительно, почему не обратиться? А что я им скажу? — горько усмехнулся он. — Вот, мол, братцы, захотелось раз в жизни на вкус попробовать криминального хлебушка, а нехорошие люди наехали с угрозами и претензиями и под «крышу» загребли...»

Нет, решил директор, нельзя ему сейчас искать ни защиты, ни справедливости. Сам заварил, сам и расхлебывай. Все непроданные куртки сегодня ночью бандиты увезут со склада, а он, Углов, за защиту от ставропольских преследователей должен внести для начала два миллиарда рублей, почти все, что осталось на банковском счете фирмы (о чем, как оказалось, плешивый был прекрасно осведомлен). А дальше?.. А дальше всю жизнь, как особо подчеркнул бандит, получая от Ивана Ивановича расписку, фирма обязана будет пятьдесят процентов чистой прибыли отдавать плешивому за «крышу». Самая что ни на есть настоящая дань побежденного победителю. На новом историческом витке развития возвращаются средневековые нравы!

Он вынул из кармана белую «визитку», где, кроме шестизначного номера, не было ни слова. «Телефон «крыши» — позорное пятно на весь мой род...» — прошептал он с горечью.

Через месяц, когда дочь сдаст выпускные экзамены в школе, он на все лето отправит семью к родственникам в Петербург. «Там они будут в безопасности. Да и белыми ночами полюбуются, — думал он. — Хотя этот проклятый плешивый может достать их и там. И тогда белые ночи покажутся чернее черных...»

Этого он не мог допустить, а посему и решил в точности выполнять все требования бандитов.

Глава V

ЮРИК ХОНДА

Уже через неделю после появления Ашота (так звали плешивого бандита) и его людей владельцу недавно еще процветающей фирмы практически ничего не принадлежало. Лишь юридические документы сохранились пока в прежнем виде, и формально Иван Иванович

Углов по-прежнему значился единственным и полноправным хозяином предприятия, которое он своими руками создал с нуля. Он похудел, ссутулился, частенько хватался за сердце и глотал таблетки, но по-прежнему каждое утро приезжал в офис и сидел там весь свой рабочий день, чувствуя на себе сочувствующие взгляды подчиненных. Он пытался заниматься делами: встречался с заказчиками, заключал контракты, проводил рабочие совещания, отдавал распоряжения, но во всех его действиях отсутствовал интерес, он жил как бы по инерции.

Володя Снегирев по-прежнему работал водителем и, встречаясь с директором в офисе или на территории гаража, ни разу не отвел глаз и ни разу не вспомнил о злополучной истории с китайскими куртками. Наоборот, директор при встрече с ним почему-то сам опускал глаза. Ему было стыдно, нестерпимо стыдно, что он все больше подозревал шофера в нечестной игре.

«Нет, не сидел Володя с крысами в подвале, не мог сидеть, потому что это их человек, подсадная утка, — все чаще думал он. — И все эти басни о его неверной жене — туфта, зацепили меня на крючок, а теперь петлю потуже затягивают... Что ж, он прекрасно справился со своей задачей — я вот и в глаза ему не смею взглянуть, а он смотрит прямо, будто нет за ним никакой вины, будто и не человек я уже, а мертвец...»

А Погонян зачастил в фирму. Какое отношение к фирме «Углов и К°» имеет Погонян? — этим вопросом задавались многие сотрудники фирмы, возмущенные безапелляционным вмешательством Погоняна и каких-то его помощников в их дела. Углов попытался поставить на место зарвавшегося коммерсанта, но его тут же осадили бандиты, ввалившись к нему в кабинет, как на собственную малину. Он поделился тревогами со своим коммерческим замом, и буквально через полчаса после разговора те же самые мордовороты посадили директора в джип и увезли за город.

«Здорово налажена у них работа», — грустно подумал директор, когда машина остановилась в старой балке, заросшей бурьяном и колючим терновником. Из серого «мерседеса» триста двадцатой модели вывалился плешивый Ашот и взгромоздился на переднее сиденье джипа справа от руля. «Не успел поговорить с доверенным работником с глазу на глаз, как они, родимые, тут как тут. Не люди, а сплошные глаза и уши: все знают, все видят... Ну да черт с ними! Раз они так засуетились, значит, я прав в отношении Снегирева и всего остального».

Ашот процитировал директору — слово в слово — все, что тот сказал заму, и, поигрывая «кольтом» тридцать восьмого калибра образца девятьсот третьего года, на рукоятке которого вздыбился черный мустанг, выложил Углову весь комплект рэкетирских «страшилок»: дом и члены семьи Углова находятся под неусыпным наблюдением, и если он рыпнется, то придется «борцам за справедливость», хоть и не желают они этого, порвать его, как тряпку, или пустить под мясорубку. Их слова едва доходили до сознания Ивана Ивановича. Голова гудела и казалась ватной, сердце билось неритмично, то замирая, а то, словно мустанг с пистолета плешивого, срываясь в скорость.

— Повторяю: малейшая попытка сопротивления Погоняну и его сотрудникам будет расцениваться как измена «крыше», за что полагается смерть... — Ашот перегнулся через спинку сиденья и приблизил к Углову мерзкую физиономию с толстыми губами, со сросшимися на переносице бровями и маленькими, острыми как булавки, глазками. Он него пахнуло перегаром и какой-то травой. — И не забывай, что было бы с тобой, если бы ставропольские тебе предъяву за курточки сделали. Соображаешь? Так что если ты умный фраер, а не дундук говенный, то не цепляйся за свое барахло поганое!..

Все в мире скоротечно — и счастье и горе. Но незабываемы ощущения побед и поражений, блаженства — от первых и страдания — от вторых. Но сильные духом не смиряются с поражением. Углов, несмотря на всю его наивность, был сильным человеком. И если поначалу и растерялся, то потом понял, что если он сдастся, то это будет не жизнь, а медленное угасание.

В принципе он уже разгадал намерения бандитов. Они вместе с Погоняном решили смешать его с грязью, что для порядочного человека хуже смерти. Углов был готов к сопротивлению и ждал удобного случая, чтобы нанести ответный удар. Единственным сдерживающим фактором была семья. Иван Иванович напряженно думал, как незаметно для уголовников вывезти из города своих близких и укрыть в надежном месте. Скрыться от бандитской мести лучше всего за Уралом, в какой-нибудь таежной деревне. А белые ночи Северной Пальмиры подождут...

Неожиданно свалилась новая беда. Старший племянник, отчаянная голова, тоже готовился к войне. Склады с товарами и автопарк стоили немалых денег, и, если их продать, думал он, можно сколотить хорошо вооруженную бригаду. Толя вертелся как волчок, вел переговоры со своими приятелями, искал единомышленников. Разумеется, его бурная деятельность не осталась незамеченной противником, и в самом начале августа его повязали оперативники, обнаружив в багажнике «Волги» несколько автоматов «АКС-74», пистолеты «ТТ», патроны и гранаты...

«Вот балбес, недоумок!» — мысленно ругал племянника Углов, хотя прекрасно понимал, ради кого пошел на правонарушение Толя и зачем ему понадобился этот арсенал. Парня надо было вытаскивать из скверной истории, и Углов уже предпринял кое-какие действия.

И вдруг — новая головная боль: анонимный звонок! Голос в телефонной трубке прогнусавил, что если он, морда, не подпишет бумаги о передаче его автопарка и бензозаправки в полное владение гражданина М. С. Васильченко (Васильченко работал механиком в фирме с самого ее основания), то его племянника в камерах «Белого лебедя» сначала опетушат, а потом переломают хребет...

И вот в эти трудные для Углова дни в Пятигорске появился московский даг Юрик Хонда.

Они договорились встретиться в три часа в сквере у Центрального универмага. Юрик страшно боялся, что она передумает и не придет, хотя самой встречи тоже он боялся почему-то. Чувство, возникшее в тот момент, когда он впервые увидел русокосую девушку, пугало его. Хонда никогда не любил по-настоящему. До этого с другими женщинами было ему просто и ясно; не требовалось ни красивых слов, ни ухаживаний, ни умных разговоров. Снял красотку, поразвлекался вдоволь и — до свидания...

Он не знал, что нужно приносить на свидания и куда приглашать таких девушек, как Таня. На всякий случай он купил пять чайных роз и коробку импортных шоколадных конфет «Аура» и, не зная, как деликатнее преподнести подарок, бросил все на заднее сиденье «мерседеса».

Таню он увидел издалека. Она светлым пятном сияла в толпе прохожих. Короткое трикотажное платьице выгодно подчеркивало стройность фигуры. Только знаток современной моды смог бы узнать в этом простеньком туалете эксклюзивный образец от Миссони, стоивший больших денег. Видимо, родители девушки любили и баловали ее. Прозрачный газовый шарф персикового цвета легким облаком обнимал шею, оттеняя золотистую кожу лица. Светло-коричневые туфли на высокой платформе делали ее выше и элегантнее.

Она подошла к Хонде и смущенно протянула руку.

— Здравствуйте, я, кажется, не опоздала?

Было заметно, что она тоже волнуется и говорит первые попавшиеся слова, лишь бы что-нибудь сказать.

— Нет, вы не опоздали, это просто я раньше приехал. Идемте к машине... — полувопросительно, полуутвердительно предложил он.

Когда Таня взялась за ручку дверцы, Хонда своим звериным чутьем уловил, что за ними наблюдают: водитель джипа не спускал с них глаз, а недалеко от машины, у газетного киоска, оживленно переговариваясь и все время посматривая в их сторону, тусовалась группа парней той самой категории, с которой он был прекрасно знаком по бесконечным разборкам.

Волнение, вызванное свиданием, мгновенно прошло; Хонда, почувствовав опасность, снова обрел привычные уверенность и невозмутимость. Он развернулся к заднему сиденью, взял цветы и конфеты и с улыбкой протянул девушке:

— Извините, я не знаю вашего вкуса и поэтому понадеялся на свой.

— У вас хороший вкус. Большое спасибо, — скромно ответила она и, поймав на себе его взгляд, покраснела. Он оторвал от девушки глаза.

И включил зажигание. Машина плавно тронулась с места и понеслась в сторону минеральных источников. В боковое зеркало Хонда видел, что джип остался на месте. Таня молча поглядывала на него. Ей нравились его лицо, серые глаза, отливающие стальным блеском, прямой нос с еле заметной горбинкой, упрямый, даже дерзкий подбородок, четкий абрис губ. Он был не просто красив, а, как говорят, породист. Именно о таком мужчине мечтала Таня. Хонда же истолковал ее молчание как смущение из-за затянувшейся паузы и перестал смотреть в зеркало: «Плевать, кто бы там ни следил, менты или местная борзота, потом разберусь...»

— Вы сегодня неотразимы, Таня! — нарушил он молчание.

— Да? — искренне обрадовалась она. — Я старалась... — Она вдруг замолчала, видимо, решив, что сказала лишнее.

Они посмотрели друг на друга и внезапно расхохотались. Им было просто хорошо в салоне шикарной машины, бесшумно скользившей мимо прохожих и разных авто.

Они проехали четвертый поворот. Белые «Жигули», на которые Хонда не обратил поначалу внимания, не отставали.

— Миледи, я приглашаю вас отужинать со мной. Выбирайте ресторан, — весело предложил он, внимательно следя за белым «жигуленком».

— Неужели я произвожу впечатление... — она замялась, но тоже наигранно закончила фразу, — ресторанной девицы? К тому же я не голодна... — уже серьезно добавила она.

Хонда вдруг почувствовал, что возникшая между ними тонкая, как паутинка, ниточка взаимопонимания вот-вот оборвется. Это испугало его.

— Извините, я не имел в виду ничего плохого и не думал, что мое предложение может обидеть вас, — как можно мягче сказал он, но тепло, которое было в его голосе, исчезло (белые «Жигули» не отставали). Он мысленно погладил ее по русым волосам: «Милая, как бы я хотел верить в твою чистоту и наивность!..»

— Да нет, ничего. Но я правда по ресторанам не хожу, — словно угадав его мысли, сказала она. — Давайте лучше просто покатаемся немного, а потом... У меня мало времени, мне домой пораньше надо, мама будет ругать. — Она неожиданно для себя еще раз покраснела.

— Хорошо, моя радость! — улыбнулся в ответ Юрик. Ему было интересно, как она отреагирует на подобную, весьма лирическую фамильярность.

Белый «Жигуль» проскочил вперед, очевидно, давая понять, что у него свой путь, а серая «Волга» заняла место прежнего хвоста.

— Что? — не то возмущенно, не то растерянно переспросила Таня. Он не разобрался в интонации, следя за перемещениями машин и встречным потоком. — Повторите, Юра, как вы сейчас сказали? — попросила девушка.

— Я сказал «моя радость». Но если вам не нравится, больше не буду.

— Я просто... удивилась. Меня так только мама и папа называют. И теперь вот вы... — Она робко улыбнулась, смутилась и подумала: «Интересно, правда ли я ему нравлюсь или так?..»

Какое-то время они ехали молча. Таня ни о чем не спрашивала, и он был благодарен ей за это. Ему было удивительно покойно от того, что эта доверчивая, чистая девочка сидит рядом. Просто сидит рядом и не боится. Впервые в жизни ему было хорошо от такой вот близости: сидеть рядом, гнать машину куда глаза глядят. Всю бы жизнь вот так путешествовать... Сколько прекрасных слов он мог бы ей сказать! Но расслабляться нельзя! Он ни на минуту не забывал, кто он есть по жизни и что ему давно пора исчезнуть из этого прекрасного города.

Через полчаса на хвост села другая машина, и Хонда из множества вариантов выбрал единственный, просчитав его холодным умом убийцы: «Ее они сейчас не тронут, им нужен я». И, мгновенно притормозив у людного перекрестка напротив четырнадцатой школы, открыл дверцу.

— До свидания, Таня! Спасибо вам, — только и сказал он.

Каким румянцем запылали девичьи щеки! Какая трагедия разверзлась в ее еще не обожженной суровыми ветрами страстей и расставаний душе!

«Я что-то не так сделала. Отказалась пойти в ресторан, обидела его... Молчала, как язык проглотила, все время... Ему просто стало скучно со мной! Да, скучно со мной, дурой! Даже свидания не назначил... Я больше никогда его не увижу...» Он даже не вышел из машины, не помог ей, не подал руку, не постоял с ней минуточку, не прошелся по скверу... Но Тане хватило гордости и ума, выйдя из машины, лишь на несколько секунд задержать взгляд на его лице. Бросив «До свидания», она быстро зашагала прочь, унося в памяти его образ, его лицо. О, какое же это было неожиданно жесткое и безжалостное лицо! Но ей все равно казалось, что нет в мире лучше мужчины, чем этот таинственный «парижанин».

«Прости меня, моя радость», — провожая глазами обиженную девушку, прошептал Хонда и усилием воли заставил себя забыть о нежности, которую он вдруг испытал к этой девочке. Он включил скорость. «Девятка» цвета мокрого асфальта оторвалась от поребрика тротуара и двинулась за ним. Вскоре она догнала его и почти прижалась к заднему бамперу. «Выйти из машины и перешмалять их всех? Или дать им возможность самим проявить инициативу? Может, по мобильнику вызвать Баца из бригады дагов для подкрепления? Неизвестно, сколько их тут...»

Теперь, расставшись с Таней, а значит, не подвергая ее опасности, он чувствовал себя сильным, ко всему готовым Хондой — тем Хондой, каким знали его собратья из могущественного московского общака. Он наконец решил, что делать, и стал внимательно приглядываться к мелькающей мимо веренице баров и кафе в поисках подходящего. На одной тихой улочке он нашел то, что искал. Вывеска над массивными дверями гласила: «Бар “Звездопад”». Он притормозил у небольшой площадки и, боковым зрением наблюдая за «девяткой», вышел из салона, включил сигнализацию и направился к двери.

В полуподвальном помещении, низкие окна которого, задрапированные плотной гардинной тканью, не пропускали дневного света, плавал сизый сигаретный дым. За стойкой, подсвеченной разноцветными огоньками, черноусый бармен ловко крутил бутылки, демонстрируя свое искусство составления коктейлей. Молоденькие официантки разносили на серебристых подносах фирменные блюда, которые по карману лишь современным нуворишам, а именно они и были немногочисленными посетителями «Звездопада».

Щелкнув пальцами, Хонда подозвал официантку.

— Коньяк, шампанское, шоколад и кофе, сок натуральный, пару блюд мясных или грибных — все равно, только в темпе и строго по порядку!

Как и предполагал Хонда, официантка успела поставить на стол лишь спиртное, сок, кофе и положить шоколад. Следопыты из «девятки» — трое парней довольно средних физических данных — вразвалочку вошли в бар и первые секунды, как и Хонда, изучали обстановку. Потом решительно направились к столику, за которым восседал их «объект».

— Любишь попьянствовать в одиночестве? Или это нас так хорошо встречаешь? — Один из них, по-видимому, старший, уперся в столик руками.

— Ни то, ни другое и даже ни третье... — усмехнулся Хонда. — Давай поконкретнее, что нужно?

— Не возражаю, — принял вызов парень, под темным пиджаком которого едва заметно бугрился предмет определенного назначения. Его дружки стояли рядом, поигрывая сумочками-визитками. — Может, позволишь присесть?

— Присаживайся...

Этот тип еще секунду размышлял, принять «приглашение» или нет, а потом резко скорчил на своей смазливой физиономии уязвленную гримасу.

— Я хочу знать, что тебе понадобилось от моей девушки? Если ты на крутой тачке катаешься, это еще не значит, что ты можешь отбивать подруг у порядочных людей!

Хонда мгновенно понял, кто перед ним, имея уже информацию от болтушки Ларисы и Хромого Маги.

— Это ты-то порядочный? — Одновременно с репликой Хонда молниеносным движением достал из-под мышки «беретту» и, щелкнув предохранителем, вскочил из-за стола. — Не дергаться! Вы, оба, визитки на стол, живо! Дважды не повторяю!

Парни своим хищным нутром почувствовали, кто перед ними, и беспрекословно выполнили его требование. Хонда снова скомандовал:

— Мордой к стене, руки за голову, ноги шире плеч. И не оборачиваться. Стреляю без предупреждения!

Хонда подскочил к застывшему на стуле главарю и ловко вытащил у него из-под мышки пистолет «ТТ».

Посетители со страхом и любопытством наблюдали эту скоротечную и весьма опасную для окружающих разборку. Поди разбери, кто тут действует — милиция или бандиты?

Хонда засунул реквизированный пистолет за пояс и, мощным движением подняв за воротник онемевшего от ужаса «влюбленного», бросил его к стене, к двум замершим его дружкам.

— Не вздумайте играть в ковбоев! Впрочем, как хотите... Пока я не вижу причины вас трогать, а разговаривать предпочитаю один на один...

Уже на улице Хонда спрятал «беретту» и, одной рукой (другой он держал за шкирку заложника) отключив пультом сигнализацию, открыл дверцу своего «мерса».

— Живо за руль, сука!

Он сел рядом, слегка приобняв бандита левой рукой, а правой держа его на мушке «беретты». В следующую секунду ствол ткнулся в подреберье заложника, и он, не смея возражать, покорно выжал сцепление. Машина миновала новые кварталы, потом старый город и выехала на шоссе, уходящее в межгорье. Позади остались пустые поля пригородного совхоза «Рассвет», впереди замаячили полуразвалившиеся постройки: видимо, здесь стояла когда-то молочно-товарная ферма. Хонда приказал свернуть на ухабистую, извилистую дорогу, ведущую к развалинам. Въехав на широкую площадку, бывшую когда-то двором и до сих пор кое-где огороженную остатками бетонного забора, «мерседес» остановился.

— Выходи! — Голос Хонды прозвучал глухо и оттого зловеще.

Насмерть перепуганный заложник, вдруг рухнув на колени, заголосил:

— Не убивайте меня, я все скажу, не убивайте! Я не виноват, я не сам... Они меня заставили.

Он подползал все ближе и ближе, стараясь поцеловать пыльный ботинок Хонды. Тот с отвращением смотрел на эту сцену, а потом оттолкнул ногой слюнявого, залитого слезами парня. Заложник откинулся назад и замер. Господи, ведь он еще совсем пацан зеленый! Ему бы в школу ходить, а он уже, наверное, в крови запачкан. Стаей-то они все храбрые, а остался один на один с более сильным противником — и в штаны наделал.

Хонда подошел к машине, постучал ногой по скату переднего колеса, словно проверяя, не спустило ли, хотя и так хорошо знал, что цело. Еще вчера планировал он укатить в златоглавую, где чувствовал себя как рыба в воде. Подумав еще минуту, он круто развернулся к лежащему на земле бандиту.

— Слушай внимательно! Мне плевать, кто за тобой стоит! Я долго не разговариваю — как только почувствую фальшь, не говоря уже о туфте, хлопну сразу! Итак: как имя отца этой девочки, из-за которой ты начал базар? Кто делает «крышу» его фирме? — Этим вопросом Хонда совершенно случайно попал в «десятку», логично рассудив: есть фирма — есть и желающие стричь с нее бабки... — Кто тебе поручил следить за мной и какую конкретно задачу поставил? Как выйти на него?

На каждый вопрос боец ашотовской бригады отвечал старательно, ибо ни малейших иллюзий относительно характера действий своего противника не питал.

Узнав о беде, грозившей русокосой девушке, московский даг все же не докопался до очень важных моментов. Во-первых, главарем рэкетирской бригады был не плешивый Ашот, а кто-то другой. Но о нем сам допрашиваемый ничего не знал. И этот таинственный главарь решил отобрать у Ивана Ивановича все, чем тот владел, кроме дома, где проживали жена и дочь-школьница. Но отнюдь не из жалости к женщинам. Убрав их, бандитам трудно будет замести следы. А так все просто — владелец ударился в криминал, влез в долги и, чтобы расплатиться с кредиторами, распродал по частям свою фирму. Не к чему придраться. Оперативники-профессионалы, конечно, размотали бы и такой клубок, но никто к ним за помощью не обращался. Иван Иванович знал свой грех и каялся...

Решив, что незадачливый браток ничего больше не знает, Юрик оставил его на развалинах радоваться избавлению от смерти, а сам взял курс к дому одного из местных авторитетов, адрес которого он получил у Серого еще в Москве, с советом воспользоваться им только в крайнем случае.

Притормозив у ворот, посигналил. Появился долговязый подручный и с подозрением уставился на незнакомца.

— Чего шары вылупил? Своих не узнаешь? Открывай быстро ворота! — наехал Хонда. И по тому, как резво и без вопросов подручный кинулся к воротам исполнять его приказание, понял, что авторитет этот не очень крепко стоит на земле, а то нанял бы себе охранника понадежнее, не поддающегося давлению незнакомых.

На открытой веранде гостя встретил мужичок благообразной внешности, лет шестидесяти, больше похожий на приходского дьячка, чем на вора в законе с погонялом Старик. Из-под мохнатых бровей Хонду ощупывали пронзительные, как бандитская заточка, глаза, уже давно потерявшие свой первородный цвет и магическую силу власти. Он молчал, пока москвич доставал малява от Серого, и так же молча и долго читал ее. Потом достал спичку, чиркнул и поднес огонек к бумажке. Она мгновенно вспыхнула и через секунду превратилась в горстку пепла.

— Молодые вы, глупые, — неодобрительно покачал головой хозяин дома. — Не след малявы с собой таскать, замести могут, объясняй тогда, кто такой Серый...

Он повернулся и, не приглашая гостя, пошел в дом, но на пороге обернулся и кивнул:

— Заходи, здесь услышать могут.

Юрик прошел в чистую просторную горницу и остановился.

— Чего стал? Проходи к столу, присаживайся, сейчас чай соберут...

Честно говоря, чаевничать Юрику не хотелось да и некогда было, но перечить Старику он не стал. Уже через несколько минут появившаяся из внутренних комнат молодка поставила на стол, покрытый не клеенкой, как обыкновенно, а льняной скатертью, два стакана в серебряных подстаканниках, достала из буфета пачку печенья и варенье в вазочке. Откуда-то из-за занавески принесла ультрамодный электрический чайник «Тефаль голд» с якобы золотой спиралью, разлила кипяток, предварительно опустив в стаканы по пакетику чая «Липтон» и так же тихо ушла, не проронив ни слова. Старик сел напротив Хонды на стул с высокой спинкой и только после этого заговорил:

— Ну рассказывай, какая нужда привела тебя ко мне?

Не прошло и двадцати минут, как Хонда выложил все, что касалось этого неожиданного приключения со слежкой за ним и юной красавицей.

— Да, оборзели совсем эти выскочки! — Старик пожевал размоченную в кипятке сушку. — Беспредел полный. Надо сходняк созывать да предъяву делать. Я тут потолкую со своими, время назначим, подумаем, кому из ближних законников малявы послать. А тебе особо шустрить не советую, ты и так засветился будь здоров. Тачку свою у меня оставь, бери мою, любую... Попроще. Ну а сейчас, если все, то иди, пожалуй.

Уже в дверях Хонда обернулся:

— Не в моих правилах в чужой монастырь со своим уставом лезть, но с таким охранником, как у вас на воротах, вы здорово рискуете.

Хозяин махнул рукой.

— А, всего месяц у меня, дальняя родственница попросила к делу приставить, вот и приставил. А ворота у меня открываются и закрываются без его участия. Будешь выезжать, глянь направо.

Выйдя во двор, Хонда огляделся и заметил справа от ворот деревянную будку, двери которой были распахнуты настежь. Он подошел поближе и увидел укрепленный на стене маленький телевизор, на экране которого просматривалась вся перспектива улицы, только немного в искривленном ракурсе. На мягком удобном диване сидел охранник, рядом с которым уютно примостился двадцатизарядный «скорпиончик». «Вот это да! — восхищенно подумал Хонда. — Не простой этот дед, оказывается, ох, не простой!»

Во дворе стояло несколько машин, и Юрик выбрал невзрачную «шестерку» с форсированным двигателем. Он вскрыл тайник в своем «мерсе», достал завернутый в промасленную бумагу и холщовую тряпку мини-«узи» и положил его под сиденье «шестерки». «Беретту» сунул за пояс и прикрыл широкой полой куртки. Через десять минут он уже мчался по городу, обдумывая свои дальнейшие действия.

Ночной бар, куда подъехал Юрик Хонда, плотным кольцом окружали иномарки, и под обильным светом фонарей и бегающих неоновых огней он скорее походил на автосалон. Девицы в коротеньких юбках кучковались на пятачке, выложенном бордовой плиткой, рядом беседовали мужские компании.

В общем, ночное заведение, где любил бывать Ашот, если заложник говорил правду, оказалось довольно шумным местом.

«Вот это-то как раз и хорошо», — подумал Хонда. Здесь, как и в «Звездопаде», было несколько залов, но они оказались большими по площади, хотя и уступали в оформлении интерьера. Народу было много. Играл оркестр, полуголая смазливая певица мямлила какую-то песню, но никто не танцевал. Публика лениво жевала, пила, курила... Пьяные парни тискали своих подружек, и они блудливо повизгивали.

Хонда миновал два зала, нашел нужную дверь, толкнул ее и очутился в крохотном кабинете. На мягком угловом диване в компании трех проституток сидел плешивый брюнет с гладко выбритым круглым лицом. Над его левой бровью Хонда разглядел темное родимое пятно. Именно эта примета помогла Хонде сразу узнать того, кого он искал.

— Привет, Ашот, разговор есть, — изобразил он подобие улыбки.

— Привет! — Нисколько не удивившись, плешивый выбрался из женского окружения. Одновременно шевельнулись и два бугая в креслах.

В кабинете оказалась еще одна дверь. Ашот пропустил незнакомца, потом вышел сам. Следом, как тени, следовали телохранители с пистолетами.

— Ну, Казанова, расскажи, как ты школьниц клеишь, пацанов в заложники берешь, допрос с пристрастием устра...

Договорить плешивый не успел — Хонда качнулся, как тень неуловимо. Бах! Бах! Два неотразимых удара, и охранники грохнулись на пол. Ашот, увидев в его руках «беретту», обмер. На его еще недавно надменном лице проступил животный страх. Мощная оплеуха вывела его из оцепенения.

Выстрелы могли слышать девки в соседнем зале, да и в других залах тоже, но это Хонду мало беспокоило. Он перебросил пистолет в левую руку, а правой сдавил горло противника.

— Кто тебе поручил следить за мной?

Плешивый, чувствуя железную хватку, даже не пытался сопротивляться и только вертел головой.

— Ты не знаешь, кого я представляю в этом городе?

— Н-нет...

— Надеюсь, ты не жаждешь отправиться вслед за своими барбосами?

— Не-е-е-т, — выдавил Ашот. Ему хотелось выплюнуть наполнившую рот горькую слюну, но он не смел.

— Я тоже не в восторге от случившегося, но очень уж не люблю, когда мне начинают демонстрировать силу. Понял?

Ашот кивнул.

— Ну вот и хорошо! Сейчас мы с тобой выходим на улицу, садимся в мою машину и едем в одно место, где кое-что обсудим. Насколько я понял, ты уже видел своего пацана, с которым я уже сегодня катался?!. А значит, знаешь, что я свое слово держу. Поехали!

Хонда спрятал оружие и подтолкнул плешивого к дверям. Тот покорно вышел из бара, сел на указанное место — за руль «Жигулей». Хонда снова достал пистолет и скомандовал: «Вперед». «Шестерка» рванула с места и понеслась по ночному городу. Юрик искоса наблюдал за сникшим новым заложником. Ашот сначала предлагал ему огромные деньги и любые услуги, а потом расхныкался, словно нашаливший ребенок, застигнутый на месте «преступления». Хонде быстро надоело его нытье, и он велел ему заткнуться и повнимательнее вести машину.

Пятигорск — городок небольшой. Затеряться здесь надолго трудно, особенно если ищут серьезные люди. А в том, что их уже ищут и скорее всего параллельно с милицией, Хонда не сомневался, и потому приехал в тихое, укромное местечко, которое приметил еще днем. Он заставил заложника загнать машину на небольшой пустырь между стройкой и старыми домами.

...С пустыря Хонда уехал один, оставив там труп плешивого. Он пытался мотивировать свои действия, прощупать их логику, но ему это никак не удавалось. Московский даг не мог объяснить себе, почему он убил плешивого. Он получил довольно емкую информацию о бандитской группировке, которой тайно руководил бизнесмен Погонян. Выходило, что Ашот в ней играл буферную роль. Но было еще что-то такое в Ашоте, которое Хонда не смог оставить без внимания.

Он вернулся к дому Старика, посигналил. Ворота разъехались, и «шестерка» вкатила во двор.

Хозяин, как и в первый раз, поджидал его на веранде.

— Можно я у вас сегодня переночую? — спросил Хонда.

— Ночуй! Светка! — повернувшись к двери, позвал Старик.

Из дома выскочила девчонка лет четырнадцати, с плутоватыми глазами пацанки.

— Что, дед?

— Гостя наверх отведи да поужинать собери. — Он снова обратился к Хонде: — Ты завтра другую машину возьми. Эта пусть отстоится, только колеса надо поменять...

Благодаря Юрику Хонде под «крышу» бригады, возглавляемой Хромым Магой, перешла крупная коммерческая фирма с торговыми складами, с магазинами по розничной торговле строительными материалами, с собственным автопарком, где числилось около тридцати грузовых и столько же легковых автомобилей, великолепным офисом в триста двадцать квадратов полезной площади и солидным счетом в одном из коммерческих банков Пятигорска. О таком щедром подарке Хромой Мага и не мечтал.

Через два дня Хромой, оговорив ситуацию с несколькими местными авторитетами, среди которых главную роль играл Старик, объявил свои рэкетирские права на фирму Ивана Ивановича. Погонян не возразил дагам, боясь, что Мага с помощью Хонды легко докажет, что отбирает фирму у ссученных — предъяву за подставленного операм Толика не выдержал бы из них никто. И никто не сумел бы объяснить, почему бандиты подчиняются барыге.

Хонда подсказал Хромому, что не мешало бы внедрить в фирму несколько человек из бригады, чтобы не оставлять ее без присмотра. Углов был рад неожиданной перемене ситуации, считай, почти судьбы, но до полного успокоения было еще далеко. Передвижение рэкетиров вокруг фирмы «Углов и К°»заинтересовало и милицию. Оперативники ломали головы, зачем это «серым хищникам» понадобилось изображать из себя бухгалтеров, экономистов и менеджеров: ведь оклады и премии, которые теперь официально получали шестеро уголовников, представляли собой смехотворную сумму в сравнении с перечислениями, которые поступали из фирмы в различные банки. Именно эти перечисления и были данью вымогателям.

Волновало оперативников и поведение Углова. Почему не причастный ни к каким махинациям директор пошел на это? На какой крючок его зацепили? Особенно это интересовало соседа Углова, бывшего следователя прокуратуры Валерия Леонидовича Кострова. Кто-кто, а уж он-то прекрасно знал и характер соседа, и положение дел в его фирме до комбинации с китайскими куртками, разумеется. А главное, Костров симпатизировал Углову, как законопослушному человеку, с которым они были не только соседями, но и приятелями. Оба любили ходить в бассейн, а потом подолгу беседовать о всякой всячине за шахматной доской. Углов даже консультировался с Костровым несколько раз по весьма щекотливым вопросам и всегда получал поддержку и мудрый совет приятеля. Но в этой странной ситуации он почему-то упорно отмалчивался, от разговоров уклонялся, а с некоторых пор перестал появляться и в плавательном бассейне...

Глава VI

ДИРЕКТОР

Наступившее затишье, однако, вовсе не означало, что Погонян просто так отступил от жирного куска. Даги ожидали скрытой войны и были к ней готовы. Еще бы! Месячный доход доставшейся им фирмы перекрывал весь годовой бюджет бригады! За такой станок любая уважающая себя группировка стала бы воевать.

Толик все еще сидел в тюрьме. И лиха ему здесь хлебнуть пришлось немало. Не зная правил «тюремного общежития», он частенько попадал впросак, но на всевозможные попытки унижения отвечал отчаянным сопротивлением. Несколько раз он кидался в драку, и сокамерники считали, что по пустякам, но в этих пустяках он видел попирание своего человеческого достоинства. Однажды его даже посадили в карцер за нарушение тюремного режима, но и это наказание не сломило его. Постепенно уголовники начали относиться к нему с некоторой долей уважения. К тому же, чтобы окончательно уничтожить человека в неволе, нужна веская причина. Когда говорится «уничтожить», имеется в виду не физическое истребление, а моральное. Человеку плюют в душу, бесчестят, опускают. И только после этого его убивает камерный киллер, если заключенный все еще представляет опасность или приговорен самими уголовниками к смертной казни. Часто после изнасилования несчастные кончают жизнь самоубийством. Смывается ли позор бесчестья, если опущенный убивает своих мучителей? Одни говорят «да», другие — «нет». Однозначного ответа на этот вопрос у зеков нет.

С гибелью формального лидера группировки плешивого Ашота ситуация сильно изменилась. Теперь никто не подбивал в камерах быков выступать против Толика. В своих малявах даги предлагали Толику войти в состав их бригады и отстаивать интересы фирмы. Тот не раздумывая согласился. Но Углов, с легкой руки московского дага получивший погоняло Директор, думал по-своему.

Лично для Ивана Ивановича Углова мало что изменилось: была одна «крыша», теперь другая, берут меньше, да и не добро ему жалко. Тут другое мучило филантропа, добрейшего человека. После долгих размышлений он пришел к выводу, что в условиях полнейшего беспредела и правового хаоса фирме просто необходимо иметь свой мобильный, хорошо вооруженный отряд, работой которого будет охрана фирмы. Командиром этого отряда раньше он видел Толика. Но сейчас он не был в этом уверен. Да и не имел он еще ясного представления о происходящем вокруг него.

Пришла пора обратиться за помощью к соседям — начальнику городской милиции Андрееву и бывшему следователю Кострову, у которого сохранились связи в прокуратуре. Он попросил выручить племянника и, разумеется, не за «спасибо». Чего уж там! Российская действительность уже такова, что не по букве закона определяются честные и бесчестные чиновники милиции и прокуратуры.

Уже через неделю Толя вдохнул полной грудью воздух свободы. Но даги не хотели менять свои бандитские привычки. Как ни убеждал их прибывший из

Москвы земляк, что контролировать деятельность фирмы следует изнутри с помощью внедренных сотрудников, многие уже считали фирму своей вотчиной и открыто заявлялись в офис получать дань и уже на несколько месяцев вперед.

Углов искал людей, которые могли бы научить его, как вести себя в этой криминогенной обстановке, как лучше организовать отряд самозащиты, каким оружием его снабдить. В этот-то момент на жизненном горизонте Директора и появился Хонда. Предстал его грустному взору во всем своем эклектическом обличьи — ни дать ни взять, бандит-интеллектуал.

Это случилось спустя некоторое время после тревожных событий, когда Углов снова стал ходить в бассейн. Проплыв обязательную утреннюю пятисотметровку, он заглянул в кафе, расположенное тут же, в здании бассейна, чтобы выпить традиционный сок. За столик к нему подсел молодой мужчина. Помешивая ложечкой кофе, он пристально взглянул на Углова.

— Извините, мне кажется, я вас знаю. — Он дружески улыбнулся. — Вы Иван Иванович Углов. — И, не оставляя времени для удивленного вопроса, продолжал: — Мы встречались в Ставрополе на открытии выставки строительных материалов в прошлом году, помните?

Углов был на выставке, но это мужественное, породистое лицо, как ни силился, он вспомнить не мог. «Неужели склероз начинается?» — горько усмехнулся он, но вслух произнес иное:

— Кажется, помню.

Завязалась беседа. Сначала ни о чем, но вскоре она перешла в нужное Хонде русло. Они проговорили часа полтора и решили еще раз встретиться. Углов не заподозрил в этом приятном молодом мужчине матерого бандита и неожиданно для самого себя выложил ему все свои проблемы. Он решил, что познакомился с крупным независимым дельцом, умеющим вести свой бизнес. И был благодарен новому знакомому, что тот просветил его, как следует себя поставить, чтобы всякая уголовная шушера не считала тебя барыгой, то есть человеком второго сорта, обязанным платить дань, и не лезла со своими притязаниями в качестве «крыши».

Лишь один вопрос Хонда оставил без ответа: он не подсказал Директору, как разобраться с Володей Снегиревым.

— Я ему так верил, на работу взял... Все из-за него... Он явно человек Погоняна! Как вы думаете, что мне с ним делать?

Хонда пожал плечами и ответил неопределенно:

— Трудно сказать. Присмотреться надо.

Но через пару дней Снегирев исчез. У Хонды появились свои планы. Согласно преступным канонам, отправлять его к праотцам было не за что. Поэтому по распоряжению Хонды рано утром Володю встретили возле гаража даги, заломили ему руки, втолкнули в машину и увезли за город, где оставили в подвале одного из домов, принадлежавших родственникам Хромого Маги.

А Хромой Мага и его приближенные терялись в догадках, почему вдруг так расхрабрился владелец фирмы, которую они уже считали своей. «Если он в силе, то как же он позволил Ашоту захомутать себя? Ашоту, который никогда и в авторитете не был! — недоумевал Мага. — Если этот барыга собирается вертануться, я ему дам хороший урок! Не хватало еще, чтобы эта мразь разговаривала со мной на равных!»

Так настраивал себя Мага на базар с Директором. Эту далеко не безопасную встречу, как и советовал Хонда, Углов назначил в номере второразрядной гостиницы, которую в советские времена именовали «Домом колхозника» и где останавливались крестьяне, приезжавшие из дальних станиц на рынок и по своим крестьянским делам. Разговор был конфиденциальным, и участвовали в нем только Директор и Хромой Мага.

— Слушай меня внимательно, Хромой, — говорил Иван Иванович, — я владею коммерческой фирмой, но коммерсантом-барыгой никогда не был, на воле каждый крутится как может, вот и я кручусь как могу... С Погоняном у меня были свои заморочки (Директор уже усвоил уголовный лексикон), я придавил его один раз за крысятничество, вот он, выждав момент, и отомстил. Теперь остается выловить этого гада, отобрать у него все, что он имеет, и замочить вместе с его шестерками, конечно, если те встрянут. А нет, так незачем их трогать. Предлагаю половину из того, что урвем у него. Что касается моей фирмы, то у меня есть мобильная бригада, парни — бывшие спортсмены, отчаянные, но, не скрою, без «навыков». И потому предлагаю твоей бригаде участие в охране. Подчеркиваю, в охране, а не в «крыше». Двадцать процентов чистой прибыли ваши. И все! В дела фирмы не лезть! Ну как, согласен?

Хромой выслушал этот монолог ухмыляясь. И Директор понял, что ничего хорошего эта звериная ухмылка ему не предвещает. Но с тех пор как начались его беды из-за собственной мягкотелости и простоты, предприниматель сильно изменился. Он чувствовал, что душа его покрылась панцирем и теперь за свое готов биться насмерть.

«Ну что ж, посмотрим, как ты поведешь себя дальше...» — подумал Хромой, но вслух произнес:

— Нормально. Главное, сделать движение, там видно будет... — И даг сухо распрощался. Директора же не покидало чувство плохо выполненной работы. Он научился смотреть на себя со стороны и, как никогда прежде, понял смысл философского правила: «Знания можно передать словами, но опыт — лишь пережив...»

Толика встретили демонстративно пышно. К воротам тюрьмы Директор подъехал на своем «вольво», парни из охраны — на микроавтобусе «тойота», были и даги на двух «БМВ». Углов открыл шампанское, налил полный фужер и громко произнес тост. Сделал глоток и подал фужер племяннику, шепнув: «Выпей молча и не оглядываясь». Тот пригубил, и Директор, приняв из его рук хрусталь, тут же разбил его об асфальт вместе с почти полной бутылкой шампанского. Пусть враги думают, что они зарекаются от тюрьмы! На самом же деле они больше не боятся туда попасть, ибо готовы «играть» по существующим параллельно с законами правилам.

Прямо от тюрьмы поехали в ресторан, который был снят заранее на всю ночь. Официально приглашенных оказалось немного, но вместе с дагами и парнями, пополнившими охрану Директора и переходившими отныне под начало Толика, набралось около ста человек. Не считая женской половины.

Хонда появился в ресторане в самый разгар веселья, пробыл не более получаса, выпил шампанского, познакомился с Толиком, поздравил его с освобождением и, шепнув что-то Директору, умчался в ночь.

Он выбрал себе в непосредственные помощники пятерых не очень броских на вид парней из бригады дагов. Двое сидели в черной «Волге», трое — в «девятке». Пожалуй, они были единственными из бригады Хромого, кто не участвовал в торжествах по случаю освобождения Толика. Почувствовав в Хонде сильного вожака, они дали согласие беспрекословно выполнять любые его поручения. Московский даг использовал еще и людей Старика, которые наблюдали за окрестностями ресторана и следили за домом Погоняна. С гибкой подачи московского дага старый вор тоже имел свой интерес в защите Ивана Ивановича.

Сейчас Хонда направлялся в станицу Белореченскую, где даги скрывали шофера Володю, шпика-профессионала, хорошо знающего свое дело. Паутина из кожаных курток — это была не единственная удачная операция Володи, как выяснилось позже.

— Ну как тебе, тихарь, нравится здесь? — начал он, отмечая про себя перемены, которые произошли в поведении и внешности Володи.

— Нормально. Но я бы предпочел десятый этаж гостиницы «Космос» в столице, будь моя воля... конечно.

— Это надо заслужить! — тут же зацепился Хонда. — Вряд ли ты придумал что-то равноценное, а?

— Тут и придумывать не нужно, я уже дал тебе полный расклад. Осталось только слинять с Кавказа и проворачивать делишки в златоглавой... — Снегирев плутовато улыбнулся. — Крутить, вертеть и пугать столичных богачей и драть с них зеленые...

— А как я могу быть уверен, что ты не начнешь и против меня вить круги?

— У тебя в руках остаются моя жена и две дочери.

— Но ведь жена у тебя блядь! Вряд ли ты огорчишься, если я ее порву, как тряпку?..

— Об измене жены я вешал лапшу Иван Иванычу. Ты это при желании можешь легко проверить. Она у меня умница, с понятиями, знает, чем я одеваю ее в шелка и откуда добываю для нее золото...

То, что спалившийся тихарь, то бишь аферист, говорит правду, Хонда знал, поскольку уже успел навести справки о его жене. И удивился тому, на какой гнилой крючок попался Углов. Еще раз о чем-то подумав, Хонда осклабился...

— Однако о богатстве своем ты мне не все рассказал... — Хонда еще раз решил прощупать шпика. Но по ответу его понял, что никаких скрытых сокровищ у пленника больше нет. Еще на первом допросе он признался, где спрятаны семьдесят тысяч долларов и полкило рыжья. Братва их изъяла и за вычетом полагающейся Хонде доли передала в общак. — Ладно, блефанул я... — признался Хонда. — Какую конкретно тему в Москве ты имеешь в виду?

— Любую, какую скажешь... Хотя тебе самому не резон впрягать меня в заведомо гиблое дело. Так что давай уж в открытую — проблема только в доверии? Или же мои дни сочтены?

Хонде понравилось, что тихарь не раскис перед смертью, а реально оценивает шансы, встречает неизбежное с достоинством. Это как раз то, что нужно для волков и тигров преступного мира, а в случае Снегирева, для хитрого лиса. С иным отношением к жизни и смерти на бандитском поприще нечего и делать. Если бы не неуемная жадность и жестокость Погоняна, блестяще проведенная шоферюгой комбинация так и не попала бы в историю минводовского рэкета. Иван Иванович и дальше работал бы, не подозревая, как лихо его надули, надев, как на вола, ярмо для пахоты коммерческого поля, пока кто-то другой, более сильный, а главное, более хитрый, не начал бы строить вокруг его фирмы свою игру.

С тех пор как Погонян потерял контроль над фирмой Углова, он ни разу не проявил себя. Внешне ситуация выглядела так, как будто он смирился с проигрышем. Он даже не появился на похоронах Ашота. Более чем скромные, надо сказать, были похороны его буфера. Милиция даже не шелохнулась, так «чисто» обстряпал это дельце Хонда. Погонян жил на загородной вилле, окруженный многочисленной охраной, которой теперь командовал друг Ашота по прозвищу Костя — от фамилии Костиков. Все свои дела решал через подставных лиц и только по телефону. План уничтожения Погоняна и раздела его имущества как-то сам по себе отпал у Ивана Ивановича и Хромого Маги.

Хромой не затрагивал эту тему, а Директор не спешил расквитаться с врагом — был занят укреплением своих позиций в сфере бизнеса и комплектованием отряда бойцов охраны. Главным консультантом по всем вопросам, даже по сугубо коммерческим, стал для Директора Хонда — Юрий Николаевич Хондышев. Они теперь встречались довольно часто.

Не без помощи Хонды Директор провернул ряд удачных сделок. Его доверенный заключил в Москве несколько долгосрочных контрактов: с одной иностранной фирмой — на поставку трубопроводной арматуры, выпускаемой в Георгиевске, с другой — на отгрузку оборудования для пивоваренных цехов, пекарен и других предприятий пищевой промышленности. Сделка обещала принести прибыль в миллион долларов, часть которой Директор предложил Хонде. Но тот великодушно отказался, чем немало удивил владельца фирмы.

Углов продолжал работать без криминала, если не считать укрытия доходов от налога. Но этим, как известно, грешит подавляющее большинство предприятий страны, особенно, когда приходится платить рэкетирам.

Володю Снегирева же Хонда отправил в столицу. Его там встретят, предоставят жилье, и начнет он заниматься тем, чем привык, — обработкой доверчивых лохов, на которых ему укажут новые хозяева, то бишь близкие друзья Хонды.

Больше месяца прошло с того дня, как московский даг Юрик Хонда на серебристом «мерседесе» въехал в город Пятигорск. Пора было возвращаться в первопрестольную, но уезжать почему-то не хотелось, хотя и позволить себе лишний раз прокатиться по любимым улочкам он не мог. Оперативники вдруг начали рыскать по городу в поисках гастролера, замочившего Ашота. И хоть старался он не очень светиться, видели его многие, и фоторобот наверняка уже был готов. Хонда стал осторожнее. Он почти никогда не ночевал дважды в одном месте, нигде не появлялся без сопровождения вооруженных бойцов, не встревал лично в разборки. В одном он не мог отказать себе: в редких встречах с Угловым, беседуя с которым он невольно думал о его дочери. Нельзя сказать, что отец и дочь были очень похожи: лицом Таня выдалась в мать. Но если это твое детище, то частичка его неизменно живет и в тебе. И Хонда находил это сходство в лицах отца и дочери. Милая школьница, которую он не забывал ни на день, о которой думал с нежностью и тоской, представала перед его мысленным взором верной женой, чье сознание не отравлено прозападной культурой.

Он ловил себя на том, что в его планах на будущее все чаще и чаще присутствовали картины спокойной семейной жизни с женой-красавицей, которая нарожает ему сыновей, и его безвестный род наконец-то получит «благородное» продолжение. Вот только уйти бы от рэкета — проклятого ремесла... Именно поэтому он и тянул со звонком Тане. Ему хотелось покончить со всеми грязными делами и, оставив все в прошлом, прийти к ней и сказать:

— Здравствуй, моя радость!

«Черт возьми! — выругался он в сердцах, когда эти мысли вдруг вовсе одолели его. — Ведь многие достигают так называемого высокого положения в обществе далеко не лучшим путем. Например, политики... Пожалуй, они даже большие злодеи, чем я, которого сама судьба сделала убийцей и бандитом...»

* * *

Ни жена, ни дочь Ивана Ивановича не ведали о масштабах тех бед и бурь, которые пронеслись над их домом за последние месяцы.

Углов сидел в кабинете и вяло перелистывал коммерческие издания, выписываемые из Москвы и Петербурга, не вникая в смысл написанного. Одна мысль не давала ему покоя. Когда разнесенная по бревнышку фирма, как в сказке, по мановению волшебной палочки стала возрождаться, а потом и стремительно набирать обороты, он воспринял это как знак судьбы: сначала наказание, чтобы не зарился никогда на «бесплатный сыр», потом прощение самого Господа Бога. Но постепенно он стал осознавать, что никакого волшебства здесь нет, все сделано, воссоздано и приумножено стараниями одного человека, который и не родственник ему, и не сват, и не брат, а просто случайный знакомый. Зачем он пришел на помощь тонущему кораблю? И откуда этот храбрец и умница появился на этом корабле? И когда придет время платить по счетам — а Углов не сомневался, что так и будет, — какую он потребует сумму? Нет, разумеется, Углову для него ничего не жалко, но...

Да, слаб человек, слаб. Не может он поверить, да и не поверит никогда, после всего случившегося, что помощь бывает бескорыстной. Мысль о плате беспокоила Директора денно и нощно. При всем том, узнай он, что с Хондой случилась беда — он без колебаний помчался бы на помощь и даже убил бы ради него, если бы потребовалось... Хотя жить с сознанием, что ты убийца, — тяжелый удел. Это Углов понимал и хотел безоблачного счастья для всех: для себя, своей семьи, родных, да для того же Хондышева, наконец.

Глава VII

ТАНЦОВЩИЦА

Двадцатитрехлетняя Анна Павловна Звонникова решила сегодняшний вечер посвятить себе и немного почистить перышки. От своей древнейшей профессии она несколько подустала.

Жила она вместе с родителями в трехкомнатной квартире блочной девятиэтажки, занимала самую уютную, изолированную комнату с телефоном. У родителей был телефон, но Анюта — как называли они единственную дочь — поставила для себя аппарат с отдельным номером и автоответчиком. Если звонил семейный телефон, а предков не было дома, дочь трубку не снимала и вообще не реагировала на то, что ее непосредственно не касалось. Впрочем, родителей она не обижала, наоборот, заботилась о них, доставала лекарства, приносила всякие вкусности, но в душу к себе не пускала и их проблемами не интересовалась.

С детства она была смешливой и ласковой, подкупающе искренней и на первый взгляд простодушной. В восьмом классе она страстно влюбилась в музыканта из ресторана, стенала и плакала, выпрашивая у родителей деньги, чтобы «послушать музыку», ходила по пятам за своим избранником, который был старше ее лет на двенадцать, клялась, что покончит с собой, если он от нее отвернется... Он не отвернулся, и Анюта переехала жить к музыканту, объяснив обомлевшей матери: «Мам, ты не переживай! Мы немножко так поживем, а потом, как все, поженимся! И я в белом платье буду, с фатой... Ну, мамуля, ты мне веришь?»

Мамуля глотала слезы и пила корвалол.

За три года жизни с музыкантом она прошла настоящую школу: научилась пить водку из любой посуды не закусывая, курить анашу, трахаться во всевозможных позах; участвовала и в групповухе. Но самое главное, она научилась ублажать мужчин, узнала, как доставить им незабываемое наслаждение, чтобы в следующий раз из десятка ей подобных они выбрали именно ее. Нет, Анюта не собиралась стать проституткой. Она искренне верила, что ее длинноволосый музыкант любит ее и никогда не бросит. Но приближалось восемнадцатилетие, то есть возраст, когда можно будет зарегистрироваться официально, а музыкант становился все скучнее, холоднее и суше. И вот однажды, вернувшись в замусоренную каморку, которую они снимали у полуглухой бабки в старом городе, она обнаружила, что вещи его испарились.

Она, как водится, поплакала и вернулась в отчий дом. Нельзя сказать, что родители приняли с распростертыми объятиями свою блудную дочь, но со временем все забылось и слепая родительская любовь одержала верх. Несмотря на все их уговоры пойти учиться или устроиться на приличную работу, Анюта продолжала жить той вольной жизнью, к которой привыкла. Каждый вечер перед ней распахивались зеркальные двери ресторана, она приветливо делала ручкой официантам и проходила в грим-уборную, чтобы через некоторое время выпорхнуть оттуда не Анютой Звонниковой, а беззаботной и веселой Танцовщицей.

Танцевальный дар обнаружился в ней еще в детстве. Она посещала различные хореографические кружки и студии, куда водила ее мать. Знатоки, видевшие девочку на сцене, прочили ей неплохое будущее. А ее талант расцвел на круглой сцене ресторана. Правда, танцы ее были эротические и, если публика очень просила, заканчивались стриптизом. Грациозно и ловко, в такт музыке, сбрасывала она сначала коротенький прозрачный пеньюар, потом крошечный бюстик, еле удерживающий полную грудь, и черные чулки-паутинки...

Вечер, как правило, заканчивался в постели очередного «возлюбленного».

С некоторых пор у Анюты появился покровитель. Чтобы встречаться без особых проблем, он даже снял квартиру в том же подъезде, где жила Анюта, двумя этажами выше. Но виделись они редко. Он был намного старше ее, холоден, скуп на ласки и теплые слова, но зато щедр на подарки и деньги, а главное, не требовал, чтобы она ни с кем больше не встречалась. Он называл ее Бэла. Она никогда не спрашивала, кто такая Бэла, а он не рассказывал. «Наверное, по ассоциации с лермонтовской Бэлой», — думала она.

Мужчиной он был слабым, и, несмотря на все ее старания, ей редко удавалось его расшевелить. Но для «любви» у нее были братки.

Трудно сказать, почему Анюта не отшивала его, а, напротив, выполняла все его поручения. Только ли деньги были тому причиной? Скорее всего она просто боялась, потому что чувствовала даже на расстоянии зловещие флюиды психической энергии, исходившие от этого человека.

Пятигорск — городок небольшой. Здесь сложно скрыть свою личную жизнь от посторонних глаз, особенно если тебя знают с самого детства. И если уж Москву называют большой деревней, то о Пятигорске и говорить нечего. До родителей доходили слухи об образе жизни их дочери. Сначала они не хотели этому верить. Потом, когда задумались, на какие средства покупаются сногсшибательные наряды, где их дочь проводит вечера, возвращаясь домой под утро или не возвращаясь вообще, пришли к неутешительному для них выводу. Они пробовали серьезно поговорить с Анютой, но разговор закончился ее слезами и уверениями, что все это неправда. Но они постепенно смирились и стали принимать дочь и ее жизнь такими, как они есть.

— Анюта, ты с нами поужинаешь? — раздался из кухни голос матери.

— Угу... Я сегодня никуда ни ногой, у меня выходной, — ответила дочь и хохотнула. — Я, мам, сейчас в ванную, а ты не входи. Я тебе потом покажу. — И она весело упорхнула в ванную комнату.

— С нами сегодня, — говорила мать отцу, чистя картошку. — И ночевать останется. Сейчас будет нас чем-то удивлять...

И удивила. Когда она, выйдя на кухню, сняла с головы полотенце, родители дружно ахнули: перед ними стояла яркая блондинка, хотя волосы у дочери отродясь были темными.

— Ну? Удивила? Такую вот красочку сейчас выпускают — комар носа не подточит...

Родители переглянулись. Нет, это была, конечно, их дочь, но... Но как бы и не их в то же время. Непохожая, совсем непохожая на их Анюту девушка стояла перед ними и улыбалась.

— Зачем это ты?.. — робко спросил отец.

— Для конспирации, — засмеялась она в ответ. — Ох, папуля, какой ты несовременный! Сейчас блондинки в моде, самый писк! Ну, кормите меня, родители, я страсть какая голодная!

Старики любили вечера, когда дочь оставалась дома. Было весело, уютно и тепло всем вместе, чувствовалось, что они единое целое, семья. Только вот, к сожалению, дочь редко устраивала им такие праздники.

— Мам, ты у нас все знаешь, — спросила дочь с набитым ртом, — что там у Печорина с Бэлой получилось? Я забыла...

— Ты не забыла, ты просто никогда не читала «Героя нашего времени» до конца.

— Ну, кино видела, да забыла. Так что там?

— Печорин ее разлюбил.

— Но не убил?

— Нет, убил ее бандит, из мести, Казбич. Ножом в спину.

Анюта ахнула:

— Вот мерзавец! А Печорин страдал?

— Немного пострадал, но...

— Что «но»?

— Это оказалось к лучшему, что она умерла. Потому что он к тому времени уже не любил ее, тяготился ею...

Аня положила вилку на тарелку.

— И всегда так, — прошептала она и вышла из кухни.

Через несколько минут, убрав со стола, мать заглянула в комнату дочери: та валялась на тахте и весело щебетала по телефону. Значит, все в порядке. Но этой милой, интеллигентной женщине и в кошмарном сне не могло присниться, что Казбич хоть и разбойник, но по сравнению с ее ненаглядной Анюточкой — сущий ангел...

* * *

Хонда сменил машину: разъезжать по городу было небезопасно. Но его как магнитом тянуло к Таниному дому; хотелось посмотреть на ее окна, может, мелькнет знакомый силуэт... «Совсем рассиропился», — выругал он себя и неподалеку от офиса Директора снял девку, голосовавшую на дороге. Она оказалась такой деловой, что тут же назвала цену: за час, два и за ночь. Он решил взять ее на ночь и тут же, в машине, расплатился, а затем повез ее в однокомнатную квартиру на окраине города, снятую для него одним из дагов.

Блондинка оказалась действительно хороша в постели. Вот если бы не эти французские фокусы с минетом, она даже могла бы ему понравиться. А так соска — она и есть соска. Она настойчиво предлагала ему выпить, пыталась развеселить щедрого кавалера, но это ей не удалось. Хонду не покидало чувство какой-то легкой тревоги.

«Таня! — Он чуть не застонал. — Я тут расслабляюсь, а она? Бросил ее на тротуаре, укатил, не звоню больше месяца. Что она обо мне сейчас думает?» Нет, ему совсем не хотелось, чтобы Таня вспоминала о нем плохо. Он так резко вскочил с кресла, что бойкая путана от удивления замолчала.

— Подожди на кухне! Можешь там выпить, — кивнул он на бутылку коньяка.

Девушка послушно напялила на голое тело толстый махровый халат и тихонько вышла. Хонда быстро набрал номер.

— Але, — после третьего гудка послышался приятный женский голос.

«Наверное, ее мать», — подумал Хонда. Мгновенно вспомнилось, как когда-то в юности не отдали за него чернобровую махачкалинку, посчитав, что детдомовский парень без роду без племени — не самая лучшая партия для их дочери, хотя и соответствовал он внешностью великолепной хунзахской породе.

— Прошу прощения за столь поздний звонок, но не будете ли вы так любезны пригласить к телефону Татьяну Ивановну, мне она нужна по очень важному делу...

— Ну, такому галантному молодому человеку отказать не могу, секундочку...

Послышался певучий оклик: «Та-а-ня, тебя к телефону просят».

— Да, я слушаю, — не сказала — прошептала девушка, видимо, предчувствуя, кто ей звонит.

— Привет, Таня, — виновато пробормотал он, отчего-то сразу сникнув и погрустнев.

Она чутко уловила его настроение.

— А, это вы! Привет. Почему такой грустный голос?

— Разве? Я и не заметил...

— Ну, не важно, мне с вами и с грустным интересно поговорить.

— Только поговорить?

— Возможно, не только, хотя... — Она замолкла на секунду, — вы странный какой-то...

— Тогда осмелюсь еще раз назначить тебе свидание, не возражаешь? — Он незаметно для себя перешел на ты.

— А вы попытайтесь и увидите...

— Я так и думал...

— Что?

— Что ты маленькая интриганка... У меня для тебя есть подарок, Таня. Надеюсь, тебе понравится. — И он рассказал ей историю испанской шали.

— «И подаришь своей радости...» — задумчиво повторила Таня фразу скульпторши. — Как романтично!

— Именно «радости», — подтвердил он. — Моей. Но чтобы ты не питала никаких иллюзий на мой счет, предупреждаю: я не самый лучший парень в этом грешном мире, а ты такое чудо, что вряд ли все розы мира смогли бы сравниться с твоей красотой...

Повисла пауза. На другом конце провода слышался лишь едва уловимый шум девичьего дыхания. Хонде даже показалось, что он слышит стук ее сердца. Он почти задохнулся от счастья, если, конечно, счастье может вмещаться в несколько минут, как бесценный перстень с алмазом в крохотную коробочку.

— А вы поэт, хотя и нахал! — наконец тихо прозвучало в трубке. Так тихо, будто она боялась, что их кто-то услышит.

— Возможно, но любопытно узнать — почему?

— Не знаю... Наверное, потому, что это совсем не так...

— Прости...

Снова возникла пауза.

— Завтра в шесть вечера я подъеду к тому самому месту, где мы расстались с тобой. До встречи, Таня.

— До встречи, Юра.

Он первым положил трубку и критически оглядел обшарпанную квартиру. Нет, сюда ее нельзя приглашать — слишком убого и вульгарно. Юрик пошел на кухню.

— Извини, крошка, наше общение отменяется. Можешь получить деньги и отдохнуть от тяжких трудов. — Он протянул ей три стодолларовые бумажки.

— Но почему? Я тебе не понравилась?

— Да нет, понравилась, но у меня изменились планы...

— Жаль! А баксы эти мне не нужны...

— Подожди, подожди... Ты разве не путана? — удивился Хонда, впервые внимательно разглядывая случайную гостью. Что-то насторожило его сейчас.

Хонда бросил доллары на стол.

— Так ты путана или нет? — повторил он вопрос. — Кто ты?

— Конечно, милый, а баксы свои я уже получила. Разве ты забыл? Мы же еще в машине рассчитались. Хочешь покажу? — И она грациозно скользнула было в комнату, где осталась ее сумочка, но он удержал ее, сам пошел в комнату и вернулся с сумочкой. Затем высыпал содержимое на стол: смятые деньги, ключи, косметичка. Она спокойно наблюдала за ним теплыми янтарными глазами. — Ну, убедился? Ты что, пьяный был, когда расплачивался?

Он открыл косметичку с тем же непроницаемым выражением лица.

— Вот уж не думала, что такой мужчина интересуется секретами дамской красоты и обольщения...

Московский даг сосредоточенно изучал флакончик с какой-то жидкостью.

— Это краска для волос, — пояснила гостья.

Лицо его мгновенно изменилось. Кожа на лбу и на щеках натянулась, отчего скулы казались каменными, глаза заледенели. Ни слова не говоря, он схватил девушку за волосы и потащил в ванную. Она завизжала, сопротивляясь.

— Знаешь, многие шлюхи вроде тебя кончают свой грешный путь в ванне. Видимо, ты не будешь исключением...

— Что я тебе сделала! Пусти! Больно же!

— Кто тебя подослал? — Он стащил с нее халат и, толкнув в ванну, пустил воду.

Ни слезы, ни мольбы о пощаде, ни уверения в том, что он ошибся, не за ту ее принял, не помогали. Хонда продолжал допрос, доверившись своей интуиции, почти звериному чутью. А он это отлично умел делать: через полчаса у него и немой заговорил бы!

— Кто тебя подослал? А? И содержимое флакончика предназначалось мне? Или я ошибаюсь?

Проститутка молчала, дрожащая и бледная.

— Лежи и не вставай, — приказал он и вышел из ванной, но тут же вернулся с сигаретами, закурил и протянул пачку ей. — Допустим, я ошибся... Но я все равно все выясню. Поживешь несколько дней в каком-нибудь подвале, пока я проверю...

— А меня и проверять-то нечего. Я сама скажу. — Она назвала свое имя и кличку. — Танцовщицу все братки знают, проверяй сколько угодно. За мной ничего нет.

— Значит, так, — почти миролюбиво сказал он, — я сейчас звякну, и мои парни быстро узнают твой адрес...

— Я сама тебе все расскажу!

— ...Имена и адреса родителей и родственников, эпизоды биографии в хронологическом порядке, — продолжал он, не обращая внимания на ее готовность «все» рассказать, — и если в итоге проверки выяснится, что ты мне врала, я тебя, крошка, просто-напросто замочу. Поняла?

— Какие именно персонажи этой комедии тебя интересуют? — Танцовщица продолжала жалко кокетничать, балансируя между жизнью и смертью.

Хонда, убеждаясь в своих подозрениях, влепил ей оплеуху и, судя по ее реакции, уже не сомневался, что эта случайная проститутка вовсе не случайна и на дороге она ждала не кого-нибудь, а именно его. Поняв, что ее раскололи, Танцовщица мгновенно прекратила ставшую бессмысленной игру, взгляд сделался жестким и холодным, как у кобры.

— Ты думаешь, я тебя пугаю? Нет, моя милая, я с тобой серьезно разговариваю...

Ванна уже заполнилась почти наполовину, и он дернул Танцовщицу за ноги. Она с головой ушла под воду. Он вытащил ее, дал глотнуть воздуха и повторил процедуру еще пару раз.

— Это яд во флаконе?

Она кивнула.

— Так кто дал тебе яд?

Танцовщица тихонько заплакала, затем плач сменился громкими, почти истеричными рыданиями. Хонда опять ударил ее по щеке, потом заставил проглотить две рюмки коньяка и пристально посмотрел на нее.

— Да! — почти закричала она, не выдержав этого пронзительного взгляда. — Двое подошли на улице и попросили подлить тебе эту бурду в выпивку, денег много дали. Но я, ей-богу, не знала, что это яд! А может, это и не яд вовсе, может, это просто сильнодействующее снотворное, я не знаю...

— Кто эти двое?

— Да не знаю я! Просто подошли на улице и попросили... и все, — всхлипывая, торопливо говорила Танцовщица и видела, что он не верит ей. — ...Дали твою фотографию, заплатили, сказали, где тебя искать, и все... А я думала — снотворное, может, ограбить тебя решили... — лепетала она, чувствуя, что проваливается в бездну, откуда ей никогда уже не выбраться.

Хонда докурил сигарету до конца, загасил ее и продолжил допрос. Час спустя девушка была готова рассказать все, лишь бы не видеть этих холодных, страшных, безжалостных глаз.

— Я Анна Павловна Звонникова, Танцовщица и Бэла... — Выдохнув из себя последнее слово, она запнулась, поняв, что совершила ошибку: о том, что она Бэла, знали лишь два человека — она и ее «папик», как за глаза называла она своего толстосума-«возлюбленного». И тут же поспешно добавила, что уже несколько лет работает под ментовской «крышей» в «Интуристе»...

— Значит, это менты дали приказ меня отравить? Насколько я знаю, у них есть другие, более надежные способы борьбы с такими, как я. Сомнительно, красавица... Ты сама подписываешь себе смертный приговор!

И девушка рассказала и о своем хозяине, и о задании, которое сегодня вечером получила от него, — ликвидировать Хонду.

— Где сейчас находится твой хозяин? Имя? Не тяни, все равно назвать придется.

— Не знаю, — прошептала девушка. — Обычно он сидит в своем загородном доме...

Даг вызвал по телефону помощников. Через десять минут в квартире уже сидели Бац и Толя; остальные в полной боевой готовности ждали только сигнала, чтобы отправиться в логово врага и рассчитаться с ним по законам преступного мира.

— Допустим, ты дала мне яд, я выпил коньяк — что дальше? Как ты должна была сообщить о выполненной работе хозяину? Лично приехать? Или позвонить?

— Позвонить на дачу...

— Вот что, крошка, ты сейчас позвонишь ему и скажешь, что все сделала и что тебе срочно нужно увидеть его (при этих словах девушка вздрогнула, и острый глаз Хонды отметил это). И без глупостей, пожалуйста, я буду рядом, и парни мои тоже...

Танцовщица подошла к телефону и под прицелом трех пар глаз набрала номер. Хонда слушал разговор с помощью подключенного к аппарату подслушивающего устройства.

— Але, — начала она тихо, затем своим обычным игривым тоном продолжила, — это я, Танцовщица. Узнал?

— Ну? — вопросительно прозвучал глухой голос.

— Все сделала, как ты просил. Ты будешь дома?

— Куда же я ночью денусь?

— Так я возьму тачку и приеду к тебе, можно?

— Спасибо, детка, — ласково произнес голос. — Я всегда верил тебе. Ты хорошо поработала, поезжай домой, отоспись. Завтра увидимся. До свидания, Танцовщица.

— До завтра, милый! — Девушка опустила трубку на рычаг и обвела глазами присутствующих.

Что-то не понравилось Хонде ни в этом взгляде, ни в самом разговоре (когда он понял, что именно, было уже поздно), сейчас он торопился и был рад, что незнакомец в ловушке и не подозревает, что попался. Значит, пришел час навестить этого делягу, которым, как он подозревал, был Погонян...

— А теперь, крошка, — сказал Хонда, — колись до конца. Как фамилия твоего «милого»?

— Я не знаю его фамилии, правда не знаю, — всхлипывала девушка.

Сейчас Хонда поверил ей: вряд ли при таких отношениях представляются по фамилии или показывают паспорт, да и имя скорее всего вымышленное. Но когда она описала внешность, он уже не сомневался, что заказчиком был Погонян. Звериное чутье подсказывало ему, что вряд ли Погонян отложит встречу с Танцовщицей после столь ответственного задания; скорее всего он либо навестит ее сам, либо пришлет своего человека. Поэтому он решил отпустить проститутку, проследив, куда та отправится. Он не сомневался, что она приведет его прямо к Погоняну или к его связному — не может быть, что нет у них в городе хаты для важных встреч, чтобы не светиться напрасно.

— Домой? Вы меня отпускаете? — Казалось, Танцовщица не верила своему счастью, но подтверждения «приговора о помиловании» ожидать не стала, быстро вскочила, побросала в сумочку свои побрякушки (яд, разумеется, у нее конфисковали) и стремглав выскочила из квартиры. Хонда мимоходом отметил, что девица оказалась «честной» — незаработанных денег не взяла, — и усмехнулся.

Когда внизу хлопнула входная дверь, Бац и Толик крадучись подошли к «девятке» и тихонько юркнули внутрь. За густой порослью низкорослых деревьев их не было видно, зато они отчетливо различали одинокую фигурку на тротуаре.

Несколько машин проехали мимо, проигнорировав ее поднятую руку. Наконец, сжалившись, затормозила «семерка», и водитель, крупный мужик, огляделся по сторонам.

— Да одна я, не бойтесь, подбросьте до... — Она назвала свой домашний адрес.

Если ехать по прямой, до ее дома — минут десять, не больше. Но водитель явно не торопился. «Девятка» с дагами двигалась следом на почтительном расстоянии. Получив по сотовому телефону сообщение, что Танцовщица действительно едет к своему дому, Хонда вышел из подъезда и быстро сел в «Волгу».

Возле девятиэтажки, где проживала Анюта, «Волга», описав круг, замерла в ожидании. Через некоторое время тренькнула трубка: из «девятки» сообщили, что все чисто, хвоста за «объектом» нет и через несколько минут «объект» будет на месте. Неужели Хонда ошибся и Погонян, как и обещал, встретится с Танцовщицей завтра? Значит, придется оставлять Баца и Толика караулить до утра. Он был озадачен: и тем, что встреча откладывалась, и тем, что Танцовщица действительно направлялась домой — отдыхать и отсыпаться, как посоветовал ей шеф.

Проследив за «семеркой» почти до самого подъезда, Бац и Толик припарковались рядом с «Волгой» Хонды. Оставив Толика на связи, Хонда с Бацем направились к небольшому скверику, где стояли детские горки, качели и грибки. Оттуда хорошо просматривался четвертый подъезд девятиэтажки, где и проживала Анна Павловна Звонникова.

Танцовщица, процокав на каблуках-кубиках, скрылась в подъезде. В этот момент опять тренькнула трубка —

чертыхаясь, Черный Мага сообщил, что у загородного дома Погоняна их ждали и встретили шквальным огнем. Бригаду расстреливали при свете прожекторов, но, к счастью, все живы — успели укрыться. А когда через несколько минут Мага сориентировался и, обойдя виллу с тыла, стал атаковать сам, обнаружилось, что дом уже пуст — все смылись через черный ход, побросав добро и, возможно, деньги в тайниках.

Хонда яростно скрипнул зубами. Значит, Погонян и эта девка обвели их вокруг пальца. Но каким образом? Она дала ему какой-то сигнал во время того телефонного разговора, какой-то тайный знак, чем и провалила придуманный им на ходу план. Да. Теперь они в серьезной опасности — иначе чем объяснить тот факт, что банда Погоняна уже поджидала дагов?..

А между тем Анюта поднялась на четвертый этаж и нажала кнопку звонка своей квартиры. Она не услышала ни малейшего шороха позади себя, но вдруг ощутила острую, жгучую боль между лопатками. Всего мгновение потребовалось ей, чтобы понять, что произошло, а когда она поняла, то не успела даже испугаться: сознание уже покидало ее, застилая мир белой пеленой. Но, собрав последние силы, она обернулась. Ее подернутые смертной дымкой глаза расширились от ужаса и удивления.

— Ты?! — беззвучно, одними губами прошептала она и рухнула на заплеванный цементный пол.

В это мгновение дверь квартиры распахнулась.

— Анюта! — истошно закричала женщина, увидев распростертую на площадке дочь. На крик выбежал отец. Один за другим последовали два негромких хлопка. Какие-то черные тени метнулись вниз. Мужчина в темном плаще, помедлив секунду, ногой перевернул отяжелевшее тело девушки и, почему-то не сделав контрольного выстрела, исчез.

И тут до него дошло. Какой же он был доверчивый, тупой дурак! Это он, Хонда, подставил ребят под пули! Хорошо, что никто не пострадал, спасибо Маге Черному.

Ведь что-то не понравилось ему в разговоре Танцовщицы, да и потом, когда отпускали ее домой... Она словно порывалась что-то сказать, точнее нет, сделать, усилить бдительность... Именно так и начала она разговор с Погоняном: «Але... Это Танцовщица...» Это и был сигнал об опасности, предупреждение! Потому что для заказчика она могла быть не Танцовщицей, а, наверное, Бэлой — ведь именно эту кличку она назвала Хонде, когда перечисляла имена, под которыми ее знал весь Пятигорск.

Зарычав от ярости, он повернулся к Бацу:

— Быстро наверх и тащи эту сучку сюда!

В это время из подъезда выбежали двое и бросились к машине, припаркованной у самого дома. И хотя никакой уверенности в том, что это люди Погоняна, не было, даги выскочили из укрытия.

— Стоять! Не двигаться! — скомандовал Хонда, направив на подозрительных типов черный глазок «беретты». Рядом щелкнул предохранителем своего пистолета Бац.

— А в чем, собственно, дело?.. — попытался возразить один.

— Заткнись! Руки на капот!

Нащупав под мышкой у одного из них оружие, Хонда нанес ему резкий удар по голове рукояткой пистолета. Бац замешкался лишь на долю секунды, но этого хватило второму, чтобы сориентироваться. Он ударил дага сначала по запястью, а потом в челюсть. Раздался выстрел, пистолет выпал из разжавшейся ладони, но пуля угодила нападавшему в голову. Бац, едва удержавшись на ногах после мощного удара, со злостью выпустил в мертвого еще две пули.

— Болван! — злобно бросил Хонда помощнику и выстрелил в лежащего без сознания противника. — Спрячься в кусты и наблюдай!

Теперь долго таиться уже не было смысла. Хонда вбежал в подъезд и в два счета преодолел восемь маршей. Поднявшись на площадку, он понял, что те двое — бойцы Погоняна. Они зачищали здесь хвосты, порешив заодно и ее родителей. Мужчина в пижаме и женщина в ночной сорочке лежали в лужице крови в дверях квартиры, Танцовщица — чуть в стороне. Хонда повернулся и хотел было уйти, но ему померещилось, что кто-то наблюдает за ним... Он осмотрелся — никого, все тихо. Хонда подошел к девушке — у нее было ножевое ранение на спине. Он проверил пульс. Жизнь еще слабо билась в ее теле. Он достал из кармана трубку и вызвал «скорую». Сбегая вниз, он услышал пронзительный женский голос: «Милицию! Скорее! А то нас тут всех поубивают гады! Бандиты капиталистические!»

Хонда понял, что это орет кто-то из фанатиков-коммунистов. Но сейчас было не до смеха — следовало исчезнуть в ночи вместе с друзьями. Погонян тоже следил за событиями из безопасного места и догадался, что Бэла жива, но поправить уже ничего не мог: вокруг суетились люди, одна за другой подъезжали милицейские машины...

«Славная все-таки была девочка, кожа нежная, глазки теплые... А как дело свое знала! Умница, предупредила...

Прости, Бэла, — шептал Погонян, сев на дно в одном из пригородных домов. — Ты ошиблась и все испортила, а посему я достану тебя и в больнице...»

Хонда же с приятелями мчались по темным кривым улицам ночного Пятигорска. Столько смертей за одну ночь... Но падать на дно или удирать в Москву он еще не собирался.

Выйдя из машины на улице Толстого, он поймал такси и велел ехать в район частных домов местной аристократии. Отпустив машину за полквартала до нужной ему улицы, он пешком прошел оставшиеся несколько кварталов.

Шел третий час ночи, но здесь продолжалась бурная жизнь. Дети шишкарей на иномарках пролетали мимо Хонды. Неторопливо прогуливались влюбленные парочки. Но никакой опасности для себя бандит не чувствовал. Ссутулившись для маскировки, он неторопливо брел к нужному дому.

Когда он был уже перед домом Углова, мимо промчались две машины, осветив и без того светлую улицу фарами. Хонда спокойно прошел мимо ворот, где после сигнала на радиотрубку должна была открыться калитка. Когда машины удалились, он вернулся, толкнул калитку и исчез за железными воротами. Ему нужно было проинструктировать Директора и снова уйти отсюда незамеченным.

Разговаривая с Угловым, Хонда ловил себя на предательских мыслях: ему ужасно хотелось остаться здесь, в этом доме, и, когда Таня проснется, увидеть ее лицо, ее улыбку, услышать ее певучий голос. Но этого он не мог себе позволить.

* * *

После ухода Хондышева Иван Иванович набрал номер начальника городской милиции Андреева, который жил напротив, и, извинившись за слишком ранний звонок, попросил принять его по очень важному делу. Тот не раздумывая согласился.

— Ну, что там у тебя приключилось, опять проблемы с племянником? — ворчливо встретил его сосед. Он был в форменных брюках, но в полосатой пижамной куртке, наброшенной поверх синей майки.

— Нет, Петро, племянник тут ни при чем. Полчаса назад произошло убийство, вернее, четыре убийства... Двое убитых, царство им небесное, — Иван Иванович перекрестился, — родители молодой проститутки. Отец — врач-педиатр, мать — школьная учительница. Их убрали, видимо, просто как свидетелей. И сделали это люди небезызвестного тебе Погоняна... Поганцем его называет мой осведомитель...

— Погоди, погоди, — остановил его растерявшийся начальник милиции, — давай по порядку. Кто твой осведомитель?

— Ну, ты меня удивляешь, ей-богу! Это человек, имя которого даже я не знаю... Могу лишь сказать, чтобы хоть сколько-нибудь удовлетворить твое любопытство, что это очень умная женщина, бывшая следачка нашей прокуратуры. И давай договоримся: я даю тебе информацию, а ты принимаешь положенные по закону меры и уже задержанным задаешь свои казенные вопросы. Хорошо?

— Ты растешь прямо на глазах, — задумчиво проговорил старый волкодав, пятнадцать лет гонявшийся за опасными преступниками, нарываясь на их ножи и пули. Но сейчас, когда его карьера шла к закату, он не очень поощрял подчиненных, нарушающих его покой ночью, а поэтому и не получил еще сообщения от дежурного по городу офицера. — Ну ладно, продолжай.

— Так вот, расстреляли семью проститутки, и ее тоже пытались убить. Она, похоже, не простая шлюха, работала на Погоняна, и не только, наверное, на него. Когда убийцы попытались скрыться, кто-то их тоже шлепнул. Девка оказалась живучей, и если еще не умерла от потери крови, надо ей обеспечить охрану, а то ведь Поганян и в больницу зашлет киллеров... Думаю, она многое сможет тебе порассказать. Помнишь, в прошлом году твоего московского коллегу, который раскручивал дело о кубачинском золоте, отравили в гостинице? Скорее всего, ее работа.

— Проклятие! — выругался милицейский шеф. Некоторое время он размышлял, переваривая услышанное, и наконец, подозрительно глянув на приятеля, подытожил: — Значит, так. О твоей информации побеседуем завтра...

— Погоди, это еще не все. Пошли людей на загородную виллу Погоняна — он ее бросил в спешке, спасаясь от кого-то более сильного... Удачи тебе, сосед! — попрощался Углов.

— Да иди ты! Со своей удачей! — Было заметно, что полковник Андреев уже включился в работу со свойственным ему нервным азартом.

— Ну ладно, пойду, — ухмыльнулся Иван Иванович и направился к калитке.

Глава VIII

ОТРЕЧЕНИЕ

В этот воскресный день Таня проснулась чуть раньше обычного. Она немного полежала с закрытыми глазами, пытаясь вспомнить кошмар, приснившийся ей ночью. Какие-то люди в длинных не то плащах, не то сутанах бежали с автоматами, а кругом — взрывы, пальба, кровь и груда мертвых тел, над которой, словно сатана, восставший из ада, возвышался огромный черный человек. В руках, обагренных кровью, он почему-то держал темно-красную розу на длинном стебле. Таня не видела его лица, но знала, что он улыбается и смотрит на нее. Она хотела развернуться и убежать, но неведомая сила влекла ее к незнакомцу, а он улыбался и протягивал ей розу, которая вдруг стала желтой.

Она усилием воли вырвалась из страшного сна, сердце ныло от тревожного предчувствия, но где-то на самом донышке подсознания чуть тлела теплая искорка радости. Она не сразу вспомнила, с каким событием связана эта радость, а когда вспомнила, вскочила, отбросив одеяло. Сегодня она увидит его, услышит милый сердцу голос. Но как медленно тянется время. А может, оно вообще застыло на месте. Она поднесла к уху миниатюрные швейцарские часики, подаренные ей отцом, и прислушалась. Крохотный маятник, спрятанный внутри золотого корпуса с бриллиантовой крошкой, добросовестно отстукивал секунды в такт глухим ударам ее взволнованного сердца. Не одеваясь, в одной полупрозрачной ночной рубашке Таня выбежала на балкон, чего раньше не делала никогда, но сейчас октябрьская позолота деревьев и свежесть осенней прохлады показались ей сказочно чудесными. Перед глазами стоял Он — такой притягательный и желанный. Она забыла о ночных ужасах и была открыта навстречу новым ощущениям.

Иван Иванович тоже проснулся рано, хотя лег в постель уже под утро, просмотрел свежие газеты и сейчас в одиночестве пил чай с домашними сухарями. На душе было спокойно, и, припоминая ночной разговор с соседом, он почти не волновался. Хотя шуточное ли дело — показать начальнику гормилиции такую осведомленность в убийствах. А еще в том, что не сумели раскрыть лучшие сыщики Ставрополя и Москвы... Но раз Юрий Николаевич посоветовал ему так поступить — он сделал это не задумываясь. Вот уже который раз пытался он собраться с духом и задать своему спасителю простые вопросы: «Кто вы? Откуда появились? Что потребуете взамен?» Но будто кто-то свыше наложил запрет на эту тему, и он не мог, не смел, просто язык не поворачивался. «Ну что ж, поживем — увидим, всему свое время», — успокаивал он себя, даже не подозревая, что он, Юрий Хондышев, знаком с его младшей дочерью.

А его жена Ирина Павловна размышляла о дочери. Она еще вчера, когда звала дочку к телефону, заметила, как вспыхнули зеленым огнем глаза девушки, как зарделись ее щеки, когда она взяла трубку. Нет, здесь не просто дружеское знакомство, что-то большее связывало ее дочь с этим вежливым молодым человеком. Ирина Павловна знала всех ее приятелей — в основном одноклассников, — знала и их голоса, а этот был незнакомый. К тому же незнакомец, видимо, был значительно старше Тани. Она не знала, как отнестись к этой новости, и, боясь за свое чадо, собиралась рассказать мужу, что у младшей появился поклонник, а может, и жених. От соблазнителей и всякого рода проходимцев, она была уверена, ее дочь не пострадает. Бог убережет, да и девочка не так воспитана. Наивные надежды чистой женской души!

— Вань, — решилась она потревожить мужа, — с Татьяной что-то происходит.

— В каком смысле? — тревожно вскинулся Углов.

— По-моему, она влюбилась, сама не своя ходит.

— Да будет тебе, мать, вечно тебе что-то мерещится! — рассердился Иван Иванович. — Она же еще девчонка совсем!

— Да не мерещится мне. Вот послушай! — И она рассказала ему и о телефонном звонке, и о молодом мужчине по имени Юра, и о странном поведении дочери в последнее время.

Выслушав жену, Иван Иванович не на шутку встревожился. Он был человеком несколько старомодных убеждений и, стало быть, строгих нравов. Видя, как расцветает его младшая дочь, он волновался за нее и просил жену почаще «читать ей морали». Сам он стеснялся таких разговоров, считая, что такого рода наставления дочери — дело всецело женское.

Директор задумался: кто же избранник ее дочери? Достойный человек или проходимец? «Юрий... Юрий... — повторял он вслух и закончил, мысленно обращаясь к незнакомцу: — Кажется, у вас сегодня свидание? Вот мы и проследим за девочкой и выясним, кто ты такой, Юрий».

Весь день Татьяна не выходила из дома. Звонили одноклассники и одноклассницы, звали на улицу, напрашивались в гости: обычно по воскресеньям угловский особняк походил на муравейник, но сегодня она отказывала всем, ссылаясь на нездоровье и плохое настроение.

Она полдня провела у зеркала, примеряя наряды — их было много: от Кардена, от Версачи, от Миссони и от других известнейших кутюрье мира (для младшей дочери родители денег не жалели), — и никак не могла выбрать. В душе ее звенела сладкоголосая песня любви, она знала, что полюбила, и чувствовала, что желанна и любима, а точнее, хотела, чтобы все это было правдой. «Радость моя... Радость моя...» — шептали ее горячие губы.

Когда осеннее солнце почти скрылось за деревьями сада, она вдруг поняла, что так и не выбрала туалет. Наконец она надела темно-вишневое короткое платье, сунула изящные ноги в такого же цвета туфельки и накинула белую лайковую курточку. Косу она закрутила в замысловатый узел и закрепила на затылке перламутровыми гребнями. Таня постояла у зеркала, склонив голову сначала на один бок, потом на другой, повернулась, осмотрела себя со всех сторон и осталась довольна. Подумала, стоит ли накладывать макияж (косметикой она пользовалась редко), потом решила, что не стоит. Снова посмотрела на часы. Да, собралась она рано, почти на час опережая события, которые разрешились для нее самым что ни на есть неожиданным образом...

Углов, исподволь наблюдавший за приготовлениями дочери, уже хотел было послать одного из охранников фирмы последить за Таней, чтобы выяснить, с кем встречается дочь, когда у ворот просигналила серая «Волга». Это приехал Толик. Увидев сестру, он оторопел и смотрел на нее так, будто видел впервые.

— Слушай, Танюха, когда это ты успела превратиться из лягушонка в царевну? — удивился он. — А я, признаться, тебя еще за сопливую девчонку держу.

— Не ври, пожалуйста, сопливой я никогда не была и лягушонком тоже! — парировала Таня.

— Да ладно тебе, сестренка, не обижайся. Это я от неожиданности ляпнул, сдуру. А прогулка твоя отменяется...

— Какая прогулка? Это ты тоже сдуру ляпнул? — захлопала длинными ресницами Таня. Ей казалось, что о ее увлечении таинственным незнакомцем не знает ни единая душа. Кроме Лариски, разумеется. Таня тщательно хранила свою тайну, и потому намек брата удивил ее и напугал.

— Нет, это уже не сдуру, а вполне осознанно. Пойдем-ка в ротонду, подальше от любопытных ушей, там и поговорим. Свидание твое отменяется. Ясно тебе?

— Толик, о чем ты? Какое свидание? — ослабевшим голосом спросила она, еще не совсем уверенная, что брат не разыгрывает ее, как когда-то в детстве.

— Танюша, слушай сюда! Ты сейчас переоденешься и останешься дома! Так надо! И вообще, девушка должна вести себя более благоразумно. — В его голосе появились дидактические нотки, что окончательно вывело Таню из себя.

— А что я сделала неблагоразумного? Как ты смеешь подозревать меня в чем-то? Кто дал тебе такое право? — Таня чуть не плакала. — Объяснишь ты мне наконец, чего ты от меня хочешь?

— Я хочу, чтобы ты осталась дома. Свидание с Юрой отменяется. По весьма важной причине.

Таня изумленно смотрела на него широко распахнутыми крыжовинами.

— Откуда ты знаешь о Юре?

Он выбил из пачки «Кэмел» сигарету, прикурил и, не глядя на сестру, ответил:

— Я понимаю тебя, Таня, ты, наверное, думаешь, что все люди на свете такие же чистые, как ты... Да?

— Ты не заговаривай мне зубы! — сердито перебила Татьяна. — Откуда ты знаешь о Юре? Лариска проболталась?

— Нет, он сам мне сказал.

Она посмотрела на него так странно, что Толик даже испугался, смутно предчувствуя беду. Но это ощущение быстро прошло.

— И что же он тебе сказал? — Голос ее сорвался.

— Сказал, что ты красивая... — Толик отвернулся, пряча глаза. — Что ты... В общем, ты хоть имеешь понятие, с кем связалась? И перестань со мной пререкаться, я твой старший брат и обязан оберегать тебя. Думаешь, случись что, дядя запретит мне тебя наказать? Как бы не так! Наоборот, он велит мне присматривать за тобой, поняла?

— От чего, от чего меня оберегать? И что значит, с кем связалась? Я ни с кем не связывалась! — почти кричала девушка. — Что ты знаешь о Юре?

— Да то, что он бандит и убийца! Поняла? Особо опасный преступник. Поняла? На его руках кровь многих людей... Если ты не желаешь зла своим родителям, всей нашей семье, самой себе, наконец, выбрось его из головы. Все! И ни шагу сегодня из дома. Марш к себе в комнату!

Она глядела на брата и не видела его, слушала и не слышала. Перед ней стоял человек, в одночасье разрушивший весь этот чудесный мир, в котором она пребывала, как в сказке.

Толику было неловко. Когда Хонда попросил его поговорить с сестрой, он думал, что без труда справится с этим поручением, но не тут-то было! Оказывается, куда легче участвовать в бандитских разборках, чем объяснять юной девичьей душе, почему отрекается от нее возлюбленный. Еще никогда в жизни он не чувствовал себя так мерзко, словно он сам отказывался от прекрасной девушки, доверчиво потянувшейся к нему. Ему было жалко сестру. Это он, он принес Тане лихую весть, он, большой, взрослый, сильный, топчется рядом и совершенно ничем не может ей помочь.

— Юра просил тебя... — Толик тактично подбирал слова, — постараться забыть его... И вот еще... — Он протянул ей пакет.

Она машинально взяла его и развернула: в пакете лежала аккуратно сложенная испанская шаль дивной красоты. Таня, вздрогнув, отбросила ее от себя, но Толик поднял шаль и снова протянул ей.

— Таня, он бандит и убийца, это правда, но он ничем не обидел нашу семью. — И, помолчав, добавил: — И у бандитов бывают минуты, когда в них просыпается человеческое. А в общем-то я тебя понимаю: он парень что надо...

Она медленно встала со скамейки и, прижимая к груди подарок, побрела к дому. Ей было трудно идти: слезы переполнили зеленые глаза и двумя прозрачными ручейками потекли по щекам. Пошатываясь, словно после долгой болезни, она прошла мимо отца с матерью, не заметив их, поднялась в свою комнату и, закрывшись на ключ, бросилась на кровать.

Она рыдала беззвучно, вцепившись зубами в уголок подушки, а когда слезы внезапно кончились, словно где-то внутри перекрыли невидимый краник, душу заполнила пустота.

«Как жить дальше?» — спрашивала себя Таня, словно исчерпала все шансы найти свою любовь. Кому верить, если тот, кого она считала своим принцем, кого видела во сне, о ком мечтала и кому готова была отдать свою жизнь и честь, оказался чудовищем? Она горько усмехнулась: надо же, пожалел бедную чистую девочку, побоялся испачкать!..

Несмотря на боль, Таня в глубине души все же понимала, что Юра прав, что их союз немыслим и рано или поздно кому-то из них пришлось бы остановиться. Он это понял раньше.

Она встала, взяла брошенную на стул шаль, накинула на плечи и стянула концы на груди, словно пытаясь связать невидимым узлом переполнявшие душу чувства. Длинная бахрома доставала почти до пола, шелковыми струйками сбегая по ее удивительно стройным ногам.

«Все правильно, моя радость, — уже более спокойно подумала она. — Все правильно! Но как же мне не видеть тебя, не слышать тебя?! Как?!»

Иван Иванович с террасы наблюдал за дочерью и племянником. О чем они там в глубине сада секретничают? Но раз Толик с ней о чем-то толкует, значит, так надо. Он поощрял их дружбу, зная, что племянник воспитан в традициях рода Угловых и не позволит сестре совершить неблаговидный поступок. Сам Иван Иванович не раз пытался поговорить с дочерью по душам, но разговоры эти получались какие-то неуклюжие. Не умел он наставлять молодых. В его годы все было иначе. Приходилось и драться, провожая девушку с танцев или после кино, и ничего, обходилось без поножовщины, а о том, чтобы выстрелить в живого человека, никому и в голову не приходило. А теперь только и слышишь: убили, зарезали, наехали, вышла из дома и не вернулась... Мир перевернулся. Распущенность, вседозволенность стали обыденными явлениями в жизни. Нет, надо построже быть с дочкой, а то не ровен час...

Толик попрощался с родственниками и, сославшись на неотложные дела, уехал. «Непременно расскажу Хонде, как отреагировала сестра, — проезжая по извилистым улицам Пятигорска, думал Толик. — Пусть знает, что не так уж и благороден его поступок! Надо же, а ведь сестренка уже, оказывается, влюбилась в этого дага! А с другой стороны, и немудрено...» И тут его озарила догадка: «Так вот кому обязана наша семья своим чудесным реваншем! А я-то думал, что крутой спец из Москвы ищет в наших разборках свой интерес, свою долю! Так он ведь сам в нее влюблен!» Если бы он знал, над какой загадкой бьется его дядя, он, конечно же, сообщил бы ему об этом. Но все-таки он был благодарен Хонде за то, что тот добровольно отрекся от его сестры, чтобы не подвергать ее жизнь опасности. Конечно, они его должники, но Таня... Нет, не такой ей нужен муж.

Глава IX

ПОГОНЯН

Хонда прекрасно понимал, что за ним идет самая настоящая охота. Его разыскивали и менты, и люди Погоняна. Но везение не изменяло ему. Ни бандитская пуля, ни стальное перо, ни заточка ни разу не зацепили заговоренного, а вот с его «береточкой» познакомились многие.

Начальник горотдела милиции полковник Андреев собрал экстренное совещание. Сурово глядя на опустивших голову офицеров, он потребовал остановить кровавую войну между бандитскими группировками, которая повергла одну часть города в ужас, а другую в несусветные пересказы и сплетни.

Хонда и сам понимал, что оставаться здесь дальше неразумно и опасно, но не мог уехать из Пятигорска, не обезглавив банду Поганца. А тот был неуловим, как черт прозрачный! Смотришь на него, а видишь только воздух.

Узнав, что Бэла выжила и Петр — так называли в бандитских кругах начальника горотдела милиции — приставил к ней охрану, Погонян заволновался. Прежде всего он послал своего бойца в больницу, чтобы разыскать санитарку Наташу Козлову и дать ей денег столько, сколько она запросит. А что делать дальше, она сама знает. Однако смазливая санитарка, не отличавшаяся моральной чистоплотностью, денег не взяла, обещать ничего не обещала — сами понимаете, мол, как трудно, когда менты днем и ночью глаз с тебя не спускают, разве что чудо поможет? Тогда и заплатите...

Погонян же в чудеса не верил, поэтому, помимо санитарки, нанял двух отчаянных бандитов, готовых за деньги на все. Но выживет или нет Бэла, он в это время должен быть уже очень далеко... Как он жалел в этот момент о своей минутной слабости: не сделал контрольного выстрела, понадеялся на старый, испытанный метод и свой заколдованный нож.

В ту же ночь, когда Хонда шел к дому Директора, Погонян двумя часами позже, тоже стараясь быть незамеченным, прокрался на эту же улицу и постучал в ворота рядом (две машины и охранников он оставил за квартал отсюда, чтобы не было шума).

Костров ошалело смотрел на гостя, будто увидел перед собой не живого человека, а привидение.

— Зачем же так светиться, Леня? — пытаясь скрыть страх, укоризненно выдавил Костров... — Мог бы и по телефону.

— Не телефонного ума это дело. И потом, время поджимает. Мне, Валера, срочно нужен загранпаспорт и виза в Израиль. Как говорится, ФИО — без разницы, но чтобы чистый был. Сам понимаешь, сгорю я — и от тебя кучка пепла останется.

— Хорошо, через три дня передам с курьером, о чем разговор...

— Ты неправильно понял, Валера. Видно, стареть стал. Трех дней у меня нет, и у тебя их нет, понимаешь? Только что тяжело ранена Танцовщица. Под таким, кажется, псевдонимом она у тебя проходила? Если эта сучка выживет и заговорит, нам с тобой небо с овчинку покажется. Меня повяжут, да и тебе несдобровать: идея уничтожить подполковника была чья? Запись с разговором у меня имеется, ты знаешь... Так что лучше покрутиться сейчас, чем побывать в лапах у Петра...

— Когда тебе нужен паспорт? — спросил Костров и не узнал свой голос.

— Завтра к полудню. В пятнадцать у меня самолет в Москву.

— К полудню?! — поперхнулся Костров. Из пересохшей гортани вырвалось сдавленное шипение. Он закашлялся, на глаза навернулись слезы. — Помилуй, Леня! Мне ни за что не успеть!

— А ты, как говаривала мачеха Золушке, поторопись, милый. Вот! — Он швырнул на стол пачку денег. — До завтра!

— Леня, а ты разве ничего не предпринял? Может, ее можно убрать?

— Я-то предпринял, но рисковать резону нет. Пока, у меня еще дела остались, надо успеть до самолета... Документы привезешь в аэропорт к тринадцати, если меня еще не будет, подождешь...

— Погоди, а если она меня раньше сдаст? Мне-то как быть?

— Ну ты совсем одурел от страха! Соображаешь туго! Какой у нее против тебя криминал? Ты для нее — агентурный шеф, которому она на своих же стучала. А это вполне в законе. И подполковника не ты ей заказывал, а я. Так что ты весь с потрохами вот в этих руках. — Погонян повертел перед носом Кострова волосатыми лапами. — Понял?

Оставив бывшего следователя прокуратуры в полуобморочном состоянии, Погонян со своими бойцами подъехал к небольшому особняку в трех кварталах от того места, где он только что был. В этом доме с многочисленными тайниками и сейфами, оборудованном, как крепость, жили его коммерсанты. Он выгреб из тайников валюту и золото, с тем чтобы через Баку по отлаженному давно каналу направить их в Израиль.

Поставив троих парней во дворе, он велел остальным дожидаться в холле, а сам с удивительной для его комплекции легкостью взбежал на второй этаж, где располагались кабинет и спальня. Он прошел в кабинет и щелкнул переключателем торшера-бара. Мягкий красноватый свет заполнил комнату, и одновременно с мелодичным диньканьем, напоминающим перезвон валдайских колокольчиков, медленно отъехала в сторону дверца бара. Погонян налил в пузатый хрустальный бокал старого армянского коньяка и устало опустился в кресло. Настенные часы, стилизованные под старину, показывали половину шестого. Он откинулся назад и закрыл глаза, согревая в ладони любимый напиток. Посидев так минут двадцать, одним глотком выпил обжигающую жидкость и резко поднялся. Достав из шкафа большой кожаный чемодан, он положил на дно несколько пар белья, затем ровными рядами в четыре слоя уложил пачки зеленых купюр, прикрыв их сверху вещами. Закрыв чемодан и перетянув его ремнями, он снова поставил его в шкаф, где стояли такие же, но без зеленой начинки. Потом принес из спальни высокую лестницу-стремянку, поставил ее под люстрой и с цепкостью огромной обезьяны взобрался наверх. Погонян отжал ножом пластиковую розетку-цветок и вытащил небольшой атласный мешочек. Спустившись, он развязал тесемки и высыпал на стол содержимое мешочка: двадцать бриллиантов размером с горошину и около десятка помельче сверкающими огоньками рассыпались по черной столешнице. Полюбовавшись с минуту, Погонян убрал камни обратно в мешочек и спрятал его во внутренний карман пиджака: с этим богатством он не хотел расставаться ни на секунду.

Несмотря на ранее утро, Погонян сделал несколько звонков, договариваясь с кем-то о встрече, дал необходимые указания.

Около девяти часов он спустился вниз. Приказав бойцам, ожидавшим его в холле, оставаться на месте, он вышел на улицу. Следом на расстоянии пятидесяти метров следовала машина с охранниками. Пройдя два квартала, он поймал такси и назвал адрес дома, где еще совсем недавно проживала Танцовщица и где через подставное лицо снимал квартиру он сам.

Услышав адрес, таксист удрученно покачал головой и пересказал в десятки раз приукрашенную людской молвой новость. Мол, в этом доме нынче ночью бандиты вырезали полподъезда. Такое беззаконие творится, и никому дела нет, милиция как приехала, так и уехала ни с чем. Если так работать, то, конечно, вовек не найти убийц, да и милиция вся сплошь продажная, вон по телевизору показывают, аж страшно!

— Верите, — жаловался таксист, — иной раз и остановиться боишься, чтобы взять пассажиров, особенно если их двое-трое... Кто знает, что у них на уме. Вот у нас один случай был... — И он стал рассказывать какую-то бородатую историю, происшедшую в прошлом году с таксистом из их парка, который вот так вот остановил машину, а потом...

Погонян с облегчением расплатился со словоохотливым водителем и вошел в подъезд. На него пахнуло сыростью, кровью и еще чем-то. «Смертью пахнет», — подумал Погонян, нажимая на кнопку вызова лифта. Оперативники, видимо, давно закончили работу по осмотру места происшествия. Может, кто из ментов и шастает до сих пор по квартирам в надежде отыскать случайных свидетелей. Но, как правило, их попытки остаются тщетными. Свидетели подобных происшествий обычно тут же переходят в разряд жертв, а случайно подсмотревшие в дверной глазок или подслушавшие у замочной скважины предпочитают молчать: кому охота подставлять лоб под пулю? Неожиданной встречи с милицией опасался сейчас и Погонян: поди рассказывай тогда, к кому это ты направляешься с утра пораньше?.. Но обрюзгшее лицо Погоняна было загримировано под старика.

Он поднялся на шестой этаж, зашел в квартиру и, не снимая плаща, уселся в кресло. Здесь все еще дышало Бэлой: на спинке дивана небрежно брошен розовый пеньюар, ножку стула бежевой искрящейся змейкой обвивает тонкий капроновый чулок, а вмятина на диванной подушке, казалось, еще хранит форму ее головы и запах ее духов. Сейчас в этом уютном гнездышке, где он иногда бывал счастлив, если можно назвать счастьем те редкие минуты забвения и отдыха от бесконечной и подчас бесполезной суеты, Погонян ожидал главного бухгалтера своей фирмы Поплавскую.

Наталья Никитична Поплавская вот уже семь лет верой и правдой служила Погоняну. Они полностью доверяли друг другу. Ни одного вопроса, ни одного недоуменного взгляда не позволила себе Наталья Никитична, когда принимала липовые документы, когда составляла практически нулевые балансовые отчеты, дабы избежать перечисления налогов в казну государства (что сурово карается непомерными штрафами). С ее помощью Погонян незаконно обналичивал деньги, изымая их из оборота, покупал валюту и драгоценные камни. Именно на ее имя он снял эту квартиру. Именно ей он звонил сегодня утром и просил подготовить документы на перечисление практически всех денежных средств фирмы на банковские реквизиты трех бакинских предприятий.

Ждать пришлось недолго. Повернулся ключ в замке, и в квартиру, близоруко щурясь, вошла Наталья Никитична. Он встал и галантно поцеловал ей руку. Она, как всегда, застеснялась и покраснела.

— Ну что ж, к делу? — Погонян сделал вид, что не заметил ее смущения. Ему всегда казалось, что бухгалтерша немного влюблена в него. — Вы принесли платежки? Давайте я подпишу.

— Да-да, конечно! — Наталья Никитична суетливо распахнула сумочку и стала копаться в каких-то бумагах. — Сейчас, сейчас, минуточку!

Она подносила каждую бумажку близко к глазам, что выводило из себя Погоняна, но он старался выглядеть спокойным и терпеливым.

«Слепая курица», — раздраженно подумал он, но вслух мягко произнес:

— Не торопитесь, Наталья Никитична, смотрите внимательнее.

Наконец она отложила в сторону нужные документы.

— Вот, — победно воскликнула она, — нашла!

Погонян похлопал по карманам в поисках «паркера» с золотым пером и сокрушенно вздохнул:

— Надо же, где-то ручку выронил... Вы присядьте, я сейчас.

Усадив женщину за стол, он правой рукой выдернул капроновый чулок, все еще свисавший со стула, и мгновенно набросил ей на шею, стягивая концы все туже и туже. Она захрипела, откинулась назад, и он увидел ее страшные белые, вылезающие из орбит глаза. Потом тело ее дернулось в предсмертных конвульсиях, обмякло и стало сползать со стула...

Положив платежки в карман плаща, Погонян перенес тело на диван, предварительно сняв с него сапоги и куртку, облил диван бензином из канистры, дожидавшейся своего часа на застекленном балконе, и щелкнул зажигалкой... Закрывая сейфовый замок металлической двери, он слышал яростный гул быстро разгоравшегося пламени...

Вторая важная и секретная встреча, о которой Погонян договаривался сегодня утром, произошла на заброшенном пустыре. Часа через полтора после того, как неистовое пламя забилось в окнах квартиры на шестом этаже злополучного дома, а из щели между стеной и дверным косяком стала выползать сизо-горькая струйка дыма, иномарка темно-зеленого цвета подкатила к заброшенной стройке и остановилась под прикрытием груды кирпичей и брошенных конструкций. Погонян выскочил из машины и упругой походкой зашагал в направлении пустыря, начинавшегося сразу за стройкой. Он не прошел и двадцати метров, как из-за обломка бетонной плиты, наполовину вросшего в землю, вразвалочку вышел Хромой Мага. Погонян огляделся: ни машин, ни бойцов, сопровождающих главаря дагов, не было видно, но обостренное чутье зверя, находящегося в гоне, подсказывало, что они здесь, близко, и готовы к нападению.

Они обменялись вялыми рукопожатиями и кривыми улыбками, больше похожими на ухмылки, показывая доброжелательное отношение друг к другу, хотя каждый из них с удовольствием влепил бы другому девять граммов свинца посреди лба.

Хромой и Погонян немного постояли, выкурив по сигарете, потом и по второй. Их разговор происходил без «ушей» и остался тайной, но именно с этого времени в поведении Хромого братва стала замечать какие-то странности: временами он подолгу и многозначительно молчал, потом отпускал загадочные реплики, иногда невпопад, но по всему было заметно, что в его голове что-то вызревало. Иногда он пропадал на целый день, объясняя свое отсутствие хлопотами по освобождению Кащея, и уверял их, что братан скоро будет на воле...

А Погонян завершал свой пятигорский период жизни. Ему осталось перечислить через банк деньги по платежным документам, подготовленным Поплавской. Ни о чем не подозревающий управляющий банком лично оформил все операции, проштамповал копии и заговорил о предстоящем теннисном турнире в клубе, который они оба посещали. Погонян рассеянно слушал, кивал, то и дело поглядывая на часы. Наконец они распрощались. Погонян торопился. На часах — половина первого, надо успеть заехать за чемоданом с деньгами и мчаться в аэропорт.

Там его уже поджидал Костров. Он нервно прохаживался по залу, то и дело вытирая потную лысину. Увидев Погоняна, быстро пошел ему навстречу.

— А я уже думал... — начал было Костров, но Погонян резко перебил его:

— Привез?

— Конечно! — Он протянул ему пакет. — Здесь все.

— Чистые?

— Обижаешь! Уговор дороже...

Не дослушав и не попрощавшись, Погонян быстро зашагал к стойке регистрации. Ему показалось, что Костров за его спиной облегченно вздохнул.

Ровно в пятнадцать часов лайнер «Ил-18» взмыл в воздух, взяв курс на Москву. В первом салоне, откинувшись на подголовник кресла и закрыв глаза, дремал бывший пятигорский коммерсант Погонян, ныне — Илья Артурович Хован.

Из пяти помощников, которых Хонда отобрал из бригады дагов, остались двое: Бац и Мага Черный. Желающих работать с ним было предостаточно, и это обстоятельство раздражало и пугало Хромого.

Разбогатев на процентах с фирмы Углова, он ощущал себя одним из тех «новых», которым доступны власть и деньги. И он хотел безраздельно пользоваться всем этим. Он прекрасно понимал, что, выйдя на волю, Кащей снова все загребет под себя, оставив ему право довольствоваться вторыми ролями. С другой стороны, он все больше чувствовал свою беспомощность, особенно рядом с Хондой, и все чаще замечал косые взгляды братвы. Некоторые из них огрызались и даже отказывались подчиняться его приказам, ссылаясь опять-таки на этого независимого москвича. Так или иначе, но Хромой все больше ощущал, что присутствие старшего брата, Кащея бессмертного в банде просто необходимо.

Открытых трений между Хондой и Хромым пока не возникало. Он критиковал Хонду за идею внедрения шестерых дагов в фирму — вор не должен работать! Все понимали, что Хромой опасается открыто выступить против московского дага, но если из зоны выйдет Кащей, то сомневаться в том, что политика в бригаде кардинально изменится, не приходилось.

Хонду все больше настораживало поведение временного главаря, и он уже начинал жалеть о том, что предложил ему взять под охрану фирму Углова, — Хромой и его приближенные были непредсказуемы и абсолютно неуправляемы. Да и интеллект их был на пещерном уровне. Выход был только один — применение силы. Но ему не хотелось иметь кровников среди земляков. Махачкала оставалась в его сердце родным городом, а он ее сыном дагестанцем. Кроме того, в бригаде, как он считал, было достаточно способных ребят, но из-за дебильной инфантильности Хромого и кровожадного идиотизма Кащея, продолжавшего присылать из зоны различные указания, они урывали лишь сиюминутную прибыль, влезая в мелкие разборки среди пятигорских коммерсантов в качестве третейских судей или обчищая квартиры, как нэпманские воры.

Хонда настойчиво вдалбливал тупому бригадиру и братве, что времена изменились и уголовщина в том виде, в каком ее привыкли воспринимать уважающие себя блатари, уходит в прошлое, жизнь каждодневно вносит свои коррективы, и в новых условиях надо действовать иначе. Работать, точнее «делать движения», сейчас следует по-крупному. Денег в стране — океан, плещущий волнами всех валют мира, только шевели мозгами, обеспечивай коммерсантов надежной охраной и греби капитал, не зарясь на чужую собственность, иначе разборки завертят так, что «горячие точки» покажутся детским лепетом. А чтобы твой же коммерсант тебя не кинул — глубже влезай в дела фирмы, через своих людей принимай участие в бизнесе, контролируй фирму изнутри. Чем лучше будешь знать станок, тем больше прибыли с него получишь. И если работать, не притесняя своих коммерсантов, то уже через год бригада может выйти на самые престижные «темы» международного бизнеса. Но Хромой был непрошибаем. На днях на бригадном сходняке он снова выступил против предложений Хонды и заявил, что политикой и бизнесом заниматься не намерен, он босяк и босяком умрет, а некоторым загостившимся, хотя и очень уважаемым людям, давно пора бы и честь знать, а не мутить воду и устанавливать здесь свои порядки...

— Где это видано, — кипятился Хромой Мага, — чтобы барыги с братвой разговаривали на равных?! Один раз влез под «крышу» — пусть и платит до конца дней своих... Короче, пока я не хочу никого напрягать, есть дела поважнее. Но отвечаю, барыги не будут рыпаться!

— Кого ты имеешь в виду под барыгами? — в упор спросил Хонда, пропустив мимо ушей намек на то, что ему уже давно пора убираться восвояси. — И кого это ты не хочешь пока напрягать?

Хромой уклонился от ответа, но глазки его забегали, было видно, что он боится крутого рэкетира, — члены банды это тоже заметили, и каждый отреагировал по-своему, хотя виду никто не подал.

Сам Хромой, с тех пор как принял под «крышу» фирму Углова, ни разу не рисковал жизнью в схватках с погоняновскими бандитами — он предпочитал отдавать команды по мобильному телефону. Но чаще всего сидел с глубокомысленным видом за огромным столом в главной комнате большого кирпичного дома, служившего дагам штаб-квартирой, и, словно полководец перед битвой, обдумывал «стратегию и тактику военных действий». Временами он развивал кипучую деятельность: вызывал к себе то одного, то другого бойца, отдавал приказы, которые, впрочем, почти всегда корректировал Хонда, выслушивал отчеты или просто распекал кого-нибудь, брызжа слюной и выкрикивая угрозы вперемешку с отборной матерщиной. Иногда в сопровождении эскорта приближенных он выезжал в город, чтобы встретиться с кем-нибудь из местных авторитетов. И возвращался задумчивым и притихшим.

Через несколько дней ситуация прояснилась. Пришла в себя Анна Звонникова. Ножевое ранение не задело жизненно важных органов, да и молодой организм отчаянно боролся со смертью.

Все это время, пока она лежала в бессознательном состоянии, у дверей палаты денно и нощно дежурила охрана. Сначала она бредила, но слова, вылетавшие из ее запекшихся губ, были малопонятными, ничего не дающими следствию. Лишь однажды она произнесла какую-то фамилию: не то Фасбич, не то Казбич, но таковые ни в милицейских сводках, ни в паспортном столе не значились. Она то металась по узкой постели, грозя опрокинуть капельницы, и тогда в палату со всех ног бежали врачи и медсестры, а то затихала, еле слышно шепча: «Ты... Ты... убил... свою Бэлу... Ты...» Но в картотеке местной милиции женщина с именем или кличкой Бэла и соответствующей биографией тоже не значилась. Петру, который регулярно навещал свою подопечную, оставалось терпеливо ждать, когда девушка придет в себя и сможет давать показания. Но когда она наконец заговорила — в отместку своему хозяину, вонзившему ей в спину нож, она дала полный расклад, — старому оперу понадобились огромная выдержка и воля, чтобы собственными руками не задушить лежащую под капельницей Танцовщицу прямо на больничной койке, не дожидаясь суда и следствия.

В прошлом году они с подполковником Семеновым, специально прибывшим из Москвы, раскручивали дело, связанное с кубачинским золотом, и шли по следу, как опытные ищейки, нюхом чуя добычу. То, что след был верным, подтвердила паника, поднявшаяся среди «тузов», и не только пятигорских. Дело было громкое, и они стремительно приближали развязку, не реагируя ни на многочисленные анонимные угрозы, ни на «задушевные» беседы с высокими чиновниками и краевыми милицейскими начальниками, которые тонко им намекали умерить пыл и спустить дело на тормозах. Был и откровенный подкуп. Приехавший из Белокаменной знал гораздо больше Петра и, посмеиваясь, повторял:

— Ох и растревожили мы с тобой осиное гнездо, Петро, ох и остервенели же они...

Однажды вечером, переговорив с Москвой, он позвонил Андрееву из гостиничного номера и ликующим голосом заявил:

— Наша взяла, Петруха! Сам благословил нас и берет под защиту! Просит раскрутить сволочей до самой задницы! А? Выстоим?

— Без поддержки стояли, а уж с поддержкой-то отчего не выстоять! — радостно ответил Андреев и хохотнул. — А как же!

— Тогда давай ко мне в «Интурист», отметим событие.

— Отчего ж не отметить? — согласился Андреев. — Через полчаса буду, заказывай столик.

Они встретились в зале ресторана. К тому времени, когда появился Андреев, стол уже ломился от разнообразных закусок, а посреди возвышалась длинная бутылка настоящего греческого коньяка «Метакса». Выпили по первой, второй, третьей... Напряжение последних нескольких суток постепенно спадало. Думать и говорить хотелось только о хорошем. Они вспоминали дни совместной работы. Оба начинали лейтенантами-оперативниками здесь же, в Пятигорске, практически одновременно получили капитанские звания, вместе уехали в Москву учиться — в академию МВД, но потом судьба развела их. Один вернулся дослуживать в родной город, став со временем начальником горотдела и получив чин полковника, другой женился на москвичке и остался в Московском уголовном розыске. Радуясь за друга, Андреев подтрунивал тогда:

— На повышение пошел, гляди, генералом станешь, не зазнавайся тогда.

Но переход на работу в столичные учреждения еще не означает повышения. Известно, как трудно пробиться добросовестному трудяге, привыкшему пахать от зари до зари не за похвалы и награды, в крупном городе, где конкуренция, несомненно, выше, чем в провинции. К тому же подпирают молодые да ранние, стремящиеся оттолкнуть от кормушки старых и опытных, чтобы тут же занять их место. А если принять во внимание бесчисленное количество сынков, племянников и прочих родственников с «мохнатыми лапами», то честному менту мечтать о блестящей карьере в столице просто глупо. Потому и дослужился Семенов только до подполковника и занимал должность старшего оперуполномоченного в отделе по борьбе с экономическими преступлениями в ГУВД столицы.

— Слушай, Петро, — вдруг вскинулся захмелевший москвич, — давай девочек пригласим, тряхнем стариной. Смотри, как вон та поглядывает! — Он указал взглядом на сидевших за соседним столиком девиц.

Андреев, даже не взглянув в сторону, куда указывал Семенов, расхохотался. Приятель с юных лет слыл ловеласом, не пропускал мимо ни одну симпатичную юбку, вот и теперь седина в голову — бес в ребро. Девочек ему захотелось!

— Не забывай, что меня здесь всякая собака знает. Завтра по местному радио объявят, где и с кем провел ночь главный мент города. А ты мою Ивановну знаешь!

— Да, крутая она у тебя баба, ей бы генеральшей быть, а не полковничихой!

— Ничего, известно же, что у офицера жена всегда чином выше. — Андреев поднялся. — Ну что, пошли, бабник?! У меня завтра трудный день.

— Ты иди, — откликнулся подполковник, — а я еще посижу немного, скучно одному в номере.

— Ну, смотри... Не дури только!

Наутро подполковника нашли в номере мертвым. Вскрытие показало, что смерть наступила в результате отравления синтетическим аконитином — сильнодействующим ядом нервно-паралитического действия.

Убийцу, конечно же, не нашли (дежурная по этажу вроде бы видела какую-то девицу, входившую в номер, но описать ее не смогла, а скорее всего не захотела). Дело о кубачинском золоте потихоньку заглохло, затерявшись среди бесконечных бумаг в прокуратуре...

И вот перед ним — она, отравительница. Разумеется, он понимал, что девка — рядовой исполнитель, и все же задушить ее очень хотелось.

Андреев вышел из палаты, пошатываясь, как пьяный, и тяжело дыша. Убийца друга, который не раз грудью прикрывал его во время оперативных мероприятий, лежит живая и им же охраняемая от таких же сволочей, как и она сама.

Вернувшись в горотдел, он зашел в комнату оперсостава и попросил закурить. Несколько человек одновременно протянули ему пачки сигарет и папирос и удивленно посмотрели на него: с тех пор как у шефа стало покалывать сердце, он не курил. Но оперативники — народ мудрый: раз сам не рассказывает, что за причина побудила его стрелять курево, значит, и спрашивать не надо. Андреев выбрал «беломорину», закурил от предложенной ему зажигалки, кивком поблагодарил и пошел в свой кабинет.

Не раздеваясь, он сел в старое, местами потертое кресло и задумался. Сверить улики, собранные оперативниками после убийства подполковника Семенова, с показаниями, точнее, с записанным на магнитофон рассказом Звонниковой, в котором излагались детали преступления, было делом непростым. «Если суд сочтет доказательства причастности Танцовщицы к убийству подполковника не вполне обоснованными, — размышлял начальник милиции, — то убрать ее потом будет непросто. А сейчас, пока эти обстоятельства не получили огласки, я могу...» Он набрал номер и велел снять охрану от палаты Звонниковой. На следующий день она умерла от сердечного приступа...

Глава X

КОНЕЦ ХРОМОГО

Правило — не ночевать дважды в одном и том же месте — вовсе не означало, что Хонда менял пристанище каждый день. Он переходил с квартиры на квартиру только по мере необходимости. Бывало, забурившись после очередной перестрелки, он не вылазил из логова по трое-четверо суток. С тех пор как Толик слово в слово передал ему разговор со своей сестрой, они ни разу не возвращались к этой теме. Вот и сейчас, зарывшись в очередную нору, Хонда решил расслабиться после той кровавой ночи, когда была ранена Танцовщица. Возле «Интуриста» он снял проститутку и пытался забыться с ней, выбросить из головы зеленоглазую красавицу. Но все было напрасно.

Толик и двое дагов, работавших с Хондой, держались в такие моменты от него подальше, заботясь об исправности автомобилей и собирая информацию о положении дел вокруг фирмы и в городе.

Между тем отношения Углова с Хромым портились с каждым днем.

Во вторник Хромой заявился в офис и, как потом рассказывали об этом Юрику, небрежно обронил: «Приготовь мне на завтра пару соток лимонов». Но Директор, видимо, забыв, с кем имеет дело (он и раньше, бывало, круто вспыхивал, мог ударом кулака пробить добротный канцелярский стол), вперил в наглеца откровенно ненавидящий взгляд и медленно, четко, чтобы его слова дошли до недоумка, произнес: «Для того, кто попытается меня доить, уже готова пара кулаков, вот они, видишь?!» — и потряс своими кувалдами перед носом Хромого. Тот молча вышел из кабинета — волки, как правило, всегда отступают перед медведем, но лишь для того, чтобы вновь вернуться на спорную территорию и уже напасть стаей.

Хонда понял, что, если не найти компромисс, война между ними неизбежна. А Хромой — противник гораздо опаснее Погоняна, который действует на бандитско-рэкетирском поприще сицилийскими методами: сам сидит в укрытии, используя только тех, кем в состоянии командовать. Хромой же — бандит чисто кавказской формации, при случае сам может выступить в качестве киллера, «торпеды», рядового бойца и авторитета в одном лице. А стая соберется за считанные дни отовсюду... И уже не отступит, пока не растерзает жертву, пока не разорит ее до основания. «Недаром же мы за справедливость время потратили», — скажут они тем, кто останется в живых.

Объявиться на базе Хромого было сейчас непросто. Хонда знал, что пятигорская прокуратура дала оперативникам особые полномочия, которые подтвердил прокурор края: немедленно задержать его и при сопротивлении — уничтожить. Знал об этом и Хромой и, возможно, возлагал на такой исход немалые надежды. Заранее предупреждать Хромого о встрече было нельзя. Кто его знает, что выкинет этот отморозок, вполне может цинкануть операм через третье лицо: «Вот он, московский даг, берите». И ведь останется чистеньким, а если даже какой-нибудь фанат-опер, заинтересованный в уничтожении матерых преступников, и шепнет братве, что Хонду-то заложил ментам Хромой, то и здесь такой шайтан легко выкрутится: «Я его, гада, под сплав пустил за то, что сам ментам стучал».

Подобные методы используются в преступном мире и дают сбои лишь в том случае, если предъявляющая сторона физически сильнее. А в общем-то бандитские приемы мало чем отличаются от политических методов иных государственных деятелей, разве что изощренностью и размахом творимых злодеяний. Взять хотя бы локальные военные конфликты на территории бывшего Союза! У бандитов они ничтожно малы...

Основная база пятигорских дагов, где большую часть времени проводил Хромой, а до него Кащей, располагалась на одной из окраинных улиц старого города, в живописном месте, почти у подножия Машука. Но не красоты природы привлекли сюда бандитов, а стратегия. С одной стороны, почти весь Пятигорск — как на ладони, с другой — в случае внезапного нападения можно незаметно скрыться в густом кустарнике, вплотную подступающем к тыльной части забора, где была тайная калитка, незаметная для неискушенного глаза.

Довольно просторный двор, переходящий в запущенный фруктовый сад, был окружен высоким плотным забором, выкрашенным темно-коричневой краской.

Наверху двумя рядами тянулась колючая проволока в дополнение к телекамерам, установленным по всему периметру и развернутым в разные стороны. Массивные ворота, запертые изнутри, автоматически открывались только тогда, когда надо было выпустить или, наоборот, впустить машину. В остальных случаях пользовались калиткой с электронным кодовым замком и переговорным устройством.

Посреди двора в окружении разномастных автомобилей возвышался большой дом из обожженного белого кирпича.

Толик несколько раз бывал на базе, но кодового номера не знал. Нажав на кнопку переговорного устройства, он на хриплый вопрос охранника представился и пояснил, что имеет дело к Хромому. Через секунду калитка распахнулась и мрачного вида даг провел визитера в дом.

Хромой встретил Толика на пороге в тренировочном костюме и домашних тапочках.

— Кто к нам пожаловал?! Представитель дочерней фирмы! — Фальшиво улыбаясь, он что есть мочи тряс руку Толика. — Что надо господину Директору?

— Я не от Директора. — Толик невозмутимо взглянул на Хромого. — Хонда просил тебе передать, что надо встретиться и перетереть одну проблему.

— Какой базар?! — деланно изумился Хромой. — Давай забьем стрелку...

Но Толик прервал его:

— Забивать стрелки времени нет. Если ты согласен встретиться с ним через тридцать минут, то я скажу тебе, где он ждет.

— Раз так, ладно, сейчас предупрежу ребят, чтобы готовили экипаж, оденусь и поедем... Так куда же мы поедем?

И Толик, доверчивая душа, вместо того чтобы ответить: «Я вас провожу!» — назвал адрес кафе, где ждал их Хонда.

Хромой вышел в соседнюю комнату и отсутствовал ровно столько, сколько было нужно, чтобы сменить одежду, но он все же успел кому-то сообщить по мобильной трубке названный Толиком адрес.

Толик тем временем набрал номер Хонды.

— Как условились! — передал он только им понятную фразу и спрятал радиотелефон в карман.

Была уже середина ноября, но в Пятигорске сохранялась теплая сухая погода. Солнце светило нежарко, все еще буйно зеленели парки. Белые перистые облака медленно расползались по чистому синему небу, цепляясь за вершины пяти высоких гор, почему и получил свое название город. Ветви желто-красного южного клена протянулись к самой веранде маленького кафе, где сидел Хонда.

«Уж больно гладко все получается», — думал он, и это его настораживало. Он привык доверять своей интуиции, которая за много лет рисковой жизни ни разу не подводила его. Вот и сейчас он чуял запах смерти, хотя вокруг все было спокойно и ничто не предвещало кровавой схватки. Немногочисленные посетители занимали в основном столики в помещении, и лишь в противоположном конце веранды юная пара ела мороженое и пила лимонад.

Хонда невольно загляделся на них и поздно заметил официанта, направлявшегося к нему. На металлическом подносе рядом с чашечкой дымящегося кофе стояла тарелка, прикрытая белой полотняной салфеткой, под которой что-то бугрилось. «Почему он несет тарелку? Я ничего не заказывал, кроме кофе!» — молнией пронеслось в голове. В следующую секунду официант, профессиональным движением поставив поднос на стол, сбросил салфетку, и в руках у него оказался почти игрушечный пистолетик «браунинг-беби». Но реакция — такой же верный спутник человека, как и интуиция, не подвела и на этот раз. Одновременно с резким выпадом вперед Хонда пригнулся, уходя с линии прицела, и одним взрывным движением опрокинул на него стол. Следом еще достал кулаком в челюсть. Пистолет негромко хлопнул, и шальная пуля полетела в угол веранды, впившись в деревянную колонку балюстрады. Хонда резко выпрямился и сцепленными в замок руками ударил официанта сверху по черепу. Хрястнула кость, и официант рухнул к его ногам без сознания.

Хонда огляделся. Никто из посетителей не обратил внимания на возню на веранде, лишь мальчик и девочка расширенными от ужаса глазами смотрели на него. Он повернулся к ним и как можно строже скомандовал:

— А ну быстро по домам!

Ребят точно ветром сдуло. Хонда подал условный сигнал, и из машины, стоявшей на обочине, стремглав выскочили Бац и Черный Мага. Подбежав к веранде, они без расспросов поняли все.

— Ну-ка побыстрее помогите! — прикрикнул на помощников Хонда.

Они сдернули с обмякшего тела униформу и, набросив кожаную куртку Маги, подхватили под руки и поволокли к машине. Со стороны могло показаться, что двое приятелей тащат подвыпившего третьего — ну с кем не случается?! Сам же Хонда вернулся к столику и принялся было за уже остывший кофе. Но передумал. Не след его пить, хотя вероятность отравления невелика — кто-то сделал ставку на дилетанта-киллера...

Вокруг было тихо и спокойно, будто и не случилось несколько минут назад в мирном городе Пятигорске еще одно убийство.

Хонда же напряженно обдумывал ситуацию. Он понимал, откуда ветер дует. И если еще час назад думал, что с Хромым можно договориться, то теперь четко осознал, что ничего хорошего ждать от него не приходится. И еще он понимал, что предстоящая встреча станет для одного из них роковой.

Хромой просчитался. Тихо насвистывая, он спокойно смотрел в окно черной «Волги», в салоне которой, кроме Толика, находились еще и трое охранников. Хитрый даг надеялся увидеть здесь в кафе остывающий труп своего противника, поэтому не сразу заметил сидящего в углу веранды Хонду, а когда заметил, поворачивать назад было уже поздно.

Точно подброшенный мощной пружиной, Хонда перемахнул через перила веранды и в два прыжка очутился рядом. Хромой почувствовал, как что-то твердое и холодное ткнулось ему под ребра.

— Молчать, сука! — в бешенстве рыкнул Хонда. — Скажи своим козлам, чтобы убирались, если жить хотят. Нам лишней крови не нужно. А ты, шакал, поедешь с нами!

Хромой мрачно повернулся к телохранителям и, смачно выругавшись, велел им возвращаться на базу. Сам же послушно побрел впереди Хонды. Возле машины Хонда передал заложника Бацу и Черному Маге, которые усадили его на заднее сиденье, зажав с двух сторон. Сам Хонда сел за руль, оставив место рядом с собой для Толика, в обязанности которого входило наблюдать в боковое зеркало за дорогой сзади.

Стараясь не выезжать на центральные улицы и избегая постов ГАИ, Хонда на огромной скорости мчался к развалинам совхозной фермы. Он первым вышел из машины и подождал, пока подручные вытащат Хромого. На того было жалко смотреть: куда девались его гонор, его храбрость? Он выглядел пустым и смятым, будто детский надувной шарик, внезапно проткнутый булавкой. Да, видимо, остаться один на один с врагом куда страшнее, чем лаять в стае.

— Ну, что скажешь? — сурово спросил Хонда. — С каких это пор ты своих же стал под пули подставлять?

— О чем ты? Я ничего не знаю! Разве я когда шел против тебя?!

Голос Хромого дрожал, и было видно, что он лжет, что именно по его наводке стрелял сегодня в отчаянного рэкетира официант. Если кто из присутствующих и сомневался в этом, то сейчас, глядя на испуганно трясущегося главаря, они все поняли. Бац аж подпрыгнул:

— Ты, гад, еще дагом себя считаешь? Ты еще других учишь, как им жить, указываешь? Да ты знаешь, кто ты после этого и какой смерти заслуживаешь? Как собака сдохнешь, а голову твою мы твоим родным перешлем!

Хромой знал, что Бац слов на ветер не бросает, недаром его кличка означает по-аварски «волк». И сник окончательно.

— Подожди, Бац, — прервал эти страшные угрозы Хонда. — Он нам еще не все рассказал. Так кто тебя подбил на это? — тихим, вкрадчивым голосом, в котором, однако, явно пробивались зловещие нотки, спросил Юрик.

— Никто!

— Так уж и никто? Ну что ж, не хочешь говорить по-хорошему, поговорим по-другому. — Он огляделся и кивнул Толику: — Заводи мотор и заезжай во двор, а вы, — он повернулся к Маге и Бацу, — скрутите его и под выхлопную трубу...

Поняв, что сейчас произойдет, Хромой завыл:

— Это все о-он...

— Ну вот, кажется, что-то конкретное проявляется, — невозмутимо отметил Хонда. — Так кто — он?

— Он, Погонян... Это он сказал, что ты на бригаду метишь, и фирму у него отобрал, и нашу отберешь, что под собой ходить заставишь...

— Где он сейчас?

— Не знаю, кажется, уехал...

— Знаешь, сука, знаешь! Колись или...

— Нет, не надо, я все скажу. Я точно не знаю, но его братва шепталась между собой, что он в Москву улетел, а оттуда в Израиловку намылился, они между собой... а мне передали...

— Так ты, гнида, и с погоняновцами якшался?! — возмутился Мага. — Они нашу братву косили, а ты, значит, с их главарем козни против Хонды строил да разговоры слушал? Ну и что мы с ним будем делать? — повернулся он к Хонде.

А Хонда решал: по понятиям надо бы собрать сходняк бригады и сделать главарю предъяву, а там пусть братва решает, кто прав, кто виноват, и сама выбирает «меру пресечения». Но кто может знать, как повернется дело, ведь есть в бригаде и такие, кто слепо верит Кащею и готовы жизнь положить за него и за его бра-тельника. Да и не хотелось ему силой своего авторитета давить на братков, пусть сами разбираются.

— Развяжите его! — Казалось, Хонда принял решение. — Беги! — бросил он пленнику.

Тот, не веря своему счастью, стоял как вкопанный.

— Ну! — прикрикнул Хонда, стараясь не смотреть на застывших в недоумении подручных.

Хромой попятился, развернулся и, прихрамывая, бросился наутек, петляя, как заяц, по еще не успевшему зарасти травой выгону. Но вдруг он споткнулся, словно случайно зацепился за торчащий из земли корешок, долю секунды повисел в воздухе под углом в сорок пять градусов и рухнул лицом вниз.

Хонда повернул голову: Бац опускал дымящийся ствол «макара». У него было лицо человека, выполнившего свой долг. Такие лица бывают обычно у мстителей, долго выслеживающих обидчика и наконец-то свершивших страшное правосудие.

— Значит, быть посему! — хмуро сказал Хонда и шагнул в сторону убитого. Толик, Бац и Мага молча последовали за ним. Вчетвером они затащили труп в развалины и закидали мусором.

— Куда дальше? — спокойно спросил Толик.

— В Москву, — устало ответил Юрик Хонда. — Вы со мной?

Все утвердительно кивнули, но Хонда глянул на Черного Магу и положил руку на его плечо.

— А тебе, брат, придется остаться, — с сожалением вздохнул он, — надо же кому-то возглавить бригаду, чтобы не превратилась она в сборище отморозков.

Мага понуро опустил голову, но вынужден был согласиться.

Глава XI

ВЕЩАЯ СИВИЛЛА

Поздно вечером пыльная иномарка остановилась перед домом Старика. На лавочке сидел все тот же «зеленый» привратник, которого Хонда увидел здесь в первый раз. Но сейчас тот узнал его и без лишних вопросов нажал на кнопку.

На этот раз Старик не вышел лично встречать визитеров: он сидел в глубоком кресле с электрогрелкой — разыгрался радикулит, заработанный им в местах не столь отдаленных. Гостей встретила и провела в дом Светка. Она же по-хозяйски собрала немудреный ужин, предложив парням вымыть руки.

Старик, усмехаясь, смотрел, как ловко орудует Светка, но когда сели за стол, он кивком головы отослал ее из комнаты: начинался мужской разговор.

Прежде всего он передал Хонде маляву от Серого, в которой тот благодарил Старика за приглашение принять участие в воровской сходке в конце ноября и обещал непременно прибыть, а также сообщал, что взгретый Юриком тихарь оказался настоящим кладом для общака. Он называл его специалистом, с помощью которого братва провернула одно крупное дело, а доля Хонды в сто двадцать тысяч долларов ждет его в столице. Юрика обрадовал не столько приличный куш, сколько то обстоятельство, что он не ошибся в аферисте.

Пока Хонда читал послание Серого, Старик расспрашивал парней. Он, конечно, прекрасно знал о криминальной обстановке в городе из своих источников, но жизнь научила его правилу: чем больше знаешь — тем лучше ориентируешься, чем лучше ориентируешься — тем больше шансов выжить.

— Да, — протянул Старик, поглаживая поясницу, — надо думать, как вам из города выбраться. О вас сведений нет, — кивнул он в сторону пятигорской братвы, — а вот этого героя, — он посмотрел на Хонду то ли с укоризной, то ли с одобрением, — ищут все: и «прохожие», и милиция.

— Самое быстрое — самолет, — заикнулся было Бац.

— О самолете не может быть и речи! Дорога на Минводы и сам аэропорт наверняка блокированы. Железка тоже, — предусмотрел следующее предложение хозяин.

— Да и на автодорогах, вероятно, блокпосты, — вступил в разговор молчавший до сих пор Хонда.

Старик кивнул.

— Надо вам, хлопчики, как-то добраться до Ставрополя, а уже оттуда по воздуху — в Москву. Игрушки, кстати, оставьте дома, в дороге они без надобности, только неприятности наживете в случае чего... А в Москве новые найдете.

Долго еще сидели за столом хозяин и его гости. Дорогая хрустальная люстра в форме старинной керосиновой лампы, но украшенная множеством звонких подвесок, высвечивала круг на столе, где была развернута подробная карта Ставропольского края. Словно военачальники перед решающей битвой, обсуждали они стратегию и тактику предстоящего перелета в столицу.

На рассвете, когда улицы были пустынны, а дежурившие всю ночь стражи порядка изрядно устали, Хонда, Толик и Бац простились со Стариком, который, несмотря на радикулит, вышел на террасу проводить парней. Черный Мага угрюмо смотрел на товарищей.

— За машину свою не беспокойся, — сказал Старик, видя, что Хонда посматривает на стоявший под навесом серебристый «мерс» с московскими номерами. — При первой же оказии мои ребята перегонят его в Москву вместе с начинкой. — Он имел в виду оставленное оружие. — Серому мою малявку передай. Ну ладно, ступайте!

Они сели в уже знакомую Хонде «шестерку», за рулем которой был один из охранников Старика.

Примерно через час, без помех проскочив тихие городские улицы, они спустились в глухую балку, которую пересекала изрытая гусеницами непроезжая дорога. Мало кто из водителей рискнул бы ею воспользоваться. Но водитель Старика знал свое дело: машину заносило то вправо, то влево, иногда колеса пробуксовывали, но она медленно ползла по крутому склону. Наконец, выбравшись из балки, они стали продираться сквозь кустарник, но дорога была уже сносной, и пассажиры облегченно вздохнули.

Пропетляв километров пятьдесят по лесным дорогам, они выскочили на шоссе, идущее почти параллельно с московской магистралью. Внимательно наблюдая за дорожными знаками, они благополучно объезжали посты ГАИ и старались не нарушать правил дорожного движения, чтобы случайно не наткнуться на спрятавшегося в кустах гаишника. Но чем дальше отъезжали они от Пятигорска, тем свободнее чувствовали себя вырвавшиеся из капкана беглецы. Часа через три шофер остановил машину на окраине Ставрополя и, попрощавшись с каждым за руку, газанул в обратном направлении. Хонда и его товарищи растворились в многоликой толпе большого города, торопясь навстречу судьбе или, наоборот, убегая от нее.

«Ил-86» набирал высоту. Салон был наполовину пуст. Хонда и его спутники сидели в разных местах и, чтобы не привлекать внимания, делали вид, что не знают друг друга. Толик сосредоточенно читал журнал, любезно предложенный стюардессой. Бац спал под кожаной курткой (или делал вид, что спит), прижавшись к бортовой стенке. И Хонда, глядя в иллюминатор, долго провожал глазами уплывающий город, с интересом наблюдая, как теряют очертания многоэтажные дома, превращаясь в крохотные коробочки, как многолюдные улицы и проспекты постепенно вытягиваются в тоненькие ниточки, разделяющие город на ровные квадраты, прямоугольники, трапеции...

Набрав высоту, самолет развернулся, описав прощальный круг над городом, и взял курс на Москву. Надсадный вой турбин прекратился, и казалось, что многотонная дюралевая сигара повисла в воздухе, окутанная толстым слоем бело-розовых облаков, которые и не дают ей упасть.

Хонда оторвался от иллюминатора и прикрыл глаза. Несмотря на бессонную ночь, спать не хотелось. Тревожили воспоминания последних дней, но Хонда отогнал их прочь: нужно было думать о будущем и прежде всего о том, как найти в многомиллионном городе Поганца.

«Сначала, — думал он, — надо попросить ребят проверить списки прилетевших из Минеральных Вод. Наверняка этот тип сменил документы и теперь шустрит под чужой фамилией. Но установить ее все-таки можно, учитывая, что пассажиров в это время при дороговизне авиабилетов не так уж много: отсеять женщин, детей, мужчин, не подходящих по возрасту, а остальных проверить... Время, конечно, уйдет, но задача выполнимая. Ну а дальше — дело техники...»

«Уважаемые пассажиры, просьба пристегнуть ремни», — раздался хорошо поставленный голос стюардессы. Юрик удивился: неужели так быстро долетели? Мельком взглянул на оживившихся пассажиров. Толик и Бац готовились к посадке: Толик суетливо возился с ремнем, а Бац, уже пристегнувшись, позевывал и разминал затекшие бицепсы.

Еще в Ставрополе перед посадкой в самолет Хонда позвонил в Москву и предупредил общаковскую братву, чтобы готовили встречу. И вот сейчас среди встречающих он заметил знакомое лицо: невысокий крепкий паренек с выбритым затылком и коротким чубчиком над узким лбом широко улыбался Хонде, обнажая два ряда неровных прокуренных зубов. Это был Димыч, шофер-виртуоз. Он, как никто, знал устройство практически всех марок автомобилей, прекрасно ориентировался в Москве и ее пригородах, а главное, умел легко улаживать конфликты с ГАИ.

Хонда подошел к Димычу, пожал руку и оглянулся, ища глазами своих спутников. Они тоже заметили его и заторопились.

Чуть в стороне от выхода из здания аэропорта их ожидала вишневая «девятка», и уже через несколько минут со скоростью сто сорок километров в час они мчались в Москву.

План, разработанный Хондой и одобренный московскими авторитетами, с которыми он счел необходимым посоветоваться, решили реализовать уже на следующий день. Выбрали наиболее смекалистых ребят из бригады Крутого, которые через два дня сумели отыскать след Погоняна — он проживал в гостинице «Космос» под именем Ильи Артуровича Хована.

Выследить человека в Москве гораздо проще, чем его ликвидировать, особенно если он не выходит из своего номера, а если и выходит, то в сопровождении вооруженных до зубов бугаев. Москва не Пятигорск, здесь белым днем на улице бойню не устроишь. Тут же загремишь под фанфары. Правда, в последнее время в милицейских сводках все чаще мелькают сообщения о перестрелках или просто расстрелах на улицах столицы, и все же это исключение из правил.

В один из дождливых ноябрьских дней в пятидесяти метрах от парадного входа в гостиницу «Космос» появился строительный вагончик-бытовка, выкрашенный в грязно-голубой цвет. Периодически туда заходили работяги, переодевались, пили водку, шумели — в общем, все, как всегда и везде в нашей необъятной матушке России. Ни администрация гостиницы, ни ее обитатели, ни просто прохожие не видели здесь ничего подозрительного. Ну, стоит себе вагон и стоит, значит, это кому-нибудь нужно. А нужно это было не кому-нибудь, а Юрику Хонде, так как это именно его порученцы, сменяя друг друга, дежурили возле маленького «шпиона» американского производства, который, не реагируя на голоса рядом сидящих, скрупулезно записывал все, что передавал крошечный микрофончик-«жучок», прикрепленный к нижней плоскости подоконника в номере Погоняна горничной Леной. В награду за свой «героический» поступок она получила пятьсот зеленых, а Хонда — возможность получать достоверную информацию о дальнейших планах Поганца.

Он узнал, например, что бывший пятигорский коммерсант через бакинские коммерческие банки перекачал все свои «сбережения» в Израиль, а оттуда уже в Испанию, где от его имени ведутся переговоры о покупке довольно большого участка земли. Так что вполне возможно, что в скором времени нынешний Хован превратится в какого-нибудь Хуана. Этого Хонда допустить не мог.

Вечером двадцать второго ноября наблюдатели сообщили, что на следующий день Погонян улетает в Мадрид. Дальше медлить было нельзя. Еще раз все обдумав и взвесив, он решил, что самое реальное — прикрепить радиоуправляемую мину к днищу иномарки, на которой каждое утро приезжают к Поганцу два телохранителя. Обычно они поднимаются в номер и уже вместе с хозяином спускаются вниз. Этого времени вполне должно было хватить для установки мины.

Рано утром общаковый «Мерседес-320» уже стоял у входа в гостиницу. За рулем сидел Димыч, рядом с ним — Хонда, на заднем сиденье расположились Толик и Бац. Серый предлагал взять еще ребят, но Хонда отказался.

Невезение началось с самого начала. Вместо ожидаемой иномарки к гостинице подкатило такси с желтым фонариком на крыше и черными шашечками. Рядом с водителем сидели погоняновские бугаи. Они вышли и направились к дверям, водитель остался на месте. Незаметно подойти к машине было невозможно.

— Черт, — выругался Хонда, — придется в дороге.

— Может, ребят вызвать? — спросил Димыч.

— Сами справимся, — угрюмо буркнул Хонда.

А в дверях гостиницы уже показался Погонян со свитой. Один из качков нес дорогой чемодан из темно-желтой кожи. В руках самого Погоняна покачивался черный кейс-атташе с цифровым кодовым замком. Они сели в такси: Погонян и телохранитель с чемоданом сзади, другой — рядом с водителем.

Такси неслось по улицам Москвы в сторону Шереметьева-2. Ни Погонян, ни его телохранители не замечали хвоста. Возможно, мешали многочисленные попутные автомобили, которые такси обгоняло и подрезало без зазрения совести, а возможно, Погонян был уверен в своей безопасности и не сомневался, что о его местонахождении и планах не известно никому. Преследователи тоже не утруждали себя соблюдением правил уличного движения, стараясь не упустить такси, но о нападении на столь людной трассе не могло быть и речи.

Закусив нижнюю губу, Хонда сосредоточенно соображал, что делать: «Открывать стрельбу в здании аэровокзала нельзя. Телохранители Погоняна наверняка вооружены и неизвестно, сколько людей положат в ответ, да и мои ребята молчать не станут. Надо убрать его сразу, как только они выйдут из машины».

Словно угадав мысли противника, Погонян приказал водителю остановиться так, чтобы расстояние между дверцей такси и входом в вокзал было минимальным. Расплатившись с таксистом и охранниками, он подхватил свои вещи и выскользнул из машины, стремглав бросившись к дверям аэровокзала.

Юрик опешил — второй раз за сегодняшний день серьезный прокол. Чтобы не дать врагу улететь живым и здоровым, оставалось одно: проводить операцию в здании, что было практически невозможно без риска быть задержанным или убитым. Он решил не привлекать ни Толика, ни Баца (Димыч выполнял только обязанности водителя). Приказав парням оставаться в машине, Хонда не спеша направился к зданию аэровокзала.

Войдя в зал ожидания, он огляделся, пытаясь найти в толпе улетающих и провожающих знакомую фигуру. В зале было многолюдно. Важные бизнесмены в черных кашемировых пальто и белых шелковых шарфах нетерпеливо переминались с ноги на ногу в окружении таких же важняков. Разномастные стайки туристов без конца теребили своих сопровождающих, надоедая им глупыми вопросами. Отдельную категорию пассажиров составляли эмигранты. Они кучковались семьями, как правило, занимая целые скамьи, беспрестанно пересчитывали и проверяли свой скарб, покрикивали на детей, улыбались провожающим, втихаря выпивали и закусывали, стараясь казаться веселыми и беспечными. Но в глазах этих людей притихла бесконечная грусть и тревога. Многие из них ощущали себя виноватыми перед страной, которую они называли своей Родиной и которую покидали в погоне за лучшей долей. Только найдут ли они ее, лучшую долю, на чужой стороне? Не станут ли самыми счастливыми дни их нелегкой жизни здесь? Как знать...

Хонде показалось, что невысокая черноволосая женщина средних лет как-то странно смотрит на него. И ему был знаком этот рысий взгляд, но задумываться над тем, где и при каких обстоятельствах они встречались, не было времени — он увидел Погоняна, подходившего к стойке таможенного досмотра. Пристальный взгляд Хонды словно прожег насквозь его затылок, он обернулся, и рэкетир увидел полные злобы и ненависти глаза врага.

Рука сама скользнула под борт куртки за пистолетом. Он уже почувствовал холодную вороненую сталь в своей ладони и хотел было выхватить оружие, но черноволосая женщина рысью метнулась к нему.

— Князь! Я вас предупреждала...

В это время хлопнул выстрел, почти неслышный в гаме вокзальной сутолоки, и женщина безвольно повисла, вцепившись слабеющими руками в левый локоть Хонды. Его реакция была мгновенной: второй выстрел прозвучал почти следом. Погонян качнулся и стал медленно оседать на пол возле стойки таможенного контроля. Рядом с ним дымился небольшой карманный пистолет. Как намеревался хитрый коммерсант пронести его на борт самолета, теперь уже останется тайной. Но скорее всего у него была здесь договоренность...

Пора было уходить, но вещая Сивилла — теперь он узнал ее — все еще держала его за руку. Он нагнулся над умирающей женщиной. Она приоткрыла глаза и что-то силилась сказать ему. Хонда различил одно лишь слово: «Судьба!..»

Он растерянно оглянулся в надежде на помощь и увидел, что к ним бежит молоденькая девушка, совсем девочка, как две капли воды похожая на умирающую скульпторшу. «Дочь, наверное», — мелькнуло у него, но в это время он почувствовал, как две пары сильных рук оторвали его от женщины и поволокли к выходу.

Толик и Бац затолкали Хонду в машину, и Димыч рванул с места, набирая скорость. Сзади завыла сирена. Толик увидел, как разворачиваются два бело-синих «форда» с милицейскими мигалками на крышах. Их явно преследовали.

— Гони! — крикнул Толик Димычу, и машина понеслась как ветер, стремительно удаляясь от погони.

Хонда не слышал крика Толика, не ощущал бешеной скорости. Он безучастно смотрел в окно и думал о Сивилле. Она, когда-то предсказав ему смерть, погибла сама, закрыв его своим телом. И тем самым спасла ему жизнь. Почему? Что двигало этой женщиной? Может быть, увидев, что Погонян поднимает пистолет, она решила перехитрить судьбу и опровергнуть свое же пророчество? А может, просто увидела знакомое лицо и бросилась навстречу, как это часто бывает, а пуля, предназначенная ему, сразила случайно подвернувшуюся жертву? Кто теперь даст ответы на эти вопросы?

Димыч свернул на Кольцевую и гнал машину, не обращая внимания ни на дорожные знаки, ни на разметку: лишь бы как можно дальше оторваться от преследователей. Встречные машины шарахались от обезумевшей «девятки», попутные жались к обочине. Вслед летели самые изощренные проклятия, которые только можно услышать на дороге.

Вдруг откуда-то снизу, с грейдерной боковой дороги, вынырнул обшарпанный автофургон и остановился, перекрыв обе полосы. Теперь уже трудно сказать, что там случилось: то ли мотор внезапно заглох, не выдержав довольно крутого подъема, то ли водитель, видя летящую на него легковушку, резко тормознул да так и застыл столбом. Димыч, пытаясь объехать неожиданное препятствие, выскочил на встречную полосу и лоб в лоб столкнулся с шедшей навстречу «шестеркой». Словно вздыбленные кони, машины поднялись на задние колеса и разлетелись в разные стороны. «Девятку» швырнуло под откос, дважды перевернуло и со всего маху бросило оземь. Из-под капота вынырнули языки пламени и побежали по вишневому кузову, вспучивая краску. Минут через десять раздался мощный взрыв. Столб пламени взметнулся в небо, далеко разбрасывая обломки того, что еще недавно было машиной.

Когда милицейские «форды» догнали наконец беглецов, брать им было уже некого. Внизу под откосом догорала «девятка», а в нескольких метрах от нее дымилась разбитая «шестерка».

Шесть обгоревших трупов даже для видавших виды ментов были картиной страшноватой.

Глава XII

СХОДКА

Опознать погибших было практически невозможно. Их отвезли в морг, и дознаватели райотдела милиции, на чьей территории произошла авария, приступили к работе. Прежде всего установили, кому принадлежала «шестерка». Потом выяснили, что некто Сергей Николаевич Васильев, провожавший дочь в турпоездку в Венгрию, и его брат, решивший вместе с ним прокатиться в Шереметьево, не вернулись домой. Их опознали жены по одним им известным приметам.

На изуродованных пальцах одного из погибших сохранились остатки кожи, и экспертам-криминалистам удалось снять отпечатки, которые, по данным ИЦ МВД РФ, совпали с отпечатками пальцев Анатолия Федоровича Углова, жителя города Пятигорска, привлекавшегося к уголовной ответственности за хранение оружия. Остальные три трупа были опознаны со слов руководителя охранной фирмы «Боец» Андрея Игоревича Панькина (Крутого), который заявил об исчезновении своих сотрудников: не вернулись из аэропорта Шереметьево-2, куда они ездили по его поручению. После осмотра останков и места происшествия он подтвердил, что погибшие — его люди, и получил разрешение на их захоронение.

Уже на следующий день в Москву прибыли Углов и Черный Мага. Они погрузили цинковые гробы с останками Толика и Баца в транспортный самолет и увезли их в Пятигорск, где похоронили пышно и торжественно при большом стечении родственников, друзей, знакомых и просто любопытного люда.

Директор настаивал на том, чтобы забрать и тело Хонды. Мага молчал, но по всему было видно, что он поддерживает бизнесмена. Но тут вмешался Серый:

— Никто не знает, где родина этого парня и есть ли у него родные. Мне по крайней мере о них ничего не известно. Но вся его жизнь, особенно последние годы, связана с Москвой, а потому и костям его лежать в московской земле!

На том и порешили.

Хоронили Хонду и Димыча на Новодевичьем кладбище, без лишней помпезности и показухи. Два полированных гроба черного дерева везли на открытых платформах. Несмотря на ноябрь, охапки живых цветов ковром укрывали катафалки, следом за которыми растянулась колонна беспрестанно гудящих машин разных марок. Замыкал колонну милицейский «форд», откуда через громкоговоритель периодически раздавалось предупреждение о необходимости соблюдать порядок. Но порядок нарушать никто и не собирался: всем известно, что во время похорон наступает негласное перемирие между враждующими группировками. Даже отъявленные бандиты понимают, что похороны — дело святое и провожать покойников в последний путь должны не взрывы и выстрелы, а прощальные речи друзей и неутешные слезы любимых.

На могиле Хонды братва установила памятник — глыбу черного необработанного мрамора. На естественных изломах камня мерцали в лучах скупого осеннего солнца крупные кристаллы. На отполированной части художник выбил имя и фамилию Хонды (клички указывать здесь не принято) и вместо традиционных цветка или веточки изобразил любимую Юриком «беретту». Братва осталась довольна и памятником, и рисунком.

Через несколько дней Серый с группой своих ребят отправился в Пятигорск на воровской сход, назначенный еще при жизни Хонды.

Траурное убранство большого банкетного зала гостиницы «Кавказ» говорило само за себя. Все собравшиеся были в черном. На их скорбно-озабоченных лицах проступала тревога и внутренняя напряженность, словно предстоящие поминки могли стать переломным моментом в каком-то очень важном деле.

Действительно, поминки по погибшим в автомобильной катастрофе товарищам случайно совпали с намеченным ранее воровским сходом, а потому служили ему надежным прикрытием.

Во главе стола, установленного буквой Т в центре зала, сидели приглашенные воры в законе: ростовский Бурый, махачкалинский Зека и другие; по обе стороны от законников расположились местные и приезжие авторитеты, среди которых были Старик и Серый. На сход были приглашены и руководители бандитских бригад.

Бурый встал, поднял хрустальный стаканчик-сотку со «Смирновской» и подал знак, призывающий к молчанию. Приглушенный гул, который обычно возникает там, где собирается больше десяти человек, мгновенно стих. Бурый откашлялся.

— Мне не довелось лично знать погибших, но я слышал и здесь, и раньше, что это были правильные ребята, знавшие и уважавшие понятия. Они строго наказывали беспредельщиков. Давайте помянем их, пусть земля будет им пухом!

Он выпил по русской традиции, не чокаясь, стоя, и подождал, пока его примеру последуют все. Затем продолжал:

— Нас пригласили сюда местные братья, чтобы сообща решить, что делать с беспределом, который все глубже пускает корни в нашу землю, как ядовитая зараза, расползается по всей территории России.

Бурый говорил о том, что в последние годы, как грибы после дождя, возникают все новые и новые бандитские группы и группки, которые слыхом не слыхивали ни о каких понятиях, а закон у них один — пушка в руке. Они признают один авторитет — силу. Им наплевать на уголовные традиции, на знания и опыт стариков. Они нахрапом берут то, что испокон веков принадлежит другим, отвечая на возражения насилием и кровопролитием.

— Братья, — обратился он к присутствующим, — мы должны остановить этот беспредел, иначе эта проказа поразит весь ваш край и распространится на соседние области.

После Бурого, сверкнув маслинами глаз, поднялся махачкалинский Зека. Он тоже помянул погибших, заметив, что ему довелось встречаться с Хондой и что он относился к нему с большим уважением.

Выдержав паузу, он заговорил снова:

— Я сам дагестанец, и мне особенно неприятно, что местная дагестанская бригада, которая начала борьбу с беспредельщиками, сама скатилась на путь беспредела. Я не хочу обидеть всех моих земляков. Я знаю, что большинство из них — парни правильные, но Хромой,

Кащей и те, кто пошел за ними, должны быть наказаны, чтобы остальным был урок. С Хромым все ясно, разобрались, дело прошлое, но вот как сход решит поступить с Кащеем и его приспешниками?

Говорили долго, выступали многие.

Когда поминальный стакан сделал полный круг, сомнений не оставалось — Кащею вынесен смертный приговор. Бойцов, шедших у него на поводу, решили пока не трогать, но строго предупредить. Убрать Кащея вызвался Старик: мол, это их дело, местное, и чужим поручать его не след.

На том и порешили.

ЭПИЛОГ

К лету девяносто седьмого года кровавые события, всколыхнувшие Пятигорск прошлой осенью, стали забываться.

Фирма Углова процветала, расширялась, получая все большую известность в крае и стране, а с некоторых пор вышла на международный уровень. Охранная бригада, сформированная Толиком с помощью Хонды, приобрела опыт и силу, и уже никому не приходило в голову наехать на Директора и потребовать, чтобы он лез под «крышу». Руководил бригадой младший брат погибшего Толика Саша Углов, с которым считались не только городские бандиты, но и уголовники соседних городов.

Кащей так и сгинул в тюремных застенках. Решение схода было выполнено: беспредельщика сначала опустили, а потом набросили на шею удавку. Не помогли бессмертному ни страшные глаза навыкате, ни борзая свора. Бригадиром дагов стал Черный Мага, который, следуя советам Хонды, настойчиво и последовательно укреплял позиции бригады, распространяя свое влияние на различные сферы экономики Ставропольского края. К лету девяносто седьмого это была сплоченная группировка, насчитывающая около сотни активных бойцов и примерно столько же коммерсантов.

Зеленоглазая Таня переболела первым любовным недугом, пережила и первое горе. Отец так ни о чем и не догадался. Но даже теперь, когда она снова улыбалась, бегала с подружками на дискотеки, принимала у себя веселые компании и строила планы на будущее (она собиралась поступать на экономический факультет Ставропольского университета), девушка, оставшись одна, грустила: «Если он и вправду был бандитом, грабил и убивал людей, то почему он отказался от меня? Возможно, его отказ был жертвой во имя любви... Ведь видела же я, как светится любовью лицо этого человека, о котором рассказывали такие ужасы. Я эгоистка, я не понимала, чего стоил ему этот отказ... А его прощальный подарок — испанская шаль! Для «радости своей»... Может быть, я и была его первой и последней радостью?»

Выпускной бал ослеплял роскошью, обилием дорогих марочных вин и деликатесных закусок. Лица выпускников светились. Для них играл оркестр профессиональных музыкантов, выступали артисты местной эстрады. Отпрыски богатых пятигорцев (в эту элитарную школу детям простых горожан доступ был закрыт) разоделись. Туалеты от самых престижных фирм мира демонстрировали материальное благосостояние семейств. Девушки в дорогих платьях и костюмах, подчеркивающих изящество юных фигур, сверкали бриллиантовыми украшениями и выглядели в большинстве своем не школьницами, а настоящими дамами. Юноши расточали незатейливые, пошленькие комплименты, но — увы! — девушкам это нравилось. Таковыми казались им нормы «светского» поведения. Лермонтовские небожительницы и блоковские незнакомки ушли в былое, как уходит этот страшный, странный век с непредсказуемым прошлым.

Таня тоже пошла на бал. Очень простое, узкое платье без рукавов из плотного черного шелка доходило до щиколоток. Круглый вырез низко обнажал спину. Тонкую талию девушки перехватывала чудесная испанская шаль, стянутая узлом на бедре. На Тане не было дорогих украшений, но, надо отдать должное, выглядела она эффектнее всех, и не случайно весь вечер возле нее увивались толпы поклонников.

Вернувшись домой уже под утро, она тихонько поднялась к себе в комнату и, не зажигая света, упала на кровать. Ее рука наткнулась на плотный бумажный прямоугольник. «Что это?» — удивленно подумала девушка и щелкнула выключателем. На постели лежала открытка — дивные чайные розы в утренней росе... Вдруг перехватило дыхание. Она перевернула открытку и стала лихорадочно читать. Пробежала раз, другой, третий... В глазах застыло недоумение, потом они медленно стали наполняться слезами... «Радость моя! — шептала она. — Поздравляю тебя с началом взрослой жизни. Желаю счастья! Юра Х.».

Содержание

Литературно-художественное издание

Барсов Михаил

Воровской Рим

Художественный редактор О.Н. Адаскина
Компьютерный дизайн: И.А. Герцев
Технический редактор О.В. Панкрашина
Младший редактор Е.А. Лазарева

Подписано в печать с готовых диапозитивов 25.01.2000.
Формат 84×108$^{1}/_{32}$. Печать офсетная. Усл. печ. л. 21,84.
Тираж 10 000 экз. Заказ 390.

Налоговая льгота — общероссийский классификатор продукции
ОК-00-93, том 2; 953000 — книги, брошюры

Гигиенический сертификат
№ 77.ЦС.01.952.П.01659.Т.98 от 01.09.98 г.

ООО «Фирма «Издательство АСТ»
ЛР № 066236 от 22.12.98.
366720, РФ, Республика Ингушетия,
г.Назрань, ул.Московская, 13а
Наши электронные адреса:
WWW.AST.RU
E-mail: astpub@aha.ru

При участии ООО «Харвест». Лицензия ЛВ № 32 от 27.08.97.
220013, Минск, ул. Я. Коласа, 35—305.

Отпечатано с готовых диапозитивов заказчика
в типографии издательства «Белорусский Дом печати».
220013, Минск, пр. Ф. Скорины, 79.